CINEASTAS E IMAGENS DO POVO

JEAN-CLAUDE BERNARDET

Cineastas e imagens do povo

COMPANHIA DAS LETRAS

Grafia atualizada segundo o Acordo Ortográfico da Língua Portuguesa de 1990, que entrou em vigor no Brasil em 2009.

Capa
Ettore Bottini sobre foto de trabalho de Thomaz Farkas para o filme *Viramundo.*
Acervo Cinemateca Brasileira

Índice remissivo
Daniel A. de André

Preparação
Eliane de Abreu Santoro

Revisão
Beatriz de Freitas Moreira
Otacílio Nunes

Atualização ortográfica
Valquíria Della Pozza

Dados Internacionais de Catalogação na Publicação (CIP)
(Câmara Brasileira do Livro, SP, Brasil)

Bernardet, Jean-Claude
Cineastas e imagens do povo / Jean-Claude Bernardet. – São Paulo : Companhia das Letras, 2003.

ISBN 978-85-359-0402-4

1. Cinema – Brasil 2. Filmes documentários – Brasil I. Título.

03-3858 CDD-791.4330981

Índice para catálogo sistemático:
1. Brasil : Cinema documentário 791.4330981
2. Brasil : Documentários : Cinema 791.4330981

EDITORA SCHWARCZ S.A.
Rua Bandeira Paulista, 702, cj. 32
04532-002 – São Paulo – SP
Telefone: (11) 3707-3500
www.companhiadasletras.com.br
www.blogdacompanhia.com.br
facebook.com/companhiadasletras
instagram.com/companhiadasletras
twitter.com/cialetras

Sumário

Agradecimentos

Agradeço aos estudantes que seguiram meus cursos sobre o cinema documentário na Universidade de São Paulo e na PUC (Pontifícia Universidade Católica), principalmente:

Hilda Machado
Rogério Vorobov
Antônio Carlos Amâncio da Silva
Marília da Silva Franco
José Adolfo Moura
Ilma Santana Curti

nas discussões sobre *Viramundo*, *Subterrâneos do futebol*, *A opinião pública*, *Migrantes*, *O velho e o novo* e *Jardim Nova Bahia*.

Agradeço
à Cinemateca do Museu de Arte Moderna do Rio de Janeiro
à Embrafilme
à CDI — Cinema Distribuição Independente
ao Museu da Imagem e do Som
e a Andréa Tonaccipelo empréstimo de filmes.

Agradeço
à Cinemateca Brasileira
pelo empréstimo de filmes e por ceder sua mesa de montagem.

Agradeço
à Escola de Comunicações e Artes da Universidade de São Paulo
e particularmente a Osvaldo de Oliveira (Benê)
pela gravação das faixas sonoras dos filmes.

Agradeço a
Ismail Xavier
José Teixeira Coelho
Lucila Ribeiro Bernardet
Maria Rita Galvão
Marilena Chaui
por terem lido e discutido meu texto.

Advertência ao leitor

Para que o povo esteja presente nas telas, não basta que ele exista: é necessário que alguém faça os filmes. As imagens cinematográficas do povo não podem ser consideradas sua expressão, e sim a manifestação da relação que se estabelece nos filmes entre os cineastas e o povo. Essa relação não atua apenas na temática, mas também na linguagem.

Analisando documentários brasileiros dos anos 60 e 70 e me detendo sobre sua montagem, elaboração de planos, uso da palavra etc., tentei estudar a linguagem desses filmes como o palco de conflitos ideológicos e estéticos dos cineastas na sua relação com a temática popular.

Concluí este ensaio antes de ter visto *Cabra marcado para morrer*, de Eduardo Coutinho. Se tivesse escrito depois, a minha perspectiva de trabalho provavelmente teria sido outra. De qualquer forma, me parece que o *Cabra* confirma muitas afirmações feitas aqui. E quem sabe essas muitas afirmações permitam compreender melhor o *Cabra*, que é um divisor de águas.

Embora este ensaio se refira a filmes documentários, sua intenção é levantar discussões ideológicas e estéticas que ultrapassam não só o campo do documentário, como também o do cinema, e contribuir para compreender conflitos vividos por artistas e intelectuais brasileiros aproximadamente no período de 1964 a 1980 em relação... às imagens do povo.

Jean-Claude Bernardet

Introdução

Este ensaio não é nem uma história nem um panorama do cinema documentário de curta-metragem produzido no Brasil entre 1960 e 1980 — período em que foram realizados os filmes aqui analisados ou citados.

Até os anos 50, o curta-metragem brasileiro, embora importante — cinejornal, filmes turísticos ou oficiais, números musicais etc. — e revelador de diversos aspectos da sociedade e da produção cinematográfica, não é um cinema crítico. É no decorrer da década de 50 e com os primeiros filmes de curta-metragem do Cinema Novo que essa forma de cinema deixa de ser a sala de espera do longa-metragem ou a compensação de quem não consegue produções mais importantes. Nele se cruzam problemas da sociedade brasileira e da linguagem cinematográfica.

No contexto sociocultural do início dos anos 60, marcado pelas diversas tendências ideológicas e estéticas que queriam que as artes não só expressassem a problemática social, mas ainda contribuíssem à transformação da sociedade, desponta um gênero cinematográfico que chamarei de "modelo sociológico". Esse é o meu ponto de partida.

Nas décadas de 60 e 70, a maior parte da produção documentária evolui para o que se pode chamar de "registro" das tradições populares, da arquitetura, das artes plásticas, da música etc. Essa evolução foi bastante motivada pela política cultural que os sucessivos governos adotaram a partir do fim dos anos 60 e pelo apoio financeiro e institucional que várias entidades estatais deram à produção e à divulgação do curta-metragem. O que possibilitou a realização de alguns filmes interessantes.

Mas é principalmente à margem dessa produção que encontramos documentários inquietos tanto com os problemas sociais como com os da linguagem. Sob a influência da evolução política posterior ao golpe militar de 1964, dos movimentos sociais que foram abafados ou conseguiram se expressar, do questionamento relativo ao papel dos intelectuais, das diversas revisões por que passaram as esquerdas, do aparecimento das "minorias" que colocaram a questão do outro, da evolução do Cinema Novo e da perda de sua hegemonia ideológica e estética, das preocupações quanto à linguagem cinematográfica, ao realismo e à metalinguagem, esse cinema documentário viveu uma crise intensa, profundamente criadora e vital. O "modelo sociológico", cujo apogeu situa-se por volta de 1964 e 1965, foi questionado e destronado, e várias tendências ideológicas e estéticas despontaram.

Foi essa crise que tentei estudar aqui. Escolhi um certo número de filmes que me parecem expressar as contradições mais fecundas dessa crise. A escolha dos filmes era evidentemente delicada: os que podemos vincular à crise são mais numerosos que a minha filmografia. Escolhi então aqueles que, por um lado, me pareceram momentos-chave dessas transformações e que, por outro, me motivaram intelectual e sobretudo emocionalmente. Eram filmes que queria entender e com os quais podia manter um diálogo rico

— o que às vezes terá sido benéfico para meu texto, e outras nem tanto. Além disso, me fixei em curtas-metragens — com exceção de um só título, que pareceu indispensável — e, preferencialmente, em filmes em geral pouco conhecidos. De fato, as condições de circulação do curta-metragem são difíceis, mais ainda no caso dos que não se enquadram nas normas ideológicas e estéticas dominantes. Ao que se devem acrescentar os efeitos da censura. Este ensaio tem portanto também a finalidade de falar de um setor da produção cinematográfica brasileira bastante desconhecido e, no meu entender, muito rico. Nada disso impedirá que me critiquem por ter preferido tal filme a tal outro, ter valorizado tal obra ou realizador em detrimento de outros.

Mesmo que a filmografia não abranja todos os filmes da crise, os que escolhi constituem momentos fortes. Numa espécie de corpo a corpo com essas obras, procurei entender, em cada uma delas, quem era o dono do discurso. Detive-me antes na forma desse discurso que na sua temática. Buscando respeitar a personalidade de cada uma dessas obras, o ensaio foi organizado como uma série de análises de filmes das quais, porém, depreendem-se temas e preocupações teóricas que, ecoando de capítulo em capítulo, constituem como que uma rede inscrita em filigrana na linguagem desses filmes tal como aqui analiso. E espero que, no decorrer da leitura, se compreenda não só a complexidade do investimento ideológico e estético sobre a "forma" desses filmes — que é algo bem diverso do tratamento de um "assunto" ou de um "conteúdo" —, como também se perceba essa rede temática.

O modelo sociológico ou a voz do dono
Viramundo

Muita gente fala em *Viramundo*. Vozes múltiplas, falas diferenciadas. Tentemos qualificar essas vozes e montar um sistema de relacionamento entre elas.

Fala alguém que não vemos, é o locutor.[1] Falam pessoas entrevistadas, são ora retirantes nordestinos que chegam a São Paulo em busca de trabalho e que a câmera apanha de improviso na descida do trem ou na triagem, ora operários e uma mãe de santo que são entrevistados em suas casas. Fala um dirigente de empresa, também respondendo a perguntas. Fala o entrevistador, fazendo perguntas. Falam pregadores, a quem nada se pergunta, mas o gravador registra seus sermões. Também fala outra pessoa que não vemos, é Capinam, letrista da canção do filme. Essas vozes são diversificadas, não falam da mesma coisa e não falam do mesmo modo.

Os entrevistados só falam quando perguntados. O entrevistador, que não aparece na tela, a não ser uma ou outra vez, de costas, em "amorce", lhes faz perguntas sobre as suas condições de vida e de trabalho, e as respostas limitam-se ao perguntado. Perguntas e respostas são tomadas em som direto: as falas vêm misturadas a ruídos de fundo, são hesitantes; as frases são incompletas, não apresentam fidelidade às regras da gramática oficial; palavras são distorcidas. A mãe de santo diz que Pai Damião está "sastifeito", um operário afirma que "nós pagava o arroz...". A prosódia dos entrevistados e seus sotaques são diversos, a expressão é ora entrecortada, ora fluente, quase um recitativo cantante, como no caso de um operário de construção civil que enumera alimentos básicos e os preços que aumentam. Os entrevistados falam do que conhecem: sua vida, os motivos que os levaram a deixar o Norte e procurar trabalho em São Paulo, as condições de vida e o emprego na construção civil ou na indústria; a mãe de santo fala de seu trabalho e do santo que encarna nela. Eles são a *voz da experiência*. Falam só de suas vivências, nunca generalizam, nunca tiram conclusões. Ou porque não sabem, ou porque não querem, ou porque nada lhes é perguntado nesse sentido. Se, por acaso, um operário generaliza, é para dizer besteira — por exemplo, que os nossos irmãos do Norte só pensam em matar e que o pessoal do Sul gosta de trabalhar dez, doze horas por dia. É apenas um ponto de vista que, enquanto tal, fica desqualificado como generalização. Não podemos levar a sério o conteúdo dessa afirmação, podemos apenas tomá-la como um dado sobre quem a fez. Ao emitir sua visão, quem fala, fala de si, e o que diz continua sendo um dado da experiência imediata.

A voz do locutor é diferente. É uma voz única, enquanto os entrevistados são muitos. Voz de estúdio, sua prosódia é regular e homogênea, não há ruídos ambientes, suas frases obedecem à gramática e enquadram-se na norma culta. Outra característica: o emissor dessa voz nunca é visto na imagem. Ele pertence a um outro universo sonoro e visual, mas um universo não especificado, uma voz *off* cujo dono não se identifica. Diferentemente dos entrevistados, nada lhe é perguntado, fala espontaneamente e nunca de si, mas dos outros, dos migrantes, não apenas dos entrevistados, mas dos migrantes em geral que vieram para São Paulo; os que vemos no filme constituem uma pequena parcela deles. O locutor não fala como eles. Eles falam de si na primeira pessoa, ele fala deles na terceira; enquanto os migrantes falam de suas situações particulares, ele fala deles no geral. Dá números, estatísticas: são tantos que chegaram a São Paulo entre 1952 e 1962, tantos por cento que se dirigem para a agricultura, tantos para a construção civil e a indústria. Qualifica brevemente de "zonas sociais mais atrasadas" a região donde provêm, e esta, a que chegam, de "formas sociais e urbanas mais avançadas e racionais do Brasil". É a *voz do saber*, de um saber generalizante que não encontra sua origem na experiência, mas no estudo de tipo sociológico; ele dissolve o indivíduo na estatística e diz dos entrevistados coisas que eles não sabem a seu próprio respeito. Os entrevistados falam de uma história individual; não se veem como um número; não provêm das zonas mais atrasadas, nem se dirigem às zonas mais racionais; provêm de lugares onde não conseguem cultivar a terra e sobreviver e vão para um lugar onde têm a esperança de poder viver. Se o saber é a voz do locutor, os entrevistados não possuem nenhum saber sobre si mesmos.

O que informa o espectador sobre o "real" é o locutor, pois dos entrevistados só obtemos uma história individual e fragmentada — pelo menos quando se concebe o real como uma construção abstrata e abrangente. Estabelece-se então uma relação entre os entrevistados e o locutor: eles são a experiência sobre a qual fornecem informações imediatas; o sentido geral, social, profundo da experiência, a isso eles não têm acesso (no filme); o locutor elabora, de fora da experiência, a partir dos dados da superfície da experiência, e nos fornece o significado profundo. Essa elaboração não se processa durante o filme, nem nos é indicado o aparelho conceitual que a rege, nem donde vem esse locutor do qual só sabemos que está ausente da imagem. De modo que a relação que acaba se estabelecendo entre o locutor e os entrevistados é que estes funcionam como uma *amostragem* que exemplifica a fala do locutor e que atesta que seu discurso é baseado no real. Eu não vos falo em vão: eis a prova da veracidade do que digo. E essa veracidade vem enriquecida pelo peso do concreto: a presença física na imagem, as expressões faciais, a singularidade das vozes etc. Os entrevistados são usados para corroborar a autenticidade da fala do locutor.

O locutor apoia-se em dois pilares para confirmar sua credibilidade diante do espectador. Um é o real vivido, representado pela amostragem dos entrevistados. Outro é a cartela que abre o filme. Essa cartela (que não consta de todas as cópias atualmente em circulação, 1980-1982) é uma composição tipográfica sobre fundo liso e dá a impressão de ter sido acrescentada após a composição dos créditos, pois é graficamente diferente deles. Ela nos informa que o filme recebeu a colaboração de diversos sociólogos, professores da Universidade de São Paulo. A cartela fornece um atestado de autenticidade científica à fala do locutor. Ele fala do real vivido, como confirma a amostragem, porém um real trabalhado não apenas pela compreensão da experiência imediata, mas também pela segurança de um aparelho conceitual científico, que nos desvenda a significação da experiência. A postura sociológica justifica a exterioridade do locutor em relação à experiência. Justifica, e mais: torna necessária essa exterioridade, já que quem vivencia a experiência só consegue falar a partir de sua superfície. Os migrantes — de que os entrevistados são a amostragem — são o *objeto* da fala do locutor, que se constitui *sujeito* detentor do saber. Sua participação na experiência seria a própria negação de seu saber, já que dentro da experiência só se obtêm dados individuais, parciais, fragmentados. A *exterioridade* do sujeito em relação ao objeto, a que está obrigado a reduzir aqueles de quem fala, é um dos fundamentos do seu saber. E, dessa exterioridade, a ausência do locutor na imagem e a própria matéria sonora de sua fala dão conta.

Voltemos à amostragem. Para que funcione como tal, é necessário que preencha determinados pré-requisitos. O que dizem os entrevistados terá de se encaixar no universo delimitado pela fala do locutor, caso contrário nem a fala do locutor seria a interpretação do real, nem o real — via amostragem — conseguiria autenticá-la. Portanto, só determinadas perguntas serão feitas aos entrevistados, e, se as respostas extravasarem do universo em questão, elas precisarão ser limpas na montagem. Todas as motivações expostas pelos migrantes para explicar sua vinda para São Paulo são ligadas à questão da terra. Sem minimizar essa questão nem rejeitar que seja ela o motivo principal, é aceitável que essas pessoas tenham várias razões para agir. Por exemplo, o homem que veio para São Paulo e deixou o pai cuidando do sítio pode ter tido também como motivação não se dar bem com o pai, de modo que a mudança encaminharia dois problemas. Mas sair da motivação da terra seria sair da fala do locutor. Para que o sistema funcione, é necessário que se limpe o real de maneira a adequá-lo ao aparelho conceitual. É essa limpeza que permite o funcionamento básico de produção de significação do filme: a relação *particular/geral*. O filme funciona porque é capaz de fornecer uma informação que não diz respeito apenas àqueles indivíduos que vemos na tela, nem a uma quantidade muito maior deles, mas a uma classe de indivíduos e a um fenômeno. Para isso, para que passemos do conjunto das histórias individuais à classe e ao fenômeno, é preciso que os casos particulares apresentados contenham os elementos necessários para a generalização, e apenas eles. O camponês que emigrou por ter brigado com a família fica excluído; os outros terão suas motivações reduzidas a uma. Essa limpeza do real condicionada pela fala da ciência permite que o geral expresse o particular, que o particular sustente o geral, que o geral saia de sua abstração e se encarne, ou melhor, seja ilustrado por uma vivência. Como não somos informados sobre essa operação de limpeza do real, temos diante de nós um sistema que funciona perfeitamente, em que geral e particular se completam, se apoiam, se expressam reciprocamente.

Há uma outra instância verbal generalizadora: a canção. Ela canta os dissabores de Viramundo em busca do trabalho urbano e não faz sociologia. O personagem da canção pertence a uma poética popular; ele provém, em tese pelo menos, do universo cultural a que pertencem os migrantes entrevistados. A canção é escrita na primeira pessoa, como as entrevistas, diferentemente da locução. A origem do Viramundo, a primeira pessoa são elementos de aproximação, de empatia para com os migrantes. A generalização faz-se pela apreensão de uma experiência coletiva expressa por um personagem mítico. O cancionista reelabora em termos míticos — portanto gerais, abstratos e abrangentes — o conjunto das experiências individuais similares, das quais ele guarda o denominador comum. Um verso da canção, que, com toda probabilidade, foi escrito após o poeta ter tomado conhecimento das entrevistas, diz: "Chuva dá e chuva come". Esse verso retoma a afirmação feita por um camponês no início do filme: "Mas a chuva deu e a chuva mesma comeu". A passagem da frase do migrante para o verso é significativa: o camponês fala de uma chuva determinada que fez florescer seu sítio, mas cujo excesso arruinou a colheita e o sitiante e determinou sua vinda para São Paulo. O poeta elimina os dois artigos que especificam a chuva e o pretérito que a situa no tempo; elimina o "mesma" e o "mas", que relacionam essa sentença com a anterior. A frase assim transformada isola-se do seu contexto, torna-se geral, com uma simetria bem desenhada e um ritmo marcado: limpa, clara, de impacto. A frase perdeu seu caráter de fala cotidiana e tornou-se quase uma fórmula. Esse verso está nas estrofes cantadas durante a apresentação do filme, e a frase do migrante só virá uns minutos depois: de certa forma a reconhecemos; o poeta tinha razão, é o próprio homem da experiência quem o diz. Desse modo, em vez de dizer que a frase se transformou num verso — o que é correto no plano da composição da canção —, talvez fosse preferível dizer que o verso se atualizou numa frase cotidiana, no plano da percepção do filme.

Se a locução de cunho científico generaliza, do exterior, a experiência dos migrantes tornados objetos, a canção generaliza pela reelaboracão empática dessa mesma experiência. No entanto, ela conserva muitas afinidades com a locução: também é *off*, também é cantada por quem não se vê na tela nem se identifica, por quem não dá mostras, além do talento poético, de pertencer ao mundo da experiência; também é um som de estúdio, limpo dos ruídos ambientes.

Têm uma função próxima à da canção os quadros de Cândido Portinari usados para apresentação dos créditos. *Os retirantes* (série de 1944) podem ser vistos como um grito de dor diante da miséria nordestina.

Os quadros representam o início do percurso dos migrantes; é o início da viagem, a fase que antecede ao trem: o ruído do trem que incide sobre os quadros nos lembra essa função diegética. Mas o filme não se detém muito nos quadros, que são usados como elemento de introdução ao filme e de apresentação dos letreiros. O que me parece importante não é tanto que os vejamos, mas sim que os reconheçamos — pelo menos aqueles que têm a devida informação para isso. Os quadros funcionam pelo que mostram e também pelo símbolo cultural que identificamos neles: uma manifestação da cultura erudita que trata do tema da miséria camponesa, à qual Portinari, pelo vigor de seu expressionismo, deu uma dimensão de escândalo social e de tragédia mítica. É esse símbolo que a presença dos quadros no início do filme me parece capitalizar.

A locução, a canção, os quadros apreendem e cercam a experiência vivida dos migrantes pela perspectiva da ciência e da arte — ciência e arte (pelo menos no caso dos quadros) que não pertencem ao universo cultural deles, mas interpretam em termos cultos a sua vivência. Quanto aos migrantes, nada mais se lhes pede, senão que a vivam.

Como são tratados os entrevistados para que o sistema particular/geral funcione? Retomando colocações feitas por Sérgio Santeiro[2] para explicar sua *dramaturgia natural*, vejo um tratamento em três etapas.

Primeiro, temos uma pessoa: é com ela que o documentarista vai se encontrar inicialmente. Dependendo do que essa pessoa tem a dizer, da sua expressividade, da sua disponibilidade, ele se resolverá a filmá-la, ou não. Essa fase pode ser mais ou menos intensa. No caso das breves entrevistas realizadas na triagem, ela tem de ser reduzida ao mínimo, pois as pessoas estão de passagem e o cineasta deve aproveitar a situação rapidamente. No caso das entrevistas feitas em casas de operários, é possível uma escolha maior por parte do cineasta e um envolvimento também maior por parte dos entrevistados.

A segunda fase é a do ator natural: a pessoa que o cineasta escolheu e que se dispôs a ser filmada e entrevistada age em função da filmagem. Vai repetir o que foi mais ou menos combinado na fase anterior e início desta, vai aceitar certas condições que o cineasta e sua equipe estabeleceram para a filmagem: onde sentar, refazer a cena se necessário etc. Agora, a pessoa representa a si mesma em função da filmagem, faz o papel de si mesma. Essa situação será tão mais acentuada quanto mais intensa for a fase anterior. Em *Viramundo*, as filmagens e as entrevistas realizadas em casa de operários são significativas desse ponto de vista.

Há inclusive três planos que revelam um método de trabalho: numa das cenas filmadas na casa do operário "não qualificado", nós o vemos, num plano, dentro de sua casa, começar a vestir o paletó, pegar uma gaiola de passarinho; no plano seguinte, ele sai de casa, pendura a gaiola do lado de fora; no terceiro, acaba de vestir o paletó. No primeiro plano, a câmera está dentro da casa, voltada para a porta; no segundo, está fora, também voltada para a porta; no terceiro, novamente dentro da casa. Esse movimento do operário poderia ter sido filmado de uma vez só desde que houvesse duas câmeras. Sabemos, pela precariedade da produção, que não era o caso. Mas o próprio filme nos informa que não havia duas câmeras. De fato, no primeiro plano, quando o operário interrompe o gesto de vestir o paletó para pegar a gaiola, a gola do paletó está levantada. No contraplano, suas mãos encontram-se ocupadas com a gaiola, e a gola do paletó está abaixada. No terceiro, a gola aparece novamente levantada, e ele a endireita. Essa falha de continuidade não deixa dúvida quanto ao fato de que a ação de transportar a gaiola foi realizada duas vezes (no mínimo) para que pudessem ser filmados o plano e o contraplano. Caso não fosse evidente que a atuação do operário se desenvolve em função da filmagem, esses cortes nos revelam que ele atua como ator ao fazer gestos especificamente para a câmera.[3]

A terceira fase diz respeito à montagem e finalização do filme. O material assim obtido é coordenado em função das necessidades expressivas e das ideias do filme. As cenas do operário da gaiola, por exemplo, vão ser integradas numa montagem paralela em que contrastarão com as do operário "qualificado". Essa montagem visa opor dois operários de destinos contrastantes: o "qualificado" — o que falava de "nossos irmãos do Norte" — é bem-sucedido, satisfeito com seu trabalho e suas condições de vida, tem duas casinhas, encontrou estabilidade e a defende; o outro só consegue bicos, sempre instável nos empregos que vão se sucedendo, e, no momento, está desempregado e em via de ser despejado da casa. A montagem opõe dois tipos ou duas categorias de operário, ou melhor: a montagem cria dois tipos de operário. É ela que arma uma relação entre os dois, que os torna antagônicos. Não está na pessoa do operário da gaiola, não decorre dessa pessoa ser um determinado tipo que se opõe a outro. Isso é uma elaboração do discurso, condicionado pelas necessidades do aparelho científico. Assim, as pessoas — anônimas — dos operários servem de *matéria-prima* para a construção dos tipos. Eles emprestam suas pessoas, roupas, expressões faciais e verbais ao cineasta, que, com elas, molda o tipo, construção abstrata desvinculada das pessoas com que ele se encontrou na primeira fase. O *tipo sociológico*, uma abstração, é revestido pelas aparências concretas da matéria-prima tirada das pessoas, o que resulta num *personagem dramático*. Tais pessoas não têm responsabilidade no tipo sociológico e na personagem dramática que resulta da montagem. E, mais uma vez, para que funcione esse sistema, é necessário que da pessoa se retenham os elementos, e apenas eles, úteis para a construção do tipo. Se o operário da gaiola mudasse constantemente de emprego, não apenas em função das condições do mercado de trabalho e de sua falta de especialização, mas também por causa de uma instabilidade psicológica, por exemplo, esta teria de ser eliminada porque distorceria um tipo elaborado a partir das condições de trabalho. O tipo com o qual se lida condiciona a matéria-prima individual a ser selecionada. Mas os caracteres singulares dessa pessoa (expressividade, gestualidade etc.) revestem o tipo de uma capa de realidade que tende a nos fazer aceitar o personagem dramático que encarna o tipo sociológico como a própria expressão pessoal. Mas o que ocorreu foi que o tratamento dado à pessoa se mostrou determinado pelo tipo a construir, e nele se dissolve o indivíduo. Ficamos com a impressão de perfeita harmonia entre o tipo e a pessoa, quando o tipo — abstrato e geral — é todo-poderoso diante da pessoa singular que ele aniquila.

Mais algumas observações em relação a esses dois operários — o da gaiola, que chamei de "não qualificado", e o outro, "qualificado". Por que os denominei assim, já que nem um nem outro usa essas expressões a respeito de si ou de qualquer outro? Na montagem paralela dos dois operários está inserido um terceiro entrevistado, que se diferencia de todos os demais. É um empresário, a quem o entrevistador chama de "senhor empresário", ao passo que não se dirige aos outros como "senhor migrante" ou "senhor operário". Esse empresário, diferentemente dos demais entrevistados, e como o locutor, não fala de si, mas *sobre* os operários. Fazem-lhe perguntas que determinam com precisão o campo da resposta. "Quando há uma retração na produção, que setor de mão de obra ela atinge em primeiro lugar?" "Quando há uma retração na produção, ela atinge em primeiro lugar a mão de obra não qualificada, por ser de mais fácil reposição, dada a sua maior disponibilidade." São essas perguntas e respostas que condicionam a interpretação que devemos dar à relação antagônica desses dois operários e nos fornecem os conceitos com que designá-los. Esses mesmos operários, numa outra impostação que não aquela gerada pela entrevista com o empresário, seriam interpretados diferentemente. Por exemplo, numa impostação moralista tipo a cigarra e a formiga: a instabilidade *versus* a constância e a perseverança que permitem acumulação; ou o que conseguiu subir na vida *versus* o que fracassou.

Esse jogo entre o entrevistador e o empresário confere a este último uma posição peculiar no filme: ele é visto na imagem com suas particularidades expressivas, recebe perguntas de um entrevistador oculto e está numa situação concreta (a de empresário); sua fala é registrada em som direto, como a dos outros entrevistados; mas não fala de si, está fora da experiência; fala dos operários de modo genérico, não é objeto de estudo do filme e colabora com o bom funcionamento do sistema particular/geral, assim como o locutor. Isso lhe confere uma posição intermediária entre esse locutor e os migrantes entrevistados. A essa posição chamarei de *locutor auxiliar*. Sua função é ajudar o locutor a expor as ideias e os conceitos a serem transmitidos, e a qualificação de "senhor empresário" confirma sua competência na matéria. Ele alivia a locução *off* do filme, possibilitando que ela ocupe menos tempo, e aproxima as informações genéricas do "real". De fato, se ele não falasse da relação operário qualificado/não qualificado, do comportamento diferenciado desses dois tipos no mercado de trabalho, o locutor precisaria fazê-lo. É graças a esse recurso que a locução incide apenas na parte inicial do filme, cessando a partir do momento em que os migrantes entram na cidade. De modo geral, os locutores auxiliares estão numa posição de poder, quer pelo saber, quer pelo cargo que ocupam, bem como pela função que desempenham no sistema de informação dos filmes. Estão assim mais próximos dos locutores que dos entrevistados. E tudo isso não ocorre sem contradições.

Voltando à montagem paralela da sequência dos dois operários, podemos encontrar aí outro mecanismo que permite a passagem do particular para o geral, problema básico com que se defrontam *Viramundo*, o documentário e o realismo em geral. Essa forma de montagem induz à comparação entre as duas séries montadas paralelamente. A ordenação dos fragmentos de cada série reforça e orienta a comparação. Os fragmentos são acoplados de modo que cada operário trate do mesmo tema sucessivamente: estabilidade/instabilidade no emprego; o operário "qualificado" tem duas casinhas, o "não qualificado" é ameaçado de despejo; o "qualificado" acha que o sindicato é excessivamente politizado, que está a serviço da Rússia ou de Cuba, e o "politizado" quer então delegados sindicais nas fábricas para fazer trabalhar os operários; o outro acha que as atividades do sindicato são meramente assistenciais e não defendem os direitos dos operários. Sobre os mesmos pontos, temos sucessivamente posições divergentes. Esse mecanismo nos leva a reter das informações que nos fornecem as imagens e as falas apenas o necessário para a comparação. A nossa tendência, ou melhor, o trabalho para que nos encaminha o filme, é dispensar o que não é comparável, o que é irrelevante para a comparação e portanto para a construção dos tipos, ou tentar conseguir comparar tudo. Podemos subverter o filme, ignorar a comparação e nos interessar pelo olhar dos entrevistados: construiremos outro filme. Mas, aceitando a comparação, somos levados a guardar de cada termo aquilo que, de uma ou outra forma, se reflete no outro. Limpamos as singularidades de cada termo para nos determos no generalizável. Evidentemente, essa seleção foi realizada pela própria montagem, foram eliminados os planos que não facilitariam ou que perturbariam a comparação. Mas, dentro dos planos selecionados, sobram elementos eventualmente perturbadores que poderiam fixar nossa atenção (gestualidade, intensidade de luz, um objeto etc.). O nosso comportamento, guiado pelo filme, consistirá em interpretar quanto possível as singularidades em função da comparação, desprezar as outras, nem mesmo percebê-las até.

O operário "qualificado" ou "bem-sucedido" é filmado dentro de casa, numa sala exígua que não deixa muita mobilidade à câmera nem grande escolha nas posições que ela pode ocupar. A câmera é colocada preferencialmente perpendicular à parede do fundo contra a qual quer o grupo familial em plano médio, quer o operário em primeiro plano parecem estar emprensados. Nesse espaço apertado, os planos são duros. No primeiro, o grupo familial, pai, mãe, três filhos, mantém-se rígido, com exceção do homem que faz os movimentos mínimos necessários para falar. Os poucos objetos que vemos são flores de plástico, um retrato convencional do casal, uma toalha de renda na mesa. O entrevistado permanece constantemente tenso e a imobilidade dos outros pode ser interpretada como fruto da autoridade do chefe de família. O operário "não qualificado" é filmado numa casa mais modesta, quase um barracão, mas que dá impressão de mais espaçosa; ele se movimenta, sai de casa, parece mais à vontade, sorri, faz (deixam-no fazer ou pedem-lhe que faça) coisas supérfluas para a estrita economia da entrevista: veste paletó, bota a gaiola para fora. No último plano de sua fala, está na parte externa da casa e um gato pula do telhado sobre um muro, dando espontaneidade ao ambiente. E outros elementos poderiam ser mobilizados: o operário "não qualificado" só fala em pé; seu paletó tem listras verticais brancas sobre fundo escuro; a porta de sua casa é muito utilizada na composição dos quadros — tudo confere um caráter de verticalidade e leveza aos planos desse operário. A isso se opõe a tendência mais horizontal do outro operário, principalmente no primeiro plano da entrevista, em que temos uma mesa em primeiro plano, a família petrificada atrás, praticamente emprensada contra a parede: toda essa composição sugerindo peso. O operário "qualificado" fala o mais das vezes com o olhar no eixo da câmera, o que lhe confere um certo ar de prepotência que se alia ao tom peremptório de suas afirmações. O outro tem o olhar a uns trinta graus em relação ao eixo, o que dá uma impressão mais discreta. O conjunto desses elementos não é apreciado em si, mas tende a ser interpretado em função da comparação e organizado em dobradinhas: tensão/à vontade, espaço estreito/mais aberto, interior/exterior etc., mesmo que o espectador não perceba claramente que ele está procedendo a essa operação.

A montagem paralela com função generalizante pode se dar por oposição, como na sequência que acabo de comentar, ou por afinidade. Trata-se então de perceber a semelhança de elementos diversificados, deixando de lado o que os diferencia. É o que ocorre na sequência das religiões, quando alternam-se cenas de um culto pentecostal e de umbanda. A diferença dessas duas formas religiosas fica submergida pela significação que elas assumem no filme: os operários, desempregados, sem organização social que lhes permita lutar e defender seus direitos, ou afundados numa ideologia considerada pequeno-burguesa, mergulham na religião, no transe catártico, na alienação, no ópio do povo. As cenas do culto pentecostal ocorrem numa praça pública. As de umbanda se dão em diversos lugares, sendo que as últimas se passam à beira-mar, com ruído ambiente de ondas. O som do último plano de praia continua *off* sobre o último plano do culto pentecostal. É o único momento do filme com imagens ao vivo, em que o uso do som não é realista, e o prolongamento do ruído de mar sobre a cena urbana expressa bem a vontade de unificar esses dois cultos diferentes numa mesma significação.

Além dos mecanismos que vimos para significar o real, o filme se vale de outro: o encadeamento das sequências num raciocínio lógico que mistura a análise do fenômeno com a evolução da ação. O trem dos migrantes chega; eles são revistados pela polícia; entram na cidade. Após essa chegada, o trabalho. O trabalho na agricultura é mencionado pela locução, em termos estatísticos, mas é excluído do filme, que trata da questão urbana. Inicialmente, o trabalho menos qualificado: a construção civil. A seguir, o trabalho mais qualificado: a indústria, sequência que combina um operário "qualificado" e "bem-sucedido" e um "não qualificado" e desempregado; a sequência encerra-se com uma cena do desempregado afastando-se de sua casa. Depois, as consequências do desemprego: operários aguardando trabalho numa espécie de pátio de fábrica, mendigos, o Exército de Salvação, um sacerdote que faz um sermão em torno da caridade, sopa popular, a Beneficência Social. A sequência das religiões: o desespero e o transe. Voltamos à estação. Um desempregado, desistindo de encontrar trabalho em São Paulo, volta para o Norte. Um plano demorado durante o qual o trem se afasta até desaparecer assinala o fim do filme. Mas: um novo trem está na estação — dele descem novos migrantes.

As sequências são interligadas de forma lógica, cada uma conduz à seguinte: a chegada à cidade leva ao trabalho; as más condições de trabalho, ao desemprego; o desemprego, à caridade e ao marginalismo; o marginalismo, ao transe catártico; o marginalismo e a não solução pelo transe, ao retorno.

Além disso, há um grande cuidado em estabelecer ligações formais entre as sequências. Por exemplo: a entrada na cidade é construída com planos de migrantes com malas e fardos caminhando pelas ruas, até que o último plano dessa sequência — a fachada de um enorme edifício moderno, de linhas geométricas — ocupa a tela. É o ponto final: a cidade monumental, fria, esmagadora, que os camponeses vão ter de enfrentar. Da fachada desse prédio, filmada do alto de um outro, a câmera faz uma panorâmica para baixo até focalizar em primeiro plano, no edifício em obras onde está localizada, um operário trabalhando: é o início da sequência do trabalho na construção civil. A fachada do prédio tem uma dupla função: é a conclusão da penetração na cidade — eis a cidade — e simultaneamente o início da sequência da construção civil — eis para que eles trabalham, eis o que constroem. A transição da sequência anterior para a seguinte é feita suavemente, como um deslizar que vai nos levando.

Durante a sequência da construção civil, diversos operários são entrevistados. O último, em primeiro plano, declara que, podendo, trabalharia na indústria. "Indústria", a última palavra, anuncia o corte logo a seguir: plano de conjunto de uma fábrica. A transição é feita sobre uma palavra. No plano da fábrica, um homem se destaca sem que possamos identificá-lo claramente; no ambiente escuro, alguns planos médios desse homem, que reconheceremos logo em seguida: é o operário "qualificado", cuja entrevista está iniciando. E assim por diante. *Viramundo* está montado de modo que, pela exposição das ideias, pelos temas lançados por palavras, pelo encadeamento das imagens, seu discurso seja constantemente concatenado, interligado.

Outra forma de interligação semelhante pode recorrer à palavra, mas, diferentemente do exemplo citado, ser uma relação de oposição, não menos lógica por isso. No primeiro plano dos migrantes entrando na cidade, vemos um homem caminhando numa rua de mala nas costas. O plano imediatamente anterior era consagrado a um migrante a quem se perguntara se, podendo, teria ficado no Norte, e que respondera: "Ficava lá". O caminhar do homem com a mala opõe-se à ideia de ficar.

Um outro mecanismo atua para amarrar a linguagem do filme. A sequência das religiões abre-se com uma panorâmica da esquerda para a direita que descobre uma praça pública ocupada por uma multidão, e começa o ato religioso. A sequência desenvolve-se fazendo alternar, como já foi dito, culto pentecostal e umbanda. O último plano da sequência — o culto pentecostal coberto pelo ruído do mar — apresenta a mesma praça, do mesmo ângulo, na mesma situação do plano de abertura, com movimento simétrico: uma panorâmica da direita para a esquerda devolve a câmera à sua posição inicial. Até então, encontrávamos sequências que desembocavam logicamente uma na outra; passamos em seguida a observar uma sequência que se fecha sobre si mesma: uma situação de partida, o desenvolvimento e a volta à situação de partida acrescida do ruído do mar, o que se configura como uma reposição do tema inicial enriquecido pelo desenvolvimento. A panorâmica final funciona como uma volta a uma posição de descanso, a uma postura de equilíbrio. A sequência fecha-se sobre si mesma ao encontrar uma harmonia final.

A construção dessa sequência que se equilibra pela volta ao ponto de partida prefigura a revelação que teremos na próxima sequência: a volta à estação, onde encontraremos o migrante que regressa ao Norte — resposta aos migrantes que chegavam no início do filme — e o trem que se afasta — resposta ao trem que chegava. Essa sequência da estação funciona como uma reposição da sequência inicial, enriquecida pelo desenvolvimento — fracasso da tentativa urbana —, e fecha o filme em círculo sobre si mesmo. A sequência das religiões antecipa a informação que a sequência da estação nos dará sobre a construção geral do filme e funciona como um eco dessa mesma construção.

A única quebra ou efeito de surpresa na montagem de *Viramundo* ocorre no corte que encerra a segunda sequência da estação: o plano de longa duração, o afastamento do trem, o efeito musical significam "fim". O corte para um trem em plano próximo, migrantes descendo, violentos acordes musicais contradizem inesperadamente o efeito de final do plano anterior e nos remetem ao início do filme. Voltou-se ao ponto de partida, podemos recomeçar do zero: a entrada na cidade etc., até uma nova volta para o Norte, indefinidamente.

As formas circulares, a concatenação das sequências, as montagens paralelas fazem de *Viramundo* um filme fortemente amarrado, sem quebras, sem brechas, sem interstícios. Acompanhamos o filme como um fluxo ininterrupto de imagens, sons e ideias. Essa *coesão interna* tem uma função: ela não nos dá folga. O filme assume uma atitude afirmativa e não se oferece, nem às suas ideias, como tema de discussão. Sua estrutura seria decorrência e expressão da estrutura da própria realidade abordada: a fita circular é a expressão do ciclo que seria a chegada dos migrantes, volta e chegada de novos. A linguagem de *Viramundo* não tem dúvidas de que é a expressão do real, não se coloca como uma representação ou como uma elaboração particular sobre o real. Esse efeito de coincidência entre o filme e o real apoia-se na coesão interna de sua construção. Essa coesão se substitui e é aceita pelo espectador como a própria coerência do real, de forma que não haveria nem o que discutir no filme, já que coincide com o real. Só o real, o tema do filme, poderia ser discutido. A linguagem de *Viramundo* oferece-se como uma evidência: ela adere ao real, não há distância entre ela e o real; portanto, tendencialmente, ela é o real.

Essa operação se faz de modo aparentemente natural, já que o real que o filme apresenta — os migrantes e sua situação — foi devidamente preparado para sustentá-lo, foi condicionado por ele, como vimos ao comentar o mecanismo particular/geral. O discurso é coeso, não se contradiz, não se nega em momento algum, fecha-se sobre si mesmo; as linhas anunciadas foram desenvolvidas, nada ficou em suspenso. A não contradição do discurso faz com que não haja contradição entre o discurso e o real, já que o real foi construído para servir o discurso, já que o real é parte do discurso, numa operação tautológica. Discurso cuidadosamente elaborado, *Viramundo* esconde esse caráter de discurso e evita qualquer problematização nesse sentido. Se a forma é circular, é porque o real é cíclico; se as sequências se encadeiam como se encadeiam, é porque os elementos que compõem o real articulam-se dessa forma. A linguagem do filme é suficientemente argamassada para que nenhuma dúvida paire a respeito.

Uma das instâncias donde *Viramundo* produz ideologia é esta: uma linguagem confiante na sua adesão ao real.

Há uma outra. Como vimos, o filme evolui em direção à alienação religiosa: as condições de vida levam a que deságuem na alienação o desemprego, o marginalismo, a ideologia pequeno-burguesa, a impossibilidade de luta e organização. *Viramundo* foi realizado em 1965 — planejado em 1964 — e tenta responder a uma pergunta latente: por que o golpe de Estado de 31 de março de 1964 ocorreu sem resistência popular significativa, quando intelectuais e líderes políticos pensavam que o povo estava mobilizado num sentido revolucionário? O filme responde: eis a situação da classe operária, ou pelo menos do contingente nordestino da classe operária paulista (classe operária que é a principal do país e cujo contingente nordestino é extremamente elevado, de forma que *Viramundo* pode ser tido como filme sobre a classe operária). Ela não tem como se afirmar, se mobilizar, só se resolve na alienação.

É fato que em nenhum momento do filme usa-se a palavra “alienação”, nem há comentário algum do locutor ou de outra pessoa a respeito das religiões. Mas a construção do filme leva a interpretar o transe como manifestação de alienação e de desespero histérico de indivíduos sem saída. Quando a mãe de santo diz que o Pai Damião, entre outras coisas, dá emprego a quem não tem, não há outra interpretação facultada pelo filme a não ser: não conseguindo resolver a situação do trabalho por meios sociais viáveis, o desempregado, em desespero de causa, apela para o santo, se ilude, se aliena, e não resolve.

A primeira metade dos anos 60 — o ISEB (Instituto Superior de Estudos Brasileiros), o CPC (Centro Popular de Cultura), o Cinema Novo — trabalhou muito com a dobradinha consciência/alienação. De modo simplificado: a ação transformadora, revolucionária, origina-se na consciência. Ora, o povo é alienado; não que ele não tenha aspirações, mas ele não as conhece. Compete a quem tiver condições captar as aspirações populares, elaborá-las sob forma de conhecimento da situação do país e reconhecimento dessas aspirações, devolvê-las então ao povo, gerando assim consciência nele. E quem tem condição de efetuar essa operação são os intelectuais. A posição social do intelectual sensível às aspirações latentes do povo lhe permite ser gerador de consciência.

Desse modo, a apresentação do povo como alienado explica o doloroso golpe de 64 e justifica os intelectuais, entre os quais os cineastas. A justificativa da existência do intelectual, nesse quadro, é a alienação do povo. E isso explica possivelmente a longa duração da sequência das religiões: 10'54" num total de 30'23", incluindo os letreiros, enquanto a sequência da construção civil tem apenas 1'29" e a da indústria, 7'52". São tempos aproximados (a cópia estava defeituosa e a moviola encontrava-se desregulada), mas a medição continua válida para efeito de comparação. A relação de tempo parece ser esclarecedora: a sequência das religiões ocupa cerca de um terço do filme e mais tempo que as duas sequências de trabalho. A relação de duração entre as duas sequências de trabalho parece também ser suscetível de interpretação: a construção civil — na qual provavelmente se concentrava na época a maior parte dos operários nordestinos em São Paulo — merece uma duração e um grau de especificação menores (não se faz nenhuma diferenciação do tipo operário qualificado/não qualificado, embora ela também exista na construção civil), porque se supõe que esses operários são em geral menos qualificados e menos organizados que os da indústria. A expectativa de consciência e de luta é maior em relação ao proletariado industrial, por isso o interesse em se deter mais tempo nele, e por isso também torna-se mais forte a constatação — ou decepção — de não encontrar nem consciência nem condições de luta, o que fortalece a tese da alienação. Esse mesmo processo é que motiva, me parece, a evolução do fluxo verbal no filme: depois da sequência da indústria, há como que uma relativa retração do nível verbal; não encontramos mais locutor nem locutor auxiliar, apenas uma entrevista — a da mãe de santo. A canção continua. Senão, ouvimos os sermões de um sacerdote espírita na sequência da caridade, os pronunciamentos dos sacerdotes pentecostais, as confissões públicas de doentes curados milagrosamente, diálogos eventuais: são palavras do meio ambiente, não mais palavras pronunciadas em função do filme nem provocadas por ele (com exceção da mãe de santo). Como se, depois de constatada a inexistência da consciência, houvesse uma desistência por parte do filme, que então fica apenas constatando a alienação. Se o povo não fosse visto como alienado, se o povo gerasse sua consciência, o intelectual produtor de consciência perderia sua razão de ser. Como vimos, por um lado o povo só tem uma compreensão individual, fragmentária e epidérmica da sua vivência; por outro, a ideologia pequeno-burguesa assimilada pelo operário em ascensão, as subcondições de trabalho e o desemprego levam à alienação: esse é o real.

É evidentemente essencial que a alienação presente na representação do povo não seja mostrada como uma produção do intelectual nem como uma necessidade sua, e sim como um dado indiscutível do real. Donde a absoluta urgência de uma linguagem que, fiel à tradição do cinema de representação, nos dê uma total impressão de coincidência com o real.

Há uma outra instância donde emana o sentido nesse filme. Uma instância vaga, difusa, que pode até conflitar com as outras: a simpatia. Comentários feitos sobre planos da sequência da indústria indicaram de que forma uma série de elementos adjetivos era interpretada em função da comparação operário qualificado/não qualificado. Esses mesmos elementos atuam ainda em outro nível, orientam nossa leitura e canalizam nossa simpatia: a dureza do tratamento do primeiro operário, suas declarações tidas como uma fala pequeno-burguesa nos tornam o homem antipático e até alvo de risos por parte de certas plateias, visto que se atinge quase o plano da caricatura. Ao passo que o outro, sua infelicidade, seu sorriso, sua soltura, a soltura maior da filmagem expressam a simpatia do diretor do filme e canalizam a do espectador. É o personagem dramático que orienta nossa simpatia, que pode ser capitalizada em favor do tipo, graças a elementos que evidentemente não são característicos de tipo nenhum. Não é característico de um operário qualificado, mesmo permeado por uma ideologia tida como pequeno-burguesa, ser tenso, nem a de um operário não qualificado ficar mais à vontade e sorrir. O sistema comparativo põe lado a lado os dois tipos, para que tomemos conhecimento de duas categorias de operários; mas por cima instala-se um outro sentido: a simpatia e antipatia.

O mesmo fenômeno ocorre na sequência das religiões. Embora umbandistas e pentecostais estejam, no filme, fundidos na mesma significação — alienação... —, a forma da filmagem nos orienta diferentemente em relação a uns e outros. No culto pentecostal, os sacerdotes e sua grande comitiva ocupam uma plataforma a mais de dois metros do nível da praça onde estão os fiéis. A câmera insiste nesse espaço. As tomadas da multidão em câmera alta e dos sacerdotes em câmera baixa interpretam a relação espacial como uma relação de poder: os sacerdotes dominam os fiéis. Um plano recorta em câmera baixa um sacerdote vestido de preto sobre um fundo de céu. Num momento, um sacerdote pede aos que estejam dispostos a segui-lo que levantem a mão e acrescenta que, quando faz um apelo, não o faz três vezes — quer que todos o atendam urgente. O plano seguinte mostra a multidão de braço levantado. Esses elementos nos tornam antipáticos os pentecostais, tanto os sacerdotes autoritários como a multidão submissa. E nossa tendência é ver as pessoas que entram em transe violento, ou o rapaz que desfalece após ter esperado um dia inteiro o início do culto, como vítimas da manipulação dos sacerdotes.

Em contrapartida, os umbandistas são filmados no plano horizontal e em planos mais fechados: nos sentimos mais próximos deles. Nós nos aproximamos da mãe de santo numa entrevista filmada em plano americano, que entra em dois momentos da sequência, enquanto não é feita nenhuma entrevista com os pentecostais, sacerdotes ou fiéis. Os transes, não menos violentos que nos pentecostais, não implicam (no filme) relação de dependência ou dominação entre sacerdotes e fiéis. Enquanto todos os fiéis pentecostais estão voltados, fascinados, para o palanque dos sacerdotes, os umbandistas revelam autonomia nas danças e nas oferendas aos orixás. Tudo isso nos aproxima dos umbandistas, em detrimento dos pentecostais. E a isso acrescenta-se que as cenas finais do culto umbandista ocorrem na praia, em contato com a natureza, que se levam flores ao mar, que a cor amplamente dominante nas roupas umbandistas é o branco, em oposição às vestes pretas dos pentecostais (e o vermelho, citado no filme, de um bispo católico que participa da cerimônia pentecostal fica uma abstração, pois o filme é em preto e branco). Tudo isso canaliza ou pode canalizar nossa simpatia, apesar de, num outro nível, ambos os cultos serem interpretados como alienados.

Aqui, em tese, o realizador de *Viramundo* rejeita a umbanda tanto quanto o pentecostalismo. No entanto, quando, uns oito anos mais tarde, interpreta o candomblé de forma extremamente positiva no seu documentário *Iaô*, não estranhamos, porque os germes dessa positividade estão presentes aqui, apesar da negatividade da interpretação.

Um dos momentos em que o movimento antipatia/simpatia entra de modo mais significativo em conflito com o mecanismo de significação do filme é a entrevista com o empresário. Como já indiquei, interpreto a função do empresário como um aliado do locutor (a quem o próprio realizador emprestou sua voz). Locutor e empresário estão envolvidos nos laços de um sistema que trata os migrantes como objetos. Entretanto, a filmagem provoca contra ele uma reação de antipatia indiscutível: o espaço restrito em que se movimenta; um plano com câmera levemente baixa num momento em que se levanta para falar; o uso do "senhor empresário" que o distancia de nós, salientando a função social em detrimento da pessoa; o tom seco do entrevistador ao lhe fazer as perguntas (tom que não é usado nas entrevistas com os migrantes) e os benefícios que ele tira — o que não é dito, mas nada difícil deduzir — de um sistema social que prejudica o operário "não qualificado" para o qual vai a nossa simpatia.

Há uma tensão entre a aliança feita com o empresário, no sistema de informação do filme, e o tratamento dado ao personagem, que é de rejeição. Essa tensão revela provavelmente uma contradição entre a postura ideológica e política do realizador, que se interessa pelos oprimidos, e a atitude sociológica que rege o filme e que o exclui do universo desses oprimidos. A atitude sociológica, por implicar, no plano do saber, uma relação de dominação sujeito do saber/objeto do estudo, o empurra para o lado do empresário, quando o que ele quer é justamente ir do outro lado. O "senhor empresário" e a dureza do tom de voz do entrevistador querem negar, afetiva e socialmente, o acordo feito com o empresário no plano do sistema de informação.

O sistema de simpatia/antipatia que percorre o filme em filigrana não vai sem outra contradição: ele não pode prescindir da cumplicidade do espectador. Por estar em filigrana e por ter uma função expletiva na estruturação do filme, a simpatia só passará para o espectador se ele tiver uma predisposição emocional ou ideológica para isso. Quem se opuser à umbanda, por motivos religiosos, políticos ou policiais, verá na prática do culto quer a alienação que o filme propõe como significação, quer uma forma qualquer de selvageria. E os adeptos do pentecostalismo não se perturbarão com as conotações negativas. Da mesma forma, quem se encontrar num processo de ascensão social, ou sonhar com isso, ou estiver inquieto com a manutenção da família, só poderá projetar sua simpatia sobre o operário que conseguiu casa própria, estabilidade, e considerar o outro uma ameaça.

A rede de simpatia/antipatia das conotações é indicativa de um *público potencial* a quem implicitamente o filme se dirige: um público que qualificarei de progressista. Este o interlocutor do filme. Ficar alheio à simpatia latente para com os umbandistas não perturbaria as informações que o filme transmite nem a lógica de sua exposição — diria até que é indiferente —, mas sem dúvida distorceria o filme na medida em que, indisfarçavelmente, embora em filigrana, ele pretende canalizar nossas simpatias em favor dos mais explorados pelo sistema social, os que são usados como matéria-prima para que o filme possa funcionar como discurso do saber.

O modelo sociológico, II
Maioria absoluta
Subterrâneos do futebol
Passe livre

O locutor de *Maioria absoluta* é uma voz do saber cuja relação com os camponeses entrevistados é semelhante à que vimos em *Viramundo*. Dá estatísticas, informações sobre a história do Brasil que explicam o latifúndio atual, afirma que o analfabetismo não é apenas o fato de não ser alfabetizado, mas uma das consequências da indigência e da opressão.

Ele explica ainda que seu saber não é o dos entrevistados: "As doenças, como os males sociais, têm causas. E é por desconhecê-las que se buscam remédios milagrosos, soluções absurdas, apenas para escapar à realidade". Embora não especifique que só os entrevistados ou camponeses analfabetos as desconhecem, essa afirmação implica que ele as conhece, ou pelo menos conhece o mecanismo que leva à alienação da realidade.

No entanto, há muitas diferenças em relação a *Viramundo*. *Maioria absoluta* é mais prolixo e redundante, em oposição à expressão econômica do locutor de *Viramundo*. E, sobretudo, ele usa o "nós" e o "tu". Não teremos portanto uma locução isolada no mundo da ciência, mas, ao contrário, ela nos envolve — a nós, espectadores — em suas considerações. O "nós" aparece logo na primeira frase: "o analfabetismo que marginaliza 40 milhões de irmãos nossos". Aqui, o "nós" nos une àquele de quem fala o filme e que vemos na tela, é o tema da união da nação, que também aparece nos trechos "Em 1964, somos 80 milhões de brasileiros" e "escapar à realidade cujo peso nos oprime". Esse final da citação iniciada no parágrafo anterior indica que nós também, espectadores, podemos desconhecer as causas dos males sociais, o que justifica que o filme seja feito e que o vejamos.

A última frase: "O filme acaba aqui. Lá fora, a tua vida, como a destes homens, continua". Aqui, apesar de haver uma união — continua a vida dos que estão na tela como na sala de projeção —, é a oposição que se salienta, concluindo a afirmação logo anterior da locução: "eles produzem o teu açúcar, o teu café, o teu almoço diário. Eles dão ao país a sua vida e os seus filhos. E o país, o que lhes dá?". A oposição é que somos beneficiários do trabalho desses homens que, em troca, nada recebem.

No início, o filme avisara que colheria "opinião e depoimento de pessoas que vivem em diferentes níveis o problema brasileiro". Essa oposição nos coloca num determinado nível, ficando esses homens num outro. O nosso é o das pessoas entrevistadas no início do filme, classe média, que revelam desconhecimento e má-fé em relação à situação do povo, enquanto se bronzeiam ao sol ou moram em residências elegantes. É o nível das "residências arejadas", dos "edifícios de cimento e vidro, nas grandes cidades" de que fala o filme. É o dos que consomem açúcar e almoço diário. É a essas pessoas que o filme se dirige; ele nos alerta para que não pensemos como a classe média do início do filme. E mais: depois do filme, nossa vida continua. Ele nos incita a uma ação que transforme essa situação que agora, espectadores do filme, não teremos mais desculpas para ignorar. Não agir seria cumplicidade com esse estado de coisas. O filme pretende ter uma ação transformadora sobre nós: ele nos informou, espera de nós a ação consequente.

Esse vocativo da locução é violentamente reforçado por alguns planos logo na segunda sequência: alternam-se planos da classe média (planos 15 a 18, 21 e 24) com planos de povo, às vezes de massas (planos ora mais abertos, 19, 20, 25, ora mais fechados, 26 a 28), outras, primeiros planos (22 e 23). Fiquemos nesses dois últimos: no primeiro, a câmera passa em panorâmica sobre uma série de homens que olham, todos, para a câmera. No seguinte, numa posição baixa, ela acompanha um camponês recortado sobre o fundo de céu e que, no seu deslocamento, mergulha no eixo da câmera um olhar particularmente insistente, demorado, zangado e ameaçador. Esse olhar, num plano de extraordinária força dramática, mergulha em nós: vocês, os beneficiários! Esse vocativo visual, o olhar na câmera, ocorre com relativa frequência no decorrer do filme.

Assim, o filme toca numa tecla particularmente sensível num setor da classe média e dos intelectuais: a culpabilidade. Eis os homens cujo trabalho você usurpa e que não têm nada, eles olham você olhos nos olhos, você vai aguentar esse olhar, aí sentado na sua poltrona? A culpabilidade deverá nos levar a agir.

Que ação poderá ser a nossa? Beneficente, não. Não seria compatível com a dignidade dos rostos que vemos na tela e com sua força dramática, e a beneficência foi desqualificada logo no início do filme, quando uma mulher de classe média, sentada no sofá de seu salão, lamentava no povo o fato justamente de ele não saber receber. Então, qual? O filme não nos faz vislumbrar nenhum canal político de ação. Implicitamente, pode-se deduzir: procurem, criem o canal. Mas, no filme, eu diria que a ação que ele solicita corre o risco de ficar voluntarista, deslanchada pelo escândalo social.

Portanto, de quem esse filme espera uma solução para a situação que expõe? De nós. E das autoridades? Talvez também: finalizando os depoimentos dos camponeses, entram quatro planos de Brasília — o Congresso, o Palácio da Alvorada, o Congresso novamente. No primeiro plano do Congresso, a faixa sonora compõe-se do ruído de uma sessão parlamentar: é uma zoeira, gritos, não se entende nada; enquanto aqueles homens trabalham e padecem, os congressistas se perdem numa desordem inútil e ineficiente, brigando entre si. Sobre o plano do palácio e o segundo plano do Congresso, o locutor nos informa que aqueles homens — por serem analfabetos — são proibidos de votar. Sobre o último plano da série, o Congresso, incide uma ordem: "Atenção!" (como que gritada por algum presidente de mesa), e vem o silêncio. Passamos então a oito planos de trabalhadores rurais — caminhando num fim de tarde, de volta do trabalho (ou de manhã, indo ao trabalho) — com que acaba o filme (e a vida continua). A sequência de Brasília pode ser objeto de duas interpretações, contraditórias, mas não necessariamente excludentes: um apelo às autoridades para que ajam de modo consequente e resolvam a situação injusta dos camponeses; e as autoridades estão perdidas em sua vã desordem, a ação e a solução terão de vir de outra parte. Mas há ainda uma terceira: eles não votam, o que deixa implícito que deveriam votar e assim colocar no Congresso os deputados que solucionarão sua situação.

Insisto neste ponto: não é dito que os analfabetos devem votar, mas é indiscutível que essa é a conclusão (direito de voto para os analfabetos ou alfabetizá-los para que votem) que se deve tirar da constatação de que não votam. Tanto mais que não é uma simples constatação, a frase é forte: "Estão proibidos de votar". Isso é uma indicação de onde se situa o filme, acabado em 1965 ou 66, mas filmado no início de 1964 (a finalização do filme foi interrompida pelo golpe militar de 64 e só a astúcia da equipe impediu o confisco do material pela polícia): o governo João Goulart promove a alfabetização no campo (o Executivo incentiva o uso do método de alfabetização de Paulo Freire apresentado na primeira sequência do filme) para ampliar suas bases eleitorais e conquistar apoio para seus projetos de reformas. É, pelo menos em parte, para o fortalecimento desse movimento que atua o filme, o que é indiscutível na penúltima sequência. É o fecho do tema lançado no início do filme, por um rapaz da classe média: os analfabetos não devem votar, nem mesmo os que sabem assinar o nome, porque não são capazes de bem escolher os dirigentes nem de ler um jornal. Assim, a posição assumida pelo filme parece não levar em conta uma afirmação feita por um dos camponeses que dão depoimentos (plano 65); ele afirma que é eleitor, que vem dando o voto a esses homens e nada pôde adquirir. Essa afirmação lança dúvidas quanto ao valor do voto e à eficiência do sistema eleitoral. Esse descrédito, que um dos interessados joga sobre o sistema representativo, se perde no filme, que continua a favor do voto como forma de intervenção. É verdade que se pode objetar: esse eleitor é um e seu voto se perde; quando forem milhões iguais a ele, então os votos terão peso e representantes adequados serão eleitos. É verdade também que o filme não afirma categoricamente que a solução está no voto. Mas a opção pelo voto parece explicar outro aspecto do filme: por que o filme não conclama "esses homens" à ação? A solução da injustiça espera-se que venha de nós, eventualmente das autoridades, e do voto camponês, mas não se vislumbram em momento algum esses homens se organizando, lutando, tomando em mãos a ação que levaria à transformação de sua situação.

Há um corte que merece comentários. Com o plano 43 iniciam-se as entrevistas com camponeses. Logo antes vemos, em primeiro plano, numa feira nordestina, um homem olhando para o eixo da câmera — o vocativo visual —, e sobre ele incide um trecho da locução que diz: "Passemos a palavra aos analfabetos. Eles são a maioria absoluta". O plano 43 mostra um homem doente, sentado à porta de um barracão, atingido de forte tremedeira, incapaz de falar; ele emite apenas uma espécie de zumbido. Entra em *off* a voz de uma mulher que a câmera descobrirá logo a seguir e ela comenta a doença desse seu parente. O que motiva a entrada desse plano exatamente nesse momento e o torna duplamente significativo? A força expressiva do doente, cuja imagem enche a tela, e a relação com a locução do plano anterior: passamos a palavra e só vem gagueira. Os analfabetos não tomam a palavra; ela lhes é outorgada e mesmo assim não têm condição de falar, o que legitima que o cineasta tome a palavra — ou melhor, permaneça com a palavra; o que legitima que se fale no lugar daqueles que não falam. Por outro lado, "passemos a palavra" indica ainda que o filme gostaria que eles falassem. Encontramos aqui essa contradição do intelectual progressista que espera que o povo fale e aja, mas, como ele elabora uma imagem passiva desse povo, toma ele a palavra, por enquanto... Essa interpretação metafórica do plano 43 me parece legítima pela relação que a montagem estabelece com aquele momento da locução.

Evidentemente, os depoimentos dos camponeses não ficam nessa tartamudez, vão evoluindo e chegam a um indiscutível nível de consciência. O último entrevistado, num plano de forte expressividade dramática devido à enquadração e à gesticulação do homem, declara mais ou menos o seguinte: "[sou] agricultor, tenho que comprar um quilo de farinha para almoçar. Isso é um horror, isso é uma vergonha para minha cara [...] um quilo de farinha, quem pode comprar é o povo da cidade, porque operário não planta, mas o camponês aqui dentro... quem faz isso é o latifundiário". Esse fecho das entrevistas rurais é um eco invertido do que dizia um homem da classe média no início do filme: "A grande crise brasileira é uma crise moral [...] a nossa Constituição deveria ter somente um artigo e um parágrafo: todo brasileiro deve ter vergonha na cara". Mas é justamente após a entrevista do camponês — que manifesta a maior clareza quanto ao sistema que o oprime — que o filme interrompe a série de depoimentos e corta para Brasília. O que vai fazer esse camponês, de gesticulação exaltada, que sabe qual é o papel do latifúndio? Por outro lado, o cineasta se calça para fazer esse corte, que não deverá aparecer como gratuito nem resultado exclusivo de sua vontade. Foi colocada como penúltimo depoimento a seguinte declaração: "Pedimos às autoridades que dessem direito ao camponês, não de tomar o que era do homem [latifundiário], mas sim justiça. É o que nós precisamos".

No entanto o filme foi feito numa época em que atuavam as Ligas Camponesas e também estava em desenvolvimento um projeto de sindicalização rural promovido pelo governo. Por um lado, o camponês precisa ser redimido dessa injusta situação, por outro, não se preconiza que ele tome seu destino em mãos e aja, e sim que sua ação seja canalizada pelo voto. A solução não estará em suas mãos, mas nas dos representantes que eleger. É verdade que se poderá objetar que esse filme é dirigido a "nós", visa a nos levar à ação e, eventualmente, apoiar a campanha em favor do voto ao analfabeto. As Ligas Camponesas não seriam nosso assunto, a organização dos camponeses seria outro filme que lhes fosse dirigido (mas, que eu saiba, não existiu, ou melhor: um foi iniciado em 1964 e interrompido por causa do golpe).

Resulta disso a imagem de um povo sofredor, passivo, injustiçado, que não consegue agir em seu interesse e aguarda soluções de outras áreas da sociedade. Essa imagem, próxima da que elabora *Viramundo*, não nos permitirá estranhar que, na hora do golpe, não tenha havido resistência popular. É verdade que, embora filmado antes do golpe, foi montado depois, e isso pode ter influído sobre a montagem no sentido de compor uma imagem de povo um tanto desalentada — consideração puramente hipotética —, e a penúltima cartela do filme indica "Brasil, 1964". Comparado com *Viramundo*, *Maioria absoluta* guarda as características de um filme anterior ao golpe, não só pela presença do método Paulo Freire ou pela questão do voto, como por conclamar à ação, enquanto

Viramundo está bem mais retraído em sua postura científica e não apresenta nenhuma perspectiva.

O fato de não haver perspectiva de ação por parte "destes homens" leva a outra observação: a ação, quer venha das autoridades de Brasília, quer de nós, virá da cidade. Daí se espera um encaminhamento para os problemas do campo. O filme apresenta uma dupla visão da cidade: por um lado, ela é negativa e opressora (a atitude antipopular das pessoas entrevistadas no início, a cidade onde moramos "nós", que usufruímos do trabalho do camponês); por outro, ela tem uma potencialidade positiva, já que dela se esperam possíveis soluções. Embora de temática rural, *Maioria absoluta* está voltada para o urbano.

Talvez possamos compreender melhor essa relação campo-cidade estudando o quadro ideológico no qual trabalha *Maioria absoluta*. Parte da produção cinematográfica — e cultural de um modo geral — no Brasil dos primeiros anos da década de 60 vincula-se ao desenvolvimento e às formulações do ISEB. O desenvolvimentismo é um projeto ideológico voltado para uma evolução industrial e capitalista do país, a ser promovido por uma burguesia nacionalista e anti-imperialista, cuja ação integraria à nação os que estão marginalizados da produção e do consumo. Esse projeto descreve as zonas rurais, principalmente o Nordeste e o latifúndio, como feudais, pois faz obstáculo à industrialização capitalista. Como parte da produção cinematográfica se apoia nesse projeto ideológico, certamente não se pode falar de um envolvimento programático e preciso com as teses do ISEB, mas de uma espécie de pacto ideológico implícito e tácito; ele não toca na burguesia, na indústria, na cidade, sede dessa burguesia, nem no proletariado urbano. Há como que um entendimento implícito que fez com que os temas que poderiam ser tidos como delicados por essa burguesia fossem afastados da temática cinematográfica. Essa é uma hipótese para compreender que as obras principais do Cinema Novo tiveram uma problemática rural, em detrimento da temática urbana; que as movimentações operárias (atuação da CGT, as 152 greves de 1962 etc.) não foram abordadas pelo cinema documentário nem de ficção, e também que a organização dos camponeses foi rejeitada. No campo, interessava basicamente a crítica do latifúndio e a denúncia da miséria, pois a luta camponesa — forma de luta autônoma e projeto popular — poderia assustar essa mesma burguesia, por mais desenvolvimentista que fosse. Essa talvez seja uma possibilidade de entender a ausência das Ligas Camponesas no cinema. E essa é provavelmente uma maneira de explicar a omissão das Ligas em *Maioria absoluta*, a não ação proposta para os camponeses e a esperança de soluções oriundas da cidade.

O golpe de 64 dissolve o pacto com o desenvolvimentismo, pois revela que essa burguesia não era tão nacionalista e anti-imperialista como se tinha ilusão, o que abre a possibilidade para o aparecimento, em filmes de 1965-66, da temática urbana e industrial, de personagens burgueses e proletários, tanto na ficção como no documentário.

O que interessa em *Subterrâneos do futebol* é o geral, não este ou aquele jogador, mesmo que se chame Pelé, mas *o* jogador. O filme traça uma curva que começa com um menino chutando uma bola, depois o futebol de várzea, o juvenil de um grande clube, o craque no apogeu da fama e a decadência. Essa linha — ascensão, com grande dose de ilusão, glória, queda — preocupava Maurice Capovilla, e a reencontramos, com variantes, em filmes de ficção seus, como *Bebel, garota propaganda* e *O profeta da fome.*

Mas o comportamento de *Subterrâneos do futebol* para construir essa linha genérica é bastante diferente do de *Viramundo.* Lá, os entrevistados, a amostragem, eram pessoas anônimas. Aqui, as duas primeiras etapas do desenvolvimento da linha se dão com anônimos, que não são entrevistados. As três etapas seguintes são centradas em personalidades entrevistadas, conhecidas dos amadores de futebol e identificados pelo filme: Luís Carlos Freitas (aspirante a craque e que interpretou o papel de Pelé adolescente no filme de ficção *O rei Pelé*), o próprio Pelé e Zózimo. A diferença ocorre não apenas quanto à escolha e a identificação de personalidades, mas também pela escolha de casos bastante especiais. Luís Carlos não é um aspirante qualquer, mas interpretou Pelé e, nisso, ele é único. Pelé não é um grande craque entre outros, mas é o maior. Por outro lado, *Viramundo* trabalhava com pessoas que representavam uma média: nada as diferenciava, pela maneira como são apresentadas no filme, de alguns milhares de outras semelhantes a elas. O jogador, quando bem-sucedido, é levado ao estrelato — o que é raro no trabalho de fábrica —, e talvez o realizador não tivesse outra saída. Mas isso não deixa de dificultar um pouco o mecanismo particular/geral, indispensável para construir a carreira *típica* do jogador. De fato, o aspirante que interpretou o papel de Pelé no cinema não é suscetível de generalização. No entanto, para Luís Carlos e Pelé, o mecanismo funciona. Não é um aspirante qualquer, mas o aspirante em que mais se sentem a ilusão e a vontade de glória, por ter-se identificado imaginariamente com Pelé. Nesse sentido, com Luís Carlos e Pelé, constrói-se uma figura típica de jogador, não pela média, mas pela hipérbole. E essa hipérbole é perfeitamente condizente com elementos que nos fornece o locutor: o sonho dos grandes clubes, o sonho da glória.

Com Zózimo, a hipérbole deixa de funcionar e o mecanismo particular/geral encrespa. Um técnico de futebol e o próprio locutor informam que a carreira profissional do jogador é de curta duração — no máximo quinze anos, após os quais ele será afastado. Essa situação gera inquietação na fase ativa da carreira e choque profundo, financeiro e psicológico, na decadência. Zózimo foi um grande craque, agora esquecido num pequeno clube do interior. Ele inicia seu depoimento criticando a situação do jogador: concentrações alongadas prejudicam sua vida, os dirigentes dos clubes não prestigiam os atletas, o passe o torna escravo do clube. Até agora, Zózimo enquadra-se perfeitamente na curva descendente da carreira típica. Mas o locutor nos informa que Zózimo foi relegado a um clube de interior por ter sido acusado de suborno. E nesse momento o mecanismo deixa de funcionar: a acusação de suborno não é generalizável. Não que o suborno ou acusações de suborno, procedentes ou não, não possam ser frequentes no meio profissional de futebol, nem que a acusação improcedente não possa ser uma artimanha para afastar jogadores que se tornaram indesejáveis pela idade. Mas não é o que diz o locutor: a decadência do atleta provém da idade, quando o corpo não mais atende às exigências do futebol. Portanto o caso de Zózimo não sustenta a afirmação genérica do locutor. Percebemos aqui que o cuidadoso mecanismo montado por *Viramundo* deixa de funcionar corretamente quando o particular contém elementos que ultrapassam o universo genérico delimitado pelo locutor, quando o locutor não retoma os elementos contidos no particular.

O locutor exerce aqui uma função semelhante à do de *Viramundo*, mas ele nos interessa sobretudo por mostrar melhor o funcionamento do locutor auxiliar. Tomemos três exemplos. Num momento, o filme se detém na questão da contusão, que infunde verdadeiro terror ao jogador. Um médico é entrevistado: "Bem, um outro problema sério que o médico dentro do futebol encontra é aquele jogador recém-tratado ou recém-curado, que teve um problema sério, que tem receio de voltar a jogar, de voltar a disputar boas partidas, em função de uma lesão ou uma contusão recentemente tratada". Logo a seguir, ouvimos um jogador contundido: "É. O problema nosso, do jogador assim, a contusão, é difícil [...]. Mas a recuperação nossa é que nos perturba bastante porque inclusive essa parada [...] é que nos deixa honestamente um pouco abatido

[...]". E o locutor segue: "[...] quando para é porque está doente ou machucado; a cada parada o medo aumenta, a competição é grande, ele perde o lugar para sempre e fica esquecido". Podemos nos perguntar se a fala do jogador não teria sido suficiente, e, querendo incluir as duas, por que a do médico vem primeiro. Não parece haver dúvida de que a fala respeitável é a do médico por ser um técnico, não ameaçado pessoalmente pela contusão: de fora, ele veria a questão com isenção, ao passo que o jogador, por ser parte, é sujeito a reservas. Dessa forma, ouvimos primeiro a voz do médico, que nos diz a verdade, e depois a do jogador, que vem confirmar e ilustrar. Não fosse isso, a do jogador seria suficiente.

Um procedimento semelhante verifica-se no segundo exemplo: Luís Carlos interpretou Pelé num filme, o que parece ter-lhe criado problemas de identificação, e ele conclui: "Eu não quero ser Pelé, eu quero ser Luís Carlos, eu quero ser um jogador com a minha própria personalidade e a minha própria moral". A seguir, o técnico Feola volta ao assunto e declara: "Mas agora nós todos procuramos colocá-lo no seu devido lugar, no seu devido tempo, e ele compreendeu realmente essa situação e está procurando seguir [...] aquele caminho certo. Ele não pode ser Pelé. Pelé é Pelé [...]". Feola confirma que Luís Carlos disse a verdade e atribui seu comportamento à ação que ele exerce sobre o rapaz. E então o locutor arremata: "O treinador Feola estava certo. Nem todos podem ser Pelé, nem todos serão milionários como Pelé". A fala do locutor amplia a questão: não se refere apenas a Luís Carlos, mas sim a jovens que têm a ilusão de conquistar fácil a glória, quando esta bafeja uns poucos entre milhares de aspirantes. Mais uma vez, a fala de Luís Carlos é suficientemente explícita — e, caso não fosse, poderia se aprofundar o seu depoimento — para que se possa considerar desnecessária a intervenção de Feola, não fosse seu *status* de técnico. Esses dois exemplos deixam claro como o filme se apoia na competência dos técnicos, que criam uma camada intermediária entre o locutor e os jogadores. O terceiro exemplo comprova essa afirmação. Um técnico declara em primeiro plano: "O jogador de futebol deixou de ser um ser comum para se tornar um objeto, inclusive de domínio público [...]. O jogador de futebol é um homem cuja profissão é limitadíssima, é uma profissão em que seu ganho material para sua sobrevivência, dos seus, da sua família se resume a apenas quinze anos de vida [...] um pequeno trecho de sua vida". Não sendo ele a competência máxima, o locutor retomará o tema no final: "Na realidade o jogador é um operário de vida curta, o jogador é uma mercadoria facilmente perecível", o que fixa, com palavras mais contundentes que as do técnico, uma das significações principais do filme, sendo que, informativamente, um ou outro teria sido suficiente. Teria havido no filme ainda uma outra solução: aprofundar a fala de Zózimo, que demonstra possuir uma visão bastante crítica da situação do jogador. Mas o que importa aqui não é tanto o teor das informações, mas a hierarquia de autoridade que se estabelece: no topo, a voz *off* do locutor; embaixo, a voz da experiência que é a menos confiável; entre os dois, a camada dos técnicos.

Isso não quer dizer, claro, que qualquer dirigente que fale no filme seja automaticamente investido da função de locutor auxiliar. Essa função cabe aos técnicos (treinadores, médico) e não aos dirigentes políticos. Quando um destes atribui a vitória do Santos à coesão dos diretores e à harmonia reinante entre eles e os jogadores, o filme mostra cenas de violência de que são alvo os craques no campo, o que nos deixa supor que essa harmonia não seja exatamente a de que fala o dirigente. Mais adiante, Zózimo se queixa justamente de que os dirigentes não dão aos atletas o seu devido valor.

Apesar de ter basicamente a mesma função do de *Viramundo*, eu diria que o locutor de *Subterrâneos do futebol* é mais amável. Em *Viramundo* ele é seco e limita-se ao essencial; em *Subterrâneos*, vez ou outra, dirige-se ao espectador ("Alguém entre vocês gostaria de ser jogador, como Pelé? Então, prestem atenção"), usa a primeira pessoa do plural ("nós costumamos dizer que são gols no melhor estilo brasileiro"), dirige-se até a personagens: "Menino, ei, menino, boa sorte e até nosso próximo encontro nos grandes estádios", diz a um rapaz do futebol de várzea que vemos na tela. Esses elementos, que tornam a fala do locutor mais familiar e a aproximam da gente, não alteram sua função. É como se o locutor tentasse diluir ou amenizar sua função de poder e saber, como se procurasse estabelecer pontes entre seu lugar *off* e os espaços da sala e da imagem.

Embora de construção diferente de *Viramundo*, *Subterrâneos do futebol* apresenta um traço semelhante: a volta à posição de descanso. O eixo da parte central é a curva a que já aludi. Antes, temos uma apresentação do futebol centrada no jogo: é o futebol arte, espetáculo, torcidas com bandeiras ao vento, gols extraordinários, um torcedor entrevistado diz que o futebol é o esporte que mais se ajusta à psicologia do brasileiro. A curva pega o astro desse brilhante espetáculo e mostra o que há por trás da glória: esta só beneficia uns poucos; o craque é vítima de muita violência, é escravo do clube e fadado a uma inevitável decadência. Na parte final, voltamos ao jogo, que veremos sob outro ângulo: repressão policial contra populares, pânico, um torcedor histérico no vestiário do Santos, arquibancadas vazias onde, à noite, melancolicamente, se queima o lixo deixado pela torcida. É o inverso do que tínhamos visto no início, como se o grande espetáculo houvesse sido virado do avesso, o que o locutor confirma: "Por trás da bela jogada está um problema humano escondido do público", diz ele quase no fim. Como uma reposição do tema inicial invertido — no início: a ilusão do espetáculo; no final: a sua verdade —, o que o filme queria demonstrar.

Além de um encadeamento das partes baseado no desenvolvimento lógico da tese que o filme quer expor e de ligações formais entre sequências como as que vimos em *Viramundo*, *Subterrâneos do futebol* recorre a um outro mecanismo, que não atua ou, se o faz, atua muito pouco em *Viramundo* e que poderíamos chamar de ecos ou talvez de rimas, contribuindo fortemente para ligar o discurso. Esse sistema consiste em lançar um tema que mais adiante será retomado, quer brevemente, quer com substancial desenvolvimento. Assim, na parte inicial é apresentado Pelé, "um nome que até criança de três anos aprendeu a gritar"; a segunda parte abre-se com um menininho nu chutando uma bola, com a locução "Nasce aí uma vocação" — é o início da trajetória que levará à decadência. Pelé é, brevemente, apresentado na parte inicial como grande vedete e será objeto de uma sequência inteira na segunda parte, o ápice da glória. O locutor nos diz que Pelé é alvo de violência no campo, e a imagem mostra marcações contra ele; a parte final retoma, ampliado, o tema da violência, com jogadores feridos, um sangrando. O rapaz do vestiário do Santos que celebra histericamente a vitória do time, e sobre quem a câmera se detém demoradamente, fora visto antes, com destaque menor, mais rapidamente e sem som, de modo que não tinha a carga dramática que adquire em sua segunda aparição — a boca tão aberta no rosto tenso que se lhe vê até a garganta.

No final de *Subterrâneos do futebol* reencontramos um tema de *Viramundo*: a alienação, a histeria, manifestada com muita intensidade pelo rapaz do vestiário, mas também pela sequência toda: massas de torcedores em pânico invadindo desabaladamente o campo e levantando nuvens de poeira, feridos sendo transportados, ambulância, montes de sapatos abandonados, uma alternância de arquibancadas cheias com ruídos eufóricos e arquibancadas vazias em quase silêncio, alternância de momentos de exaltação com depressão.

O locutor nos explica como devemos entender isso tudo: "Como válvula de escape, o futebol compensa uma semana de excesso de trabalho, de pouco dinheiro e até de fome".

Um recurso de montagem nos dá uma informação suplementar sobre essa histeria coletiva. Seu momento mais intenso é constituído por uma leva de torcedores fugindo da arquibancada, alguns feridos, uma ambulância. Por informações exteriores ao filme, sabemos que os planos dessa cena foram tirados de um arquivo de televisão e pertencem à documentação de um acidente: meses antes da realização do filme, por ocasião de um jogo num estádio de uma cidade do interior, salvo engano, parte da arquibancada ruíra. Os planos selecionados desse material não mostram o desabamento, mas momentos do pânico provocado pelo acidente. A significação que o espectador atribui a esses planos é totalmente condicionada pelo contexto; a significação "acidente" foi neutralizada, e a movimentação vista nas imagens é capitalizada em favor da significação geral da sequência: histeria. É claro que a contaminação dessas imagens pela significação da sequência só ocorre devido à seleção que foi feita; de fato, se o desabamento fosse mostrado, o deslocamento da significação original provavelmente não se daria. Uma observação acurada dessas imagens permitiria estranhar: a massa que foge da arquibancada não tem o comportamento de torcedores que invadem o campo para festejar uma vitória, nem a ira de quem perdeu o jogo; e a nuvem de poeira, de onde vem? Mas a curta duração dos planos, o fluxo de imagens, o envolvimento nas ideias do filme não possibilitam essa reflexão crítica sobre as imagens.

A montagem deixa claro que a histeria e a alienação são uma determinação do filme. Se no caso do rapaz do vestiário (que é, aliás, observado com tranquilidade e por olhares irônicos das pessoas que o circundam) elas provêm do material , aqui elas são inteiramente construídas pelo filme. Trata-se de ajeitar o material cinematográfico, de domá-lo em favor das ideias que se quer colocar. O que reforça o que já se afirmava a respeito de *Viramundo*: que o cineasta sente necessidade de elaborar uma imagem do povo como histérico e alienado.

* * *

A questão do interlocutor implícito que levantei a respeito de *Viramundo* pode ser mais bem esclarecida com *Passe livre*. Esse filme gira em torno de um jogador de futebol, Afonsinho, que brigou com seu clube por causa do passe, apelou para a Justiça Desportiva, perdeu e recorreu à Justiça Civil; então venceu e conseguiu o passe livre. Toda essa situação estremeceu suas relações com o clube e pode ter prejudicado sua carreira de jogador brilhante e em plena ascensão. Afonsinho é um mineiro franzino, loiro de olhos verdes, um pouco o tipo "garoto Zona Sul" do Rio, onde morava na época do filme. Era então estudante de medicina, o que é dito pelo locutor e repetido por Pelé, quando entrevistado a respeito de Afonsinho. A perseverança com que ele lutou para obter o passe livre é totalmente apoiada pelo filme e, inclusive, ampliada, pois *Passe livre* tende a metaforizar o clube de futebol em fábrica, o jogador em operário. O filme, muito discretamente, relativiza a ação de Afonsinho, pois não se trata de uma ação de massa, mas sim individual — relativização feita em filigrana; por exemplo, não o entrevistando nunca em seu local de trabalho, que seria o clube ou o estádio.

A esse personagem positivo, o filme opõe um personagem negativo: é Jairzinho, outro jogador, impedido pelo clube de viajar para o Japão, como pretendia, para participar de um desfile de moda. Foi preso no aeroporto. Apelou para a Justiça Desportiva; foi condenado a pedir desculpas públicas ao clube, o que fez. O filme tende a nos apresentar esse jogador como alguém que não teve a coragem de Afonsinho. A submissão de Jairzinho à Justiça Desportiva valoriza a tenacidade e a vitória de Afonsinho.

Públicos universitários poderão ter feito este ou aquele reparo ao filme, mas nunca colocaram em dúvida a positividade do personagem de Afonsinho. Apresentado a operários, o filme suscitou uma reação bem diferente. "Nós não podemos fazer isso", comentou um operário. O que implicava duas coisas: que o recado tinha sido entendido (a ação modelar de Afonsinho) e que não tinha sido aceito. Perguntado sobre o que eles não podiam fazer e por quê, a resposta foi clara: Afonsinho pôde levar sua luta até o fim e colocar em risco sua carreira porque ele tinha outra profissão — a de médico —, que, caso ele não pudesse continuar a jogar, lhe permitiria sustentar a família. Jairzinho passou então a assumir indiscutivelmente o papel positivo: humilhou-se, precisou se humilhar para não colocar em risco o sustento da família. Prejudicada a carreira, ele não teria alternativa de profissão. Essa reação foi praticamente unânime por parte das plateias operárias a quem se projetou o filme em São Paulo — ninguém se colocou ao lado de Afonsinho. Ao que se acrescenta que Jairzinho é negro e não é universitário, permitindo uma identificação maior por parte de um público popular.

A reação desse público desmontou o filme; foi a própria estrutura que foi atingida, pois o filme não suporta duas interpretações contraditórias — positividade de Afonsinho e de Jairzinho — sem se destruir. *Passe livre* poderá ter sido feito, intencionalmente, com vistas a um público popular que, por meio da metaforização do futebol, seria levado a refletir sobre sua situação de operário numa sociedade capitalista. Mas não é esse o público potencial a quem implicitamente o filme se dirige, não é esse o seu interlocutor latente, mesmo que seja, repito, seu interlocutor intencional. O interlocutor latente é o público de classe média progressista, para quem essa estrutura faz sentido.

No entanto, o realizador, se quisesse, teria tido condições de barrar uma interpretação que tornasse Jairzinho positivo. Bastava atribuir a Jairzinho uma segunda profissão, fazendo com que o sustento da família não justificasse a aceitação das desculpas públicas. E isso poderia ter sido feito, pois sabe-se, exteriormente ao filme, que ele teria ligação com confecção de roupa, motivo de sua viagem ao Japão.

O espelho perturba o método
A opinião pública

O nome da distribuidora, agradecimentos ao banco que colaborou com a produção e: "Agradecemos também às pessoas que espontaneamente prestaram depoimentos neste filme. Elas são os representantes da vida de cada um de nós, de nosso drama mais geral. A elas o filme é dedicado". Esses são os três primeiros letreiros que abrem *A opinião pública.* A primeira fala do locutor é: "Tudo o que verão aqui é típico. Fugimos do exótico e do excepcional e procuramos as situações, os rostos, as vozes, os gestos habituais. Isso porque, refletidas numa tela, as coisas que parecem comuns e eternas se revelam estranhas e imperfeitas [...]". Nenhuma novidade. Reconhecemos a metodologia já encontrada ao analisar o sistema particular/geral e a formação do tipo em diversos filmes comentados anteriormente.

E no entanto, sim, uma grande novidade: o filme explicita sua metodologia. Talvez um simples respeito pelo espectador, que ficará informado sobre como trabalha o cineasta, assim como mais tarde será citado o sociólogo norte-americano Wright Mills, já que boa parte do texto *off* se baseia em ideias da introdução do ensaio *White Collar — The American Middle Classes*. Mas há algo mais.

A opinião pública versa sobre a classe média brasileira, um segmento social diferente daqueles estudados pelos filmes anteriores, e foi principalmente filmado no que se considera um reduto da classe média carioca: Copacabana. A visão que nos é dada dessa classe é profundamente negativa: a juventude é inerte e submissa, só pensa em "subir na vida"; a classe média deixa-se manipular, vive no medo e se entrega a atitudes de alienação etc. As imagens atingem por vezes um alto nível de grotesco: o *kitsch* dos programas de televisão; a mulher coroada por um penteado de uns trinta centímetros de altura enfeitado de mechas prateadas; a falsa loira vivida e envelhecida que dá conselhos amorosos às jovens, e assim por diante. Esse grotesco vai de par com momentos pungentes de desamparo, medo e solidão. Pergunta o entrevistador: "O que a senhora acha que deve ser a missão da mulher na sociedade?". Resposta murmurada de uma mulher que consagra sua vida a alimentar os filhos e a um marido que farreia toda madrugada, a voz murcha depois de ter dito que não sabe o que será dela quando chegar aos quarenta anos: "Não sei, não sei". E o poeta Carlos Drummond de Andrade: "Nesta cidade do Rio, de dois milhões de habitantes, estou sozinho no quarto, estou sozinho na América".

Essas imagens, fundamentalmente as grotescas, nos parecem tão surpreendentes que poderíamos interpretá-las como uma fantasia do cineasta ou como momentos excepcionais de pessoas extravagantes ou doentiamente neuróticas. Um exotismo social raro, e não um comportamento habitual de urbanoides. Donde, me parece, a necessidade que sentiu o cineasta de tomar insistentes precauções metodológicas no início do filme. Esse universo de dor e solidão, de mediocridade e de grotesco poderia se desgrudar da realidade, não aparecer como a expressão de um comportamento médio, mas como uma alucinação, uma fantasmagoria, uma paródia. Por um lado, as indicações de que o filme obedece a um método sociológico reafirmam e consolidam o método; por outro, expressam uma dúvida, uma possibilidade de crise. Fosse o método usado de forma natural e segura, não houvesse dúvida quanto ao fato de que expressa o real, de que o mecanismo particular/geral funciona a contento, não haveria provavelmente tanta necessidade de reafirmá-lo. *Viramundo*, *Subterrâneos do futebol* ou *Maioria absoluta* não sentiram necessidade de explicitar seu método.

O que provoca essa dúvida? Não exatamente o grotesco. Afinal de contas seria possível ver sob o ângulo do grotesco determinados momentos de *Viramundo* (os planos da entrevista do operário qualificado) ou de *Maioria absoluta* (a mulher sentada no sofá, explicando que o povo não é receptivo à generosidade; o homem da praia, lagarteando ao sol, encostado numa mulher e coçando a coxa, ao declarar que o que falta ao "brasileiro" é vergonha na cara). No meu entender, o que provoca a dúvida é a mudança da classe social abordada pelo filme. Os proletários ou camponeses dos filmes comentados anteriormente constituíam o "outro de classe" em relação ao cineasta e ao público que via esses filmes e ao qual de fato se dirigiam, sem prejuízo da "simpatia" que os cineastas manifestam e que os espectadores são levados a sentir em relação a esses personagens. Sendo "outro de classe", adaptavam-se a um método que trabalha com um objeto de estudo. Outro de classe, esses camponeses e proletários eram naturalmente o outro do sociólogo.

A passagem para a classe média dificulta a constituição do outro porque, mal ou bem, a ela pertencem o cineasta e seu público. Esse voltar-se sobre si mesmo faz oscilar o filme entre a postura científica, que institui o outro, e a identificação. Olhar no espelho perturba o método. É verdade que a sequência de *Maioria absoluta* que apresenta a classe média não deixa de propor um processo de identificação: tanto as pessoas vistas na tela como os espectadores são os habitantes dos edifícios de cimento e vidro das grandes cidades. No entanto o problema não é levantado, primeiro porque a sequência da classe média ocupa um tempo relativamente curto no conjunto do filme, cujo objeto é outro, e também porque a classe média não comparece em si, mas em função do campesinato; e, segundo, porque o filme quer nos levar a nos distinguirmos dela — essa é a classe média alienada e aproveitadora do trabalho do povo; vocês que agora recebem as informações que o filme fornece não mais deverão ser iguais a ela; portanto essa classe média mostrada na tela pode ser percebida por nós como um outro, ou como virtualmente um outro. *A opinião pública*, por sua vez, nos apresenta imagens de classe média como sendo as nossas próprias imagens — vemos televisão, moramos em residências semelhantes, frequentamos as mesmas boates, vamos à praia etc. O texto *off* mantém a postura do distanciamento do observador: "Geralmente se liga a juventude moderna com revolta [...]. Não vimos isso no jovem comum da classe média"; ou: "O homem da classe média é sempre propriedade de alguém". Reconhecemos aqui procedimentos já analisados: a terceira pessoa, o conceito, o singular generalizante, determinados adolescentes vistos na tela que se transformam em "o jovem" do texto. Mas as imagens como que fazem estourar esse procedimento, quer pela identificação, quer pelo grotesco. Vontade de exclamar ora "É isso mesmo!", ora "Não dá para acreditar!".

Talvez haja outro mecanismo em *A opinião pública* que dificulte a constituição do tipo tal como se apresentava em filmes como *Viramundo* ou *Maioria absoluta*. Nesses dois filmes, os entrevistados eram simples. Quero dizer que as situações em que os filmes os apresentavam eram claramente determinadas (desemprego, migração, exploração). Nessas situações os personagens se desenhavam com clareza: o operário qualificado tem uma determinada postura e não se contradiz; o operário não qualificado apresenta outra postura mas também é coerente consigo mesmo. As perguntas feitas pelo entrevistador versam sobre fatos, passados ou presentes, e suas causas imediatas: migraram para São Paulo, por quê? Têm ou não têm trabalho? Em *A opinião pública*, o procedimento é um tanto diferente. Se a maioria dos personagens aparece numa única sequência, vários deles aparecem em duas sequências, em situações diferentes.

A loira toda prepotente que dá conselhos amorosos ressurge uma noite no seu pequeno apartamento; ela pede para a filhinha vir para seu colo, a menina se nega, a mãe insiste, em vão: de repente explode a triste solidão dessa mulher que sequências antes exibia uma segurança superior. Dessa forma, os personagens tendem a se tornar mais complexos, ganham uma espessura e uma potencialidade de contradição que, teoricamente, não impedem que sejam usados como tipos, mas que inviabilizam uma catalogação tão imediata quanto nos filmes anteriores.

As perguntas do entrevistador de *A opinião pública* ou as conversas que se desenrolam não dizem respeito a fatos. A primeira pergunta do filme opera um nítido deslocamento em relação ao comportamento dos entrevistadores dos filmes anteriores: "Começamos com uma turma de jovens de Copacabana. Perguntamos sobre o futuro". Perguntar sobre o futuro não é provocar uma resposta sobre fatos ocorridos, mas motivar a expressão do desejo, suscitar expectativas, temores, conjecturas, projetos. E assim vai se desenvolvendo o filme, longas conversas sobre o amor, depoimentos sobre a solução para resolver o problema brasileiro, e cada um tem sua solução de bolso, "O problema do Brasil é somente a agricultura", "O primeiro problema nacional deve ser o problema da alimentação, o segundo é a valorização da Amazônia". Soluções de salvação nacional, programas de auditório na televisão, telenovelas, boates, vitrinas de moda, uma impressionante exposição de fotografias em estilo expressionista feitas por funcionários públicos: o imaginário torna-se predominante. Em decorrência, as cenas de trabalho ou que ocorrem em ambientes de trabalho são bem poucas, excetuando-se as de televisão e de boate onde atores, cantores ou *strippers* estão trabalhando; apenas uma: a sequência dos funcionários públicos e seu chefe, entrevistados numa repartição pública — o trabalho burocrático fica sendo a única forma de trabalho vista no filme. O imaginário predomina sobre os fatos, o que está plenamente de acordo com a visão que o locutor *off* nos dá da história da classe média e de sua posição no corpo social: "A classe média é uma classe perplexa. Não tem um sistema de valores criados por uma ação histórica dela mesma [...]. Nunca teve a iniciativa do progresso. Sempre convocada por interesses que não são seus [...]. Disse o sociólogo americano Wright Mills: a história da classe média é uma história sem fatos; seus interesses comuns nunca levam à unidade. Seu futuro nunca é escolhido por ela". Essa colocação de uma história que não é própria nem tem fatos leva o filme a se deslocar para o imaginário. Finalmente, o passo fundamental: "O misticismo é a solução final para uma situação social incompreensível. A esperança é transposta para o outro mundo, a última das compensações". Uma longa sequência apresenta práticas religiosas: uma missa iê-iê-iê numa igreja católica, cenas de macumba, a curandeira Isaltina e seus seguidores. A ausência de dinamismo histórico e político deságua, como em *Viramundo*, na alienação religiosa. Aqui temos mais uma explicação latente do golpe de 1964: a alienação da classe média e o fato de ela se deixar manipular: "Bem manipulada, pode fazer movimento contra si mesma", comenta o texto *off*. Essas afirmações retomam análises de jornalistas e sociólogos sobre a classe média como massa de manobra no processo político que desembocou no golpe.

Diante dessa história sem fatos, dessa fuga no imaginário, dessa irrealidade, o que é a realidade? *Maioria absoluta*. A classe média "são multidões de indivíduos solitários [...] vivem absortos no melodrama da própria insegurança. E esquecem que estão num país assolado pela tragédia da fome e da miséria". Essas frases do locutor *off* acompanham a inserção de três trechos de *Maioria absoluta*: a panorâmica do olhar, planos da feira popular, o depoimento do camponês que fala da "vergonha pra minha cara", seguido do corte para Brasília. No meio do grotesco, dos conselhos amorosos, da televisão, das soluções de bolso para o futuro do Brasil, essas imagens — e esse olhar — irrompem com uma violência condenatória. A fome do povo é o grau zero da realidade, e essas imagens, um prato cheio para os candidatos à culpabilidade.

A citação de *Maioria absoluta* é uma intervenção do realizador. Outros pulos para fora do universo da classe média teriam sido possíveis; por exemplo, contrapor a classe média aos dirigentes de empresas de serviços, banqueiros ou políticos que dirigem o trabalho que ela produz.

Mas foi o povo rural e faminto que foi usado como contraponto. Diz o texto: "[...] num país assolado pela tragédia da fome e da miséria". "Tragédia da fome", uma banal ênfase retórica, a tragédia das inundações, a tragédia da seca. Por que não ter escrito de modo mais simples e não menos eficiente "assolado pela fome pela miséria?". Essa ênfase deixa de ser banal se a relacionarmos com as seguintes frases: "Assim, enquanto a América Latina lamenta suas misérias gerais, o interlocutor estrangeiro cultiva o sabor dessa miséria, não como sintoma *trágico*, mas apenas como dado formal em seu campo de interesse"; "A *fome* latina [...] não é somente um sintoma alarmante: é o nervo de sua própria sociedade. Aí reside a *trágica* originalidade do Cinema Novo diante do cinema mundial: nossa originalidade é nossa *fome*"; "Nós compreendemos esta *fome* que o europeu e o brasileiro na maioria não entende" (grifos meus). O "nós" significa os cineastas do Cinema Novo. São frases extraídas de *Estética da fome*, texto escrito por Glauber Rocha em 1965, pouco antes da realização do filme, e é o manifesto de maior repercussão do Cinema Novo. Vista sob esse ângulo, a citação de *Maioria absoluta* qualificada de "tragédia da fome" deixa de ser apenas uma referência à "realidade real" para se tornar a inserção, no seio da situação ilusória da classe média, do próprio projeto do Cinema Novo — pelo menos do projeto formulado por Glauber Rocha e amplamente encampado na época pelos integrantes do movimento que se reconheciam nas suas palavras. Tal projeto não é evidentemente visto como um entre outros possíveis, mas como a resposta adequada à realidade, a rigor como a "realidade real". Podemos deduzir dessa análise que, além de contrapor à irrealidade da classe média a realidade do povo e do país, contrapõe-se também o próprio Cinema Novo: esse o público que o Cinema Novo não conseguiu ganhar como aliado, o público potencial que — além do povo, sempre desejado — não foi sensível à estética e à ideologia do Cinema Novo, vale dizer, não foi sensível à realidade.

Essas considerações podem nos levar a estranhar uma ausência em *A opinião pública:* no mundo de lazer e ilusões da classe média, encontramos a televisão com seus programas de auditório e suas novelas, a música popular tipo Jovem Guarda, modas e penteados, boates, fotografias, mas não encontramos o cinema, nem mesmo uma fachada de cinema ou um cartaz. Há um rapaz bêbado que, numa boate, parece criticar a chanchada e recomendar que o cinema brasileiro faça o melhor que puder, mas sua fala é quase incompreensível. Essa ausência do cinema é estranha se considerarmos que Wright Mills cita explicitamente o cinema como fator de "modelagem" da classe média, e, principalmente, que o Cinema Novo, bem como amplos setores da intelectualidade da época, consideravam importante fator de alienação o cinema norte-americano e faixas da produção brasileira como a chanchada. É que se tenta reservar para o cinema o papel da verdade, da realidade. E em *A opinião pública*, ele é duplamente verdade: como descrição-denúncia da alienação da classe média e como contraposição da "tragédia da fome" à alienação.

E vemos esse cinema duplamente "verdadeiro" em plena ação. De fato, a ausência de referência ao cinema como fator de alienação da classe média é complementada por uma presença do cinema: as menções que o filme faz a si próprio são numerosas e ricas, e apontam para o cinema que, este sim, só pode ser verdade e realidade. Além das alusões iniciais ao método do filme e os inúmeros planos em que o olhar dos entrevistados cruza o eixo da câmera, cito alguns outros exemplos. A voz do diretor grita "mais alto" a um depoente que fala baixo, e este levanta a voz. O marido da curandeira finaliza a sequência com uma mensagem dirigida ao público, que se inicia com as palavras: "Senhores espectadores do filme". E a bela cena de discussão entre dois estudantes numa república pobre: os dois encontram-se no centro da tela, frente a frente; nós os vemos de perfil enquadrados por uma porta aberta, o que indica que a câmera está numa sala contígua à entrada da casa onde se dá a briga; do lado direito, vemos uma parte do microfone que um técnico, escondido na entrada onde estão os estudantes, mantém apenas parcialmente oculto. Num determinado momento, exasperado, o estudante da direita afasta-se para a direita e começa a entrar numa outra sala; o outro fica no lugar; percebemos que o microfone hesita entre permanecer na posição em que está e acompanhar o estudante que se afasta. Irritado, apontando para o chão com a mão, o que ficou no lugar grita algo como: "tem que se estar discutindo — é aqui". No nível diegético, essa frase funciona como um gesto de firmeza daquele que permaneceu em sua posição; ele estaria cedendo se se retirasse também, ou se dobrando à atitude do outro se o seguisse; o "aqui" faz todo sentido, pois o lugar da briga é a entrada da casa, e justamente o estudante que pronuncia a frase contesta o direito do outro de morar na república. Mas em outro nível essa frase lembra que o palco de filmagem é o lugar onde os estudantes estavam no início do plano, pois, se o microfone consegue se deslocar, a câmera, devido provavelmente à sua posição na outra sala, parece não poder; portanto, para ela, é necessário que os atores fiquem onde estão. Essa frase foi possivelmente motivada por uma recomendação do diretor aos estudantes, ou a um deles, para que não se deslocassem durante a filmagem, embora a significação que o público apreende de imediato é a significação diegética. Outros exemplos em que o ato de filmar se evidencia poderiam ser citados.

A *opinião pública* faz da classe média um retrato doloroso, grotesco, de um grotesto patético. A condenação é total. Se o filme evolui para o lirismo, é o lirismo da solidão e do medo. "Somos apenas uns homens [...] fiéis herdeiros do medo" nos versos do poeta Drummond de Andrade. "Somos": quem é esse "nós"? Todos os membros da classe média, menos o realizador do *A opinião pública*, menos os cineastas? Provavelmente, o autor do filme aceita o "nós" do poeta, mas o "nós" do início do filme — "representantes da vida de cada um de *nós*, de *nosso* drama mais geral" (grifos meus) — se transformará a seguir numa conveniente terceira pessoa. Há nesse filme um movimento de aproximação e simultaneamente de rejeição da classe média. Em vários momentos de solidão, nos belos poemas de Drummond, há uma identificação. Nas cenas grotescas — os índios ridículos da televisão, as manifestações religiosas, os cantores dulçorosos — que antecipam as ferozes caricaturas que o Tropicalismo estava preparando, manifesta-se o ódio: o autor não quer ser identificado com a classe média. Digamos rapidamente que a classe média é um tema importante do cinema e das artes brasileiras da época. Multiplicam-se as visões satíricas, as críticas que lhe são dirigidas. O livro que publico em 1967, *Brasil em tempo de cinema*, e que relaciona o Cinema Novo com a classe média, provoca iras entre os cineastas. Como entender ao mesmo tempo o afloramento da classe média como temática e o ódio com que é enfocada pelos cineastas? Talvez, parcialmente, do modo seguinte: antes do golpe de 1964, intelectuais e artistas acalentam a possibilidade de se identificarem com o povo. Um ideólogo do CPC (Centro Popular de Cultura), Carlos Estevam, escreve: "Os membros do CPC optaram por ser povo [...]. O povo não é uma entidade homogênea em sua composição, uma vez que dele faz parte não apenas a classe revolucionária mas também outras classes e estratos sociais os mais diversos. Assim, via de regra, ocorre que o artista do CPC, embora pertencendo ao povo, não pertence à classe revolucionária senão pelo espírito, pela adoção consciente da ideologia revolucionária" (citado por Maria Rita Galvão). O golpe, além de aniquilar o CPC, aniquila também essa perspectiva ideológica. Mais tarde, Arnaldo Jabor diria, referindo-se principalmente ao período pré-64: "[...] no Brasil nos anos 60. Nós podíamos tudo, e de fato até um certo momento podíamos, não é? [...] eu tenho certeza de que vivi os anos mais felizes deste país, e também os mais enganosos, porque nada daquilo era verdade [...] Agora, isso a gente sabe, na época eu não sabia [...]" (citado também por Maria Rita Galvão). Essa identificação mágico-ideológica com o povo é bruscamente interrompida; intelectuais e artistas são como que repentinamente devolvidos à sua classe — à classe média —, vista como reacionária, retrógrada e traidora devido a seu papel na preparação do golpe. Perdido o paraíso popular, surge a possibilidade de se sentir inserido na classe média, o que provoca um verdadeiro horror em muitos artistas. É necessário esconjurar esse possível vínculo com a classe média. Donde o misto de rejeição pelo grotesco, do sofrimento lírico, esse tom de masoquismo que perpassa pelo filme. O cineasta exorciza a classe média e se fustiga por ser talvez um de seus membros. "São multidões de indivíduos solitários, indivíduos iguais e que, misteriosamente, se julgam diferentes." Essa frase do texto *off* é terrível: onde começa e onde acaba o mistério de se julgar diferente, sendo igual? O que sobra ao cineasta para estabelecer sua diferença é colocar-se do lado da realidade-verdade do cinema.

Em busca de uma nova dramaturgia documentária

Liberdade de imprensa
Migrantes

Liberdade de imprensa vai nos permitir aprofundar mais a questão do locutor auxiliar, já tratada a respeito de *Viramundo* e *Subterrâneos do futebol*, e perceber, pela maneira como são conduzidas algumas entrevistas, um afastamento em relação ao modelo proposto por *Viramundo*, uma primeira ruptura.

O locutor existe em *Liberdade de imprensa*, mas tende a reduzir seu papel a algumas informações diretamente vinculadas ao assunto do filme, que gira em torno da lei de imprensa instituída pela ditadura militar em 1965 e da situação de dependência em que os capitais norte-americanos mantêm a imprensa no Brasil, principalmente por meio de verbas de publicidade. O locutor fornece alguns dados como a data da nova Constituição, mas sobretudo estabelece ligações entre sequências, sem emitir opiniões. Assim, a um jornalista entrevistado que afirma trabalhar num dos grandes jornais do mundo e que a imprensa brasileira é uma das mais bem-feitas do mundo, o locutor sucede, perguntando: "Os jornais brasileiros se colocam entre os melhores jornais do mundo. Mas será livre essa imprensa?", o que encadeia para a sequência seguinte, em que outro jornalista abordará a questão dessa liberdade e da lei de imprensa. Mas toda a discussão da liberdade de imprensa, da lei, dos mecanismos usados pelos norte-americanos para dominar a imprensa brasileira, dos exemplos que comprovam essa situação, será feita por quatro jornalistas entrevistados, personalidades conhecidas por sua atuação jornalística e política, e cujo nome é identificado nos créditos. São jornalistas de tendências ideológicas diversificadas, desde o reacionário Tavares de Miranda, a quem só se pede para colocar a existência da imprensa, até um nacionalista de esquerda como Marcus Pereira.

A quase total transferência da exposição do tema e a total transferência do direito de opinar aos entrevistados, aliada à ampla gama ideológica, constituem uma técnica jornalística que se desenvolve muito no Brasil durante a ditadura: o articulista fica isento de se manifestar diretamente, assume a tarefa aparentemente técnica de montar as entrevistas, de combinar entre si fragmentos de depoimentos. Ele, de fato, manifesta-se, mas é pela forma da montagem, de modo a se resguardar na medida do possível das investidas da censura, da polícia e dos próprios editores e donos de jornais e revistas. Embora produzido pelo Grêmio da Faculdade de Filosofia da Universidade de São Paulo e, portanto, com uma margem maior de liberdade do que teria na grande imprensa, o filme é sintomático da evolução dessa tendência.

À retração do locutor corresponde então um papel mais destacado dos locutores auxiliares. Por exemplo, é entrevistado o jornalista Genival Rabelo, visto na tela em duas oportunidades. Uma terceira vez volta sua voz, sem retorno da imagem; para quem não se lembrar do timbre da voz e do jeito de falar de Rabelo, sua voz funcionará perfeitamente como a de um locutor *off*, tanto mais que faz, nesse momento como em outros, afirmações que o filme encampa plenamente.

Mas, mais uma vez, o recurso ao locutor auxiliar traz contradições, pois nem sempre o filme está disposto a encampar as suas opiniões. Vejamos o que ocorre com um deles, Carlos Lacerda. Lacerda faz declarações que dificilmente o filme poderia recusar: está contra a lei de imprensa, que qualifica de lei contra a imprensa; os países democráticos não precisam de tal lei, já que os crimes que a imprensa pode cometer são previstos no Código Penal; ele qualifica o regime de 1967 de semiditadura. Com ressalvas para esse eufemismo, o público progressista não poderia deixar de concordar com o depoimento de Lacerda. Por outro lado, esse mesmo público sabia que Lacerda era um político de extrema direita, golpista e um dos agentes que levaram à situação que ele próprio qualifica de semiditadura. Donde grande confusão, pois o filme não quer ser conivente com a postura política que se sabe ser a de Lacerda. Por isso, após o depoimento, serão introduzidos corretivos que permitirão ao filme e ao público se afastarem dele. Um popular entrevistado declara estranhar que Lacerda se tenha pronunciado contra a lei; Lacerda seria, ao contrário, uma das poucas pessoas no Brasil que não poderiam fazer isso, já que foi um dos artífices da "revolução" que derrubou o regime democrático, e, se o fez, foi porque a lei ia contra os interesses dele. Isso joga dúvidas sobre o depoimento de Lacerda, e a montagem apoia inserindo uma fotografia de Lacerda com Adhemar de Barros, conhecido político populista de direita, e outra que o mostra cercado por militares, sugerindo integração entre ele e a casta militar.

Já com o entrevistado-locutor auxiliar seguinte, Pedro Calmon, o filme não toma nenhuma precaução. Ao contrário, reforça-se duplamente o que ele diz. Um popular diz que os Diários Associados — grupo de jornais e televisão de que Calmon era o principal dirigente — denunciaram ao povo e à nação a questão da ligação financeira da TV Globo com o grupo estrangeiro Time-Life. Do seu lado, o locutor afirma que Calmon, em seu livro, denunciou com clareza as pressões exercidas pela Esso para que abandonasse a luta contra o acordo Globo-Time-Life. No entanto, Calmon era um político de direita, não menos exacerbadamente anticomunista que Lacerda, com quem mantinha contatos, conforme sugestão do próprio filme (o popular acima citado diz que a denúncia contra a Globo foi feita pelos Diários Associados e por Carlos Lacerda); as denúncias anti-imperialistas de Calmon não parecem ter sido orientadas por uma atitude consequente, mas terem sido a forma que momentaneamente assumiu a luta entre dois grupos, os Diários e a Globo, a qual, naquele período, estava em plena expansão e ameaçava os Diários. Se Calmon é, digamos, bem-visto pelo filme, é porque suas declarações anti-imperialistas, mesmo que oportunistas, podem ser capitalizadas em favor das posições assumidas por *Liberdade de imprensa*.

A atitude do filme diante de Lacerda e de Calmon é sintomática de uma aliança. Naquele momento político em que o filme é feito, propõe-se um acordo com setores da direita, desde que estejam em oposição ao governo militar e ao imperialismo, mesmo que se trate de atitudes momentâneas. As declarações de Calmon, encontrando-se mais perto do nacionalismo anti-imperialista, podem ser assimiladas sem reservas pelo filme, enquanto o posicionamento apenas liberal de Lacerda, além do fato de ser ele uma figura de maior destaque político, leva a que se coloquem anteparos à sua encampação pelo filme.

Os jornalistas não são os únicos entrevistados do filme. Temos um jornaleiro que é também motorista do jornal *O Estado de S. Paulo* há treze anos. Esse homem, entrevistado no casebre onde mora e na sua banca de jornais, aparece em várias oportunidades e constitui uma espécie de *leitmotiv* dos primeiros dois terços do filme. A esse favelado é atribuída uma curiosa tarefa: ser porta-voz da postura mais reacionária do filme. Chega quase a justificar a lei de imprensa, pois a imprensa brasileira manifesta até uma certa liberalidade; critica a "ação pejorativa" de que são alvo os capitais norte-americanos no Brasil, apoia a colaboração brasileira na intervenção militar praticada pelos Estados Unidos em São Domingos a fim de evitar uma nova Cuba, e apoiaria uma intervenção militar norte-americana no Brasil para impedir o comunismo. A forte insistência do filme sobre esse personagem, que exterioriza posições políticas que deveriam ser as da burguesia e que, em princípio, vão contra seus interesses de favelado, recebe sua explicação quando uma fala *off* de Genival Rabelo incide sobre um plano em que o vemos tirando água de um poço perto do casebre: para dominar um país, conquista-se sua opinião pública. Esse processo global de manipulação da opinião pública visa a justificar que a solução dos problemas brasileiros esteja nos Estados Unidos. Esse motorista de *O Estado de S. Paulo* e leitor do jornal há 25 anos teria introjetado a ideologia desse jornal de direita e se alienado de seus próprios interesses.

Mas não é só isso. *Viramundo* já nos mostrara um operário que teria assimilado a ideologia pequeno-burguesa, assumindo posições da vulgata anticomunista, mas que não dominava a imagem de povo elaborada pelo filme. *Liberdade de imprensa* radicaliza, dá ao mais pobre que aparece no filme as posições mais reacionárias e lhe confere a função de fio condutor do próprio filme. Se a revolução depende da consciência, então não há dúvida de que não passam por aí nem a revolução nem a luta anti-imperialista, e que o "intelectual consciente" tem muito trabalho pela frente. Não há nenhum mecanismo no filme que erga esse personagem à categoria de tipo; ao contrário, ele é bastante personalizado (nome, dados biográficos). Se alguma generalização fosse feita a partir dele, seria: veja o efeito arrasador da manipulação da opinião pública. O que não impede que sua repetida presença no filme lhe dê um peso que resulta numa imagem negativa do povo que bloqueia qualquer veleidade do gênero: o povo empurra a história para a frente.

É interessante notar que, quando a voz *off* especifica o sentido que o personagem tem no conjunto do filme — vítima da manipulação, reduzido a um trapo —, ele perde grande parte de sua força. Esse miserável que se esforça com palavras toscas em repetir mecanicamente chavões anticomunistas tem uma força dramática surpreendente e inquietante, que diminui consideravelmente a partir do momento em que se evidencia sua função dentro da demonstração.[1]

Há uma terceira categoria de entrevistados, e é aí que *Liberdade de imprensa* inova. São transeuntes que, pela roupa, podemos identificar como *office boys*, pequenos funcionários, caixeiros-viajantes, abordados na rua, em geral na proximidade de bancas de jornais. Comentando o tratamento dado a Lacerda, aludi a um entrevistado que afirma não acreditar que ele tivesse feito tais declarações. Ora, como o entrevistado sabia o que Lacerda tinha dito? Só há uma explicação possível: o realizador do filme o informou. A entrevista com Lacerda foi feita antes da filmagem dessa cena; o realizador comunicou ao homem o teor do que Lacerda dissera, e lhe perguntou: O que o senhor acha disso? Isso muda muita coisa.

Em *Maioria absoluta* e *Viramundo*, pretendia-se saber dos entrevistados o que pensavam independentemente da filmagem, em tese pelo menos. O cinema iria ao real e o captaria. Supõe-se que o camponês que diz que comprar feijão na cidade é uma vergonha para a cara dele pensa isso independentemente de *Maioria absoluta* ter sido feito ou não, e o filme simplesmente registrou um pensamento que ele não criou, nem provocou, nem alterou. Se o operário qualificado de *Viramundo* está tenso e sua família petrificada, isso é apresentado como traço de comportamento, e não como efeito de uma eventual intimidação sobre eles. Enfim, o cinema capta e respeita o real. *Liberdade de imprensa*, na entrevista aqui comentada, transforma essa relação: o filme não capta o que é, mas gera intencionalmente uma situação específica, provoca uma alteração no real, e o que se filma não é o real como seria independentemente da filmagem, mas justamente a alteração provocada. No caso, a alteração é criada pela transmissão de informações ao entrevistado, e o que a filmagem pretende captar é a reação que essas informações motivam. A ação do documentarista sobre o real leva a uma situação nova, criada em função da filmagem e sem a qual ela não existiria. Essa atitude de *Liberdade* quebra um tabu: que o documentário deva e possa apreender o real tal como é, independentemente da situação de filmagem. O real, visto como intocável, é um fetiche. A filmagem provoca uma alteração; pois que essa alteração seja plenamente assumida. O real não deve ser respeitado em sua intocabilidade, mas deve ser transformado, pois o próprio filme coloca-se como um agente de transformação. O que ele filma é essa transformação: o momento ideal a ser filmado é exatamente o momento da transformação, exatamente o momento em que o próprio filme transforma o real.

Ao filmar a situação que gera, o documentário filma um momento único. Enquanto os entrevistados de *Maioria absoluta* e *Viramundo* bem como os jornalistas e o jornaleiro de *Liberdade de imprensa* dizem, na filmagem, o que pensam no momento da filmagem, mas que é também o que pensavam na véspera e o que provavelmente pensarão no dia seguinte — ou seja, filma-se um estado, ou melhor: o momento filmado pretende ser a expressão de um estado —, o tipo de entrevista que estou comentando capta um momento que não poderia ocorrer antes da filmagem, nem poderá ocorrer depois.

Outra observação é que a intervenção do cineasta possui um caráter pedagógico. Mesmo que a intervenção não vise a uma alteração predeterminada do comportamento do entrevistado, o cineasta coloca-se na posição de quem possui mais informações que o entrevistado, lhe transmite tais informações e pressupõe que essa transmissão provocará uma transformação. Veremos a propósito de *Greve*, do mesmo autor, como essa função evolui.

A quase totalidade das entrevistas realizadas com transeuntes obedece a esse modelo, e de modo ainda mais ostensivo. O cineasta seleciona alguns trechos de livros de autoria de jornalistas entrevistados pelo filme, grifa-os — a imagem mostra uma página de livro assim preparada —, entrega o livro a uma pessoa, a câmera filma o momento da leitura e, quando acabada, o entrevistador pergunta: "Você leu o texto. Que é que você achou?".

Essa atitude leva a um novo comportamento do entrevistador/realizador e da equipe. Enquanto eles permaneciam fora de campo e as perguntas aos entrevistados eram feitas *off* nos filmes comentados até agora e nas entrevistas com os jornalistas de *Liberdade de imprensa* — aparecendo parcialmente as costas do entrevistador em um ou outro plano de *Viramundo*, ou o técnico de som e seu gravador no meio da multidão em *Subterrâneos do futebol* —, aqui o entrevistador e o som (a câmera fica fora de campo por motivos óbvios) são vistos claramente no campo, porque, tendencialmente, tornam-se agentes da situação, são eles também atores do filme. O cineasta não tem mais por que ficar oculto diante de um real intocável e fetichizado.

Na sequência final, a técnica de gerar uma situação específica para a filmagem amplia-se: o cineasta provoca uma conversa entre várias pessoas, o que chama a atenção dos curiosos. Forma-se assim uma pequena aglomeração que vai aumentando. Na época em que o filme foi feito, nada como um bolo de gente na rua para inquietar a polícia. Dois policiais intervêm para dissolver a aglomeração. Mesmo que essa sequência não tenha sido filmada do modo mais expressivo (os policiais perdem-se um pouco no meio dos curiosos), a situação é relevante. Em vez de se limitar a referências ao cerceamento da liberdade de imprensa que surgem nas entrevistas, ou às demonstrações de repressão policial que se exerce contra manifestações estudantis em cenas de arquivo que *Liberdade de imprensa* inclui, em vez de mostrar a presença da polícia nas ruas, o cineasta prefere criar uma situação que levará a polícia a intervir, e veremos a repressão policial não como um dado geral da situação, mas se exercer contra o próprio filme. Uma pessoa presente comenta: "Não pode falar mal do governo aí [...]. Você não pode fazer isso aí que está fazendo, fazer comício no meio da rua... é perigoso cê ir em cana e parar de ganhar seu pão". Sobre o que o filme se encerra.

O que muda a impostação do filme nesse final é também que a tal pessoa toma a iniciativa de se dirigir ao cineasta ("você") e de falar sem que seja para responder a perguntas, diferenciando-se de todos os outros e constituindo a figura mais dinâmica do filme.

Na sequência final, o mesmo personagem diz não ter dinheiro para comprar jornais, lê os jornais dependurados ali, é de graça mesmo. "A imprensa nacional, é o seguinte, a mim nunca me deu nada e nunca tirou nada." Essa frase é pronunciada em tom de galhofa e provoca risos do próprio cineasta. Ela não se limita a nos fornecer informações sobre uma pessoa que parece ter passado muito bem sem jornais — ela desestabiliza o filme. A imprensa, até então, não tinha sido colocada em dúvida; criticava-se a repressão exercida sobre ela e afirmava-se sua necessidade de liberdade. Agora questiona-se: imprensa para quem? Que função tem ela, se marginaliza parte da população, até alfabetizada? Em que essa situação seria alterada se não sofresse cerceamento policial ou econômico? Longe da posição de equilíbrio a que nos levaram os finais de *Viramundo* e *Subterrâneos do futebol*, ou mesmo a abertura final de *Maioria absoluta* (a vida continua), que era uma decorrência das afirmações anteriores, *Liberdade de imprensa* tende a se encerrar sobre um ponto de desequilíbrio: é, de fato, essa a temática que deveria ter sido tratada? Essa temática foi bem colocada?

Esse desequilíbrio é acentuado pela mudança de comportamento da câmera. Até então, todos — jornalistas, jornaleiros e transeuntes — haviam sido filmados em planos próximos. Agora, a montagem faz alternar planos próximos com planos gerais tomados do alto de um prédio. Esses planos podem ter sido feitos a grande distância para proteger o filme contra uma eventual intervenção da polícia, que talvez tentasse apreender o material. O efeito é que, de repente, quebrando o hábito de proximidade que o filme tinha instituído, somos jogados para perto e para longe de quem fala, o que contribui para reforçar o questionamento sugerido pela intervenção do homem que lê jornais dependurados.

Liberdade de imprensa, no conjunto de sua construção, não apresenta a forte concatenação dos filmes vistos anteriormente. Num momento, um entrevistado fala da revista *Ação democrática*, financiada por grupos anticomunistas norte-americanos; a montagem deixa correr *off* a entrevista e introduz uns vinte planos de uma monumental passeata não identificada no filme; os jovens espectadores de hoje talvez não a identifiquem, mas o público da época reconhecia a Marcha com Deus que precedeu, em São Paulo, o golpe de 64. Num outro momento e ainda sem maiores explicações (essa ausência de explicações representa também uma proteção contra um eventual questionamento da polícia) são introduzidos quase trinta planos de uma passeata estudantil e repressão policial. A inserção desses documentos tem como função ampliar o contexto sociopolítico da problemática levantada pelo filme. Mas a maneira como isso é realizado — sem identificar o material, sem fazer ligações lógicas explícitas, sem se valer de transições formais, como corte no movimento ou outras — cria estranhezas, obriga o espectador a se questionar: o que é isso? Por que isto? A estrutura fortemente armada dos filmes anteriores tende a se distender.

Com *Migrantes*, João Batista de Andrade aprofundou o sistema que despontava em entrevistas de *Liberdade de imprensa*, e foi quando se pensou em chamar de *dramaturgia de intervenção* essa prática de gerar a realidade que se filmava.

Migrantes parte de uma notícia publicada em jornal, na qual comerciantes queixavam-se da presença de migrantes instalados debaixo de um viaduto perto de suas lojas. Estudei a segunda versão, que se compõe de dezoito planos, dos quais treze são letreiros. Os quatro primeiros planos-imagem (4, 6, 9 e 10) apresentam o contato do entrevistador com Sebastião e sua família, mostram as condições da instalação, breves entrevistas com o homem e as duas mulheres que o acompanham sobre a chegada a São Paulo, se gostam da cidade, sobre a falta de emprego.

O plano 14, que ocupa 3'27" dos 6'45" do filme, é constituído por um diálogo entre um curioso que parará para observar a filmagem e Sebastião, conversa mediada pelo entrevistador, que se limita a orientar o microfone na direção de quem fala e a incentivar a conversa quando ela esmorece. O curioso é um paulistano vestido de terno e gravata — pelo jeito trabalha em escritório. Ele se manifesta contra a permanência desse nordestino em São Paulo, acha que deveria ter ficado no Nordeste, ou então procurar trabalho no interior do estado, pois a cidade já tem muitos problemas, não é São Paulo que vai solucionar a vida de Sebastião. Este se defende: saiu do Nordeste porque não achava trabalho, portanto não adiantaria ele ficar, nem ir buscar trabalho na zona rural porque faz trabalhos de cidade, vigia, armador, jardineiro, e é disso que ele gosta, e pode procurar trabalho onde quiser, pois está com documentos (reconhecemos a voz da experiência que fala de sua própria vivência). Durante todo o tempo desse conflito, a câmera não se desloca nem se desvia dos personagens, ora deixando os três em campo, ora fechando em zoom sobre o migrante ou o paulistano.

Esse plano, que é o essencial — sendo os outros preparação (o próprio filme nos convida a vê-lo assim: o diálogo que ocorrerá no último plano-imagem é anunciado no primeiro letreiro, antes mesmo do título) —, nasceu de uma situação circunstancial: havia um curioso observando a filmagem. O comportamento habitual do cineasta seria afastá-lo para que não perturbasse. Mas a atitude assumida foi inversa: o cineasta integra o curioso, gerando uma situação artificial especialmente para a filmagem, já que em geral os senhores de gravata não param para conversar com "marginais" debaixo de viadutos.

O filme é extremamente consciente da excepcionalidade e artificialidade da situação, a ponto de alguns dos treze letreiros serem dedicados a autocomentários, numa intensa atividade autorreflexiva: "Assista hoje a um diálogo inédito e exclusivo" (letreiro 1); "A equipe de reportagem vai ao local" (letreiro 5); "Vejam agora um diálogo esclarecedor. Provocado na hora pelo repórter [...]" (letreiro 13). E a data, "São Paulo, 20 de novembro de 1972", é citada duas vezes (letreiros 3 e 15). Essa data nada significa de especial para o migrante, que estava ali na véspera (senão não haveria a notícia de jornal) e estará provavelmente no dia seguinte; o que essa data insistente salienta é o dia da própria feitura do filme. Essa data é completamente diferente daquela que deduzimos da datação do acontecimento que um filme documenta. Somos informados, ainda, do lugar onde se deram as filmagens: Parque D. Pedro.

Apesar da precisão na localização espacial e temporal da filmagem e da situação excepcional, o filme não pretende apresentar algo meramente circunstancial que se esgota em si, mas sim revelar um conflito social que ele julga essencial. Nesse sentido, o acidental aproveitado pela filmagem não pode ser qualquer — um bêbado, por exemplo, teria sido provavelmente impedido de entrar no campo para não atrapalhar. O anedótico não tem vez. A ocorrência acidental só foi incorporada ao filme na medida em que se vislumbrava a possibilidade de extrair dela uma significação geral, o que o comportamento, o traje e as ideias do paulistano de fato permitiram. A partir daí, o filme vai ter de montar um mecanismo que lhe permita fazer a ponte entre a excepcionalidade da situação filmada: o migrante, reduzido a um homem e sua família (enquanto *Viramundo* e *Maioria absoluta* ofereciam amostragem mais generosa), por um lado, e, por outro, a generalidade do conflito que pretende revelar. Os letreiros vão se encarregar dessa tarefa, atribuindo aos personagens do drama a sua representatividade: "A cidade grande contra um migrante recém-chegado a São Paulo" (letreiro 1); "Sebastião é um dos milhares de migrantes" (letreiro 7). E já vimos que o paulistano é dado como um "representante da cidade", fazendo ainda alternar o singular e o plural: "Sebastião é um dos milhares", "Aqui eles constituem a massa de trabalhadores nordestinos" (letreiro 8); "Por que ele veio?" (letreiro 11); "Como ele é recebido?" (letreiro 12). Oscila-se entre o singular Sebastião e as entidades genéricas que ele e o paulistano são convidados a desempenhar. O mecanismo está condensado no próprio título: o filme apresenta apenas um migrante e intitula-se *Migrantes*. Como se vê, o que o filme busca, ainda que por meio de uma extrema particularização, é o nível do sociológico. O próprio filme coloca-se nessa gangorra quando qualifica o diálogo de "inédito e exclusivo" (um espetáculo único, nunca presenciado, que só será visto aqui) e de "esclarecedor". Esse último adjetivo indica a intenção didática do filme: ele traz informações supostamente não sabidas sobre algo que não é ele, esclarecedor de um conflito social geral.

Informações de fato provavelmente conhecidas do público progressista, que é o público mais provável do filme. Mas aqui é necessário fazer uma ressalva importante: *Migrantes* era originalmente uma reportagem de televisão que se conseguiu levar ao ar em 1972, um dos momentos negros da repressão, quando o simples fato de mostrar miséria no vídeo era um escândalo. E escândalo houve, a repressão não se fez esperar. Posteriormente, o cineasta realizará outro filme para televisão, *Alice*: a última sequência apresenta um lar de classe média, pais, filhos e empregada assistindo à TV, e o que eles veem é justamente um trecho de *Migrantes*. A imagem da miséria irrompe na tranquilidade do lar acarpetado, que poderia perfeitamente ser a casa do paulistano do filme. É para esse público que o filme, espera-se, seria esclarecedor. Mas, tirado desse contexto e inserido na série de filmes aqui comentados, a informação que ele traz é ele mesmo, é a maneira como foi feito. Ele bem o sabe e não deixa de ficar um tanto fascinado por si próprio.

O que ele traz de novo é que quase nada é dito a respeito do migrante. O filme não procura dizer, ele *mostra*. O relacionamento entre povo e classe média, filmes anteriores, e muitos, o fizeram. Por exemplo, *Maioria absoluta*, só que era a montagem que criava o relacionamento a partir da alternância de planos. Aqui, a montagem não põe em contato as forças antagônicas; elas são colocadas face a face e se defrontam no próprio palco da filmagem. Um pouco como se *Viramundo* resolvesse promover um encontro entre o empresário e o operário desempregado, para ver o choque que dá. Por isso, esse plano dura tanto: ele não pode ser cortado, e nenhum elemento do drama deve ser criado pela justaposição de planos. Se montagem houver, ela será dentro do plano, de forma a não haver dúvida quanto ao fato de que os dois indivíduos/entidades estão simultaneamente no mesmo espaço. Pelo mesmo motivo, a câmera é econômica, não se desloca, limitando-se a pequenas panorâmicas e zooms.

Esse espaço tão denso e compacto me leva a perguntar com quem nos identificamos nesse plano. Com o paulistano, é difícil; seria necessária uma forte convicção para assumir um personagem que tem evidentemente o papel antipático. Com o migrante, também é difícil: que ele tenha a nossa simpatia, sim, é a vítima, mas somos socialmente por demais diferentes, seria indispensável uma forte dose de populismo. Com o terceiro ator, o cineasta, acho igualmente difícil: ele é por demais personalizado nos letreiros — ele provocou a situação — e na imagem — com o olhar ele verifica se a câmera está pronta para dar início ao diálogo; manipula o microfone; ele é o mestre de cerimônias. Chego à conclusão de que nosso ponto de contato com esse espaço e esses personagens é a câmera. Porque ela não se desloca a não ser em panorâmicas, porque não há *travellings* nem meandros de câmera na mão, podemos coincidir com ela, da nossa poltrona imóvel na sala de projeção ou na sala de estar. De certo modo, é um espaço natural, como se movêssemos para os lados a cabeça e os olhos. É a indicação de um espetáculo: respeitável público, assistiremos a um espetáculo inédito e exclusivo.

No entanto, o espaço, aparentemente natural, é subvertido: nos momentos do plano em que os três personagens estão em quadro, temos o cineasta à esquerda; à direita, o paulistano; vemos ambos de perfil ou de três-quartos de trás (com exceção do olhar inicial do cineasta, que verifica se a câmera está pronta), enquanto o migrante ocupa o centro e o vemos de frente. O personagem socialmente mais fraco ocupa a posição dominante no palco da filmagem, e os que têm força — o representante da cidade que rejeita o migrante, o cineasta que articula a situação — ficam relegados a posições laterais.

Uma outra subversão se dá. O entrevistador deixa de entrevistar. O paulistano não entrevista, mas dialoga, emite opiniões e conselhos. Sebastião lhe responde, não como entrevistado, mas contrapondo opiniões e argumentos. Fazendo isso, coloca-se, no diálogo, em igualdade de condições com seu interlocutor e rejeita as tipificações que lhe atribuem: os comerciantes o têm como marginal (notícia referida no letreiro), o paulistano o trata como homem do campo, o filme o qualifica de migrante. A isso tudo, Sebastião se contrapõe: ele não quer viver na zona rural, pois acha a capital "um meio mais civilizado para ficar com a família"; quer trabalhar na cidade porque "o senhor sabe, a gente come do que gosta, não é dando piada, a gente come do que gosta", e relaciona todos os documentos que possui, que o qualificam como homem da cidade — carteira profissional, de identidade, de saúde, de reservista, atestado de conduta, folha corrida da polícia, carta de residência e carta de representação. Com essa longa enumeração, Sebastião afirma sua cidadania, ou melhor, seu caráter de cidadão no quadro da cidadania burguesa, e, como cidadão, seu direito de optar e de se comportar conforme seu desejo. A voz de Sebastião faz aparecer o indivíduo que estava soterrado debaixo dos tipos, das amostras, das exemplificações.

A voz do documentarista

Lavrador
Indústria
Congo

É possível armar uma linha lógica em *Lavrador*. No início temos longa ponta preta sobre a qual se superpõem duas vozes inflamadas; uma parece a de um orador de comício; a outra, o depoimento de um camponês, ambas assumindo a mesma posição favorável à reforma agrária, à luta contra a fome, contra a miséria, o latifúndio e "esses burgueses", em favor da aliança dos camponeses com os operários; a voz que deve ser a de um camponês retoma uma posição que já conhecemos da penúltima entrevista de *Maioria absoluta*: "Nunca desacatemos, nunca roubemos, nunca saímos do nosso direito. Mas, dentro da lei, nós temos reivindicação...". Essas falas são acompanhadas de pequenos ruídos em segundo plano, um canto indígena longinquamente ouvido, e são precedidas por um letreiro: "A insurreição é um recurso legítimo de um povo. — Humberto de Alencar Castelo Branco, general de exército". Essa citação do ditador que tomou o poder logo após o golpe de 64 é ambígua, pois legitima a insurreição popular e, portanto, o discurso da luta dessas duas vozes, quando mais provavelmente justifica o próprio golpe de Estado. Não deixa essa citação do general de ser ironicamente usada em contraposição à outra citação das Forças Armadas: "o EMFA exige opção entre o poder legítimo — o das Armas — e o poder sindical, cuja coexistência pacífica considera inaceitável". O Estado-Maior das Forças Armadas não aceita o poder sindical, quanto mais a insurreição. Depois encontramos um plano de conjunto de quase três minutos, mostrando camponeses girando em torno de um casebre, ou entrando e saindo dele. Essa movimentação dá uma impressão de inutilidade, de movimento em vão, sem finalidade. O casebre ocupa grande parte do quadro; os personagens deslocam-se nos espaços laterais deixados pelo casebre num quadro rigidamente delimitado pela câmera fixa e alta. O mais destacado dos camponeses tem um microfone no peito. Ouve-se uma voz *off*, que se supõe ser a desse homem (embora não haja coordenação entre a fala e os gestos que ele faz na tela), e uma segunda voz, que entra esporadicamente para apoiar a primeira e fala da repressão sofrida pelo sindicato: "Nem bem formemos o sindicato, houve aquele negócio [golpe de Estado], o senhor sabe, veio a polícia"; do medo de voltar a uma atividade sindical, do medo da polícia; da prisão que sofreu — foi torturado, a esposa e o cunhado padeceram as consequências; do atual sindicato, de que só se espera "uma assistência médica, uma coisa, outra, que diz que vai ter, já é bom, né, nunca vi"; da necessidade de um entendimento entre proprietários e camponeses que dê a esses últimos aquilo a que têm direito; e retoma um tema presente na ponta preta: "Desapropriar as terras, não. Tirar das mãos dos fazendeiros, para quê? É dele. Os fazendeiros fica com as fazendas, é dele. Nós pedimos tudo, mas junto com as democracia, as autoridade. Uma coisa toda direita. Também se não for assim, não quero". A voz *off* prossegue sobre um plano geral de campo em que se adivinham três camponeses trabalhando; um zoom para trás os faz desaparecer totalmente. Aproximadamente no meio do plano, a fala acaba e então entra um discurso em castelhano que prossegue sobre uma repetição do plano. Essas palavras dizem que a estrutura agrária tem raízes históricas e que nunca um governo militar realizou a reforma agrária. Depois a câmera seguirá os pés de um camponês que anda por um caminho de terra; os movimentos da câmera e do homem fazem com que ele seja às vezes visto da cintura para baixo, o que nos permite supor tratar-se do camponês que tinha maior destaque no plano do casebre; os planos da andança são entrecortados por fotografias fixas, algumas das quais representam um grupo de camponeses vestidos de branco numa cidadezinha que tanto parece mexicana como brasileira. A marcha dos pés solitários desaparece quando anima-se a massa dos camponeses, enxadas no ombro como se fossem armas; passamos dos planos fechados dos pés, câmera alta apontando para o chão, para os planos abertos dos camponeses. O último plano mostra três colunas de homens que se juntam. *Off*: vozerio e tiros. A imagem dissolve-se na tela branca. Durante os letreiros finais, ruídos de trator e de tiros mesclam-se.

De todos os filmes que vimos até agora, este, de 1968, é indiscutivelmente o mais radical, o primeiro que faz referência ao poder militar e à luta camponesa, o primeiro que tem uma visão internacionalista, introduzida pelo discurso em espanhol (cuja fonte não é revelada, mas que se sabe ser fragmento de um discurso pronunciado em 1966 em Havana, durante a reunião da OLAS — Organização Latino-Americana de Solidariedade). E também pela inserção de um letreiro que vem depois da ponta preta: "A preservação no exterior da quase totalidade dos centros de decisão sobre as atividades sociopolítico-econômicas organiza um sistema do tipo colonial. Como esse sistema se orienta para fora, todas as mudanças precisam ser geradas no exterior, que é o sentido em que foram organizados os canais e mecanismos de alteração", enquanto todos os filmes comentados até agora mantinham as relações de trabalho e de produção num plano estritamente nacional. Debaixo do texto que acabo de citar é deixado um amplo espaço vazio, e, logo acima da borda inferior do quadro, lê-se: "Chama-se, nas fazendas, colonos ao trabalhador". Além da informação que essa frase em si traz (mascarar a condição de trabalhador do trabalhador rural), o fato de ela vir na mesma cartela que o texto referente à localização externa dos centros de decisão nos permite relacionar, por justaposição, o trabalhador rural com o sistema capitalista internacional, o que nos convidam a fazer as palavras "colonial" no primeiro texto e "colono" no segundo. A referência ao sistema voltado para o exterior visa, evidentemente, aos Estados Unidos, mas sem citá-los; eles são, no entanto, explicitamente referidos em dois brevíssimos planos, um com zoom, que mal dá para identificar, mas onde o olhar treinado reconhecerá o símbolo da Aliança para o Progresso. A esse capitalismo internacionalizado opõe-se o internacionalismo latino-americano. Graças ao vigor do discurso em espanhol, esse internacionalismo parece que vai substituir a derrota brasileira (expressa pela ponta preta do início, a decepção do plano do casebre), mas é por sua vez esvaziado pela dissolução no branco do plano dos camponeses em marcha e o tiroteio que cobre toda a parte final do filme.

Essa linha lógica está no filme, no entanto este texto meu é altamente insatisfatório, por vários motivos. Não só ele amputa a obra de várias de suas partes, como cria concatenações que certamente podem ser estabelecidas, mas que o filme não faz, pois apresenta-se de forma fragmentária, como pequenas células significantes visuais e sonoras, e as concatenações são obra do espectador. *Lavrador* joga com materiais heterogêneos, não só na faixa imagem, como na relação som-imagem. Nunca o som duplica a imagem: se temos um comício, será apenas na faixa sonora; se temos um casebre de camponês, na faixa sonora, mixada à voz de um camponês, entra uma música de Paganini, cuja função está longe de ser evidente, como longe de serem evidentes estão as implicações da ponta preta, apesar da interpretação que dei acima.

O que diferencia *Lavrador* dos filmes analisados até agora não é apenas seu radicalismo, mas o fato de assumir plenamente e de exibir seu caráter de discurso. Ele funciona como um conjunto de células significantes que se sucedem ou são simultâneas (imagem-som, sons mixados), escolhidas dentro de um universo temático: a situação rural, a reforma agrária e suas implicações. Assim mesmo, alguns elementos escapam a esse universo, tais como os violinos de Paganini ou o solo de flauta que acompanha o letreiro do EMFA. Essas células tendem a ficar justapostas, constituindo uma espécie de constelação e eliminando conexões lógicas, de forma a que o espectador crie circuitos de circulação entre eles. São as relações que o espectador estabelecerá entre as células que vão disparar significações, as quais nem sempre serão feitas com segurança: todas as relações previstas pelo autor, todas as relações possíveis, terão sido feitas? As relações explicitadas nos encaminham para uma compreensão do filme? Tanto mais que algumas são bastante difíceis de fazer, por exemplo: como relacionar o último letreiro com o todo "Que no se detenga nadie/ que aqui no ha pasado nada"? Tanto mais que o filme dificulta a tarefa: a superposição das vozes do início impede que se acompanhe uma ou outra — os fragmentos que apreendemos nos permitem apenas tomar conhecimento da temática e das posições gerais. Em alguns momentos do filme, são recitados poemas, mas não podemos segui-los: de filiação concreta, eles apresentam alto nível de síntese, de condensação, que a leitura relativamente rápida nos impede de desvendar, sobretudo porque a disposição do poema na página, como revelam os dois poemas apresentados em letreiros, seria quase indispensável para a compreensão. Apenas apreendemos palavras soltas, um ambiente temático, um ritmo seco, um martelar. Essa dificuldade de captar a significação do filme, poderíamos atribuí-la à inabilidade do realizador ou à lentidão do espectador. Nos dois casos seria uma falha; poderíamos tentar passar por cima e entender o que, apesar de suas imperfeições, o filme nos deixa compreender. Mesmo sem atribuir essa dificuldade a imperfeições, podemos recusá-la em nome de uma expressão clara e de uma transmissão didática das informações. Podemos, ao contrário, aceitá-la como uma forma de expressão que nos leva à significação, que é em si carregada de significação e com a qual devemos trabalhar. É evidentemente a opção que faço. O filme não nos encaminha para discutir a reforma agrária, mas para discutir um filme que trata da reforma agrária. O discurso cinematográfico coloca-se em primeiro plano e cria obstáculos a sua apreensão. E sente prazer ao resistir a nosso esforço de decifração. Ao fazer isso, ele nos lembra constantemente que não é o real, não se identifica com ele, que esse discurso não emana do real, mas é composto com elementos relacionados com esse real e selecionados heterogeneamente pelo cineasta. Estabelece-se assim um diálogo com *Viramundo*, que se explicita com a dedicatória final do filme — "dedica Sérgio Muniz, Geraldo Sarno, documentaristas"[1] —, bem como com o próprio gênero cinematográfico de que *Viramundo* era, na época, o modelo: o documentário. Donde os cinco letreiros questionando: "Documentário?". Já que o documentário é discurso mesmo, que não se escapa disso, então deixemos de fingir a coincidência com o real e coloquemos o discurso em primeiro plano.

Como o real não é o que o filme pretende apresentar, os elementos que o integram passam então a ser tratados e manipulados como signos. Se um camponês filmado não é um camponês, mas a imagem de um camponês, essa imagem será tratada não como camponês, mas como imagem. Assim, do plano do casebre serão extraídas pequenas séries de fotogramas provocando pulos, aparecimento, desaparecimento ou deslocamento incongruente dos personagens; essa descontinuidade da imagem é acompanhada pelo tratamento contínuo do som, tanto fala como música. Os depoimentos dos camponeses (uma das vozes da ponta preta e as duas do casebre) serão ditos por atores profissionais: nenhum problema, a imagem é significante — o filme não cansa de repetir acintosamente. A rigor, o casebre poderia ser uma cenografia e os camponeses, atores, pois o filme não reproduz, ele significa. Aliás, o vaivém dos camponeses em volta do casebre é claramente uma encenação, uma coreografia. Essa predominância do significante faz recuar a função analógica das imagens e dos sons. A esse recuo corresponde o avanço de elementos não analógicos, como a ponta preta ou as fotografias fixas. A primeira imagem, uma foto, aparece 2'33" após o início do filme, cuja duração é de 10'25". Apresentando camponeses e paisagens rurais, as fotos estão tão granuladas que o representado torna-se quase menos importante que o tratamento gráfico, tangenciando às vezes um pontilhismo quase abstrato; além disso se usa negativo, reapresentação de uma fotografia invertida, enquadrações sucessivas da mesma fotografia com corte no eixo. Sem falar dos letreiros abundantes. Já vimos os numerosos letreiros de *Migrantes*, mas *Lavrador* é anterior a *Migrantes*, no qual os letreiros, embora assumidos expressivamente, encontravam sua origem na precariedade da produção, e não no questionamento da função analógica. A rigor, o próprio ato de filmar é questionado: o material filmado ao vivo para o filme limita-se ao plano do casebre, aos planos dos pés andando e uma panorâmica sobre uma paisagem rural dividida em três curtos planos durante a recitação do primeiro poema. O resto é material de arquivo ou *table-top* (letreiros e fotografias). O ato e o prazer de filmar tendem a ser substituídos pelo prazer da montagem e da articulação do discurso. É a mesma operação que orientou o texto poético do filme. Nos poemas, reconhecemos a poesia de Mário Chamie, o que é confirmado pelos créditos — "textos de Mário Chamie". No entanto, não encontraremos esses poemas no *Lavra lavra*, donde os poemas devem ter sido extraídos, nem na "poesia completa" de Chamie. Encontramos apenas palavras, fragmentos de versos ou até versos inteiros, mas, enfim, encontramos todo o universo vocabular, a sintaxe e o ritmo, a ponto de poder atribuir sem hesitação os poemas a Chamie. Ocorre que o autor de *Lavrador* usou palavras, fragmentos de versos e versos inteiros de *Lavra lavra* para recompor outros versos, semelhantes aos originais, mas cujos tempos e até mesmo temas fossem preferíveis para seu filme. Em geral, privilegiou versos iniciais de poemas, abandonando os desenvolvimentos. Dessa forma, submeteu os poemas ao mesmo tratamento que os filmes de arquivo usados na faixa-imagem. Esse prazer da montagem terá provavelmente orientado também o tratamento dado aos discursos iniciais e ao depoimento do camponês, o que não se pode afirmar categoricamente sem conhecer os originais.

Em *Lavrador*, adivinha-se um desejo: que, ao limite, a significação ou as significações do filme não provenham do referente da imagem, mas da estrutura da composição das imagens e da estrutura de suas relações. Não sei se essa operação marca o filme como um todo. Podemos tentar analisar nesse sentido os planos do camponês que anda e que, apesar de mostrarem um camponês que anda, não significam "camponês andando", mas antes "camponês" + "terra". Só se mostram os pés e a parte inferior das pernas precisamente para enfraquecer a significação "camponês andando", que um plano médio teria valorizado, e permitir que se decomponha a imagem em dois signos e se capte assim a junção do corpo do camponês com a terra. Por que a ação de andar, e não a de afundar o pé no sulco que o camponês viria abrindo com um arado ou uma pá (o pé, o pó, a pá)? Provavelmente porque o material de arquivo encontrado para intercalar entre os planos da caminhada do camponês solitário apresenta grupos de camponeses em marcha, o que possibilita estabelecer a oposição indivíduo solitário-união. No início dessa montagem, é o camponês solitário que domina, de forma que são fotografias fixas que mostram os camponeses em grupo. Após a primeira imagem desse camponês em movimento, o camponês solitário não mais reaparecerá, e a montagem culminará com a junção de três grupos que tínhamos visto separadamente em planos anteriores. Todavia, aqui não estamos longe de uma bem tradicional montagem paralela por contraste. É no início do filme que sentimos esse desejo mais perto de sua concretização: vozes exaltam a reforma agrária, a luta contra a burguesia e a aliança operário-camponês. Como o cineasta considera que essas ações foram esmagadas pelo golpe (a proximidade do nome de Castello Branco nos orienta para essa interpretação) e não se concretizaram, vemos apenas uma tela uniformemente preta. É nesse momento do filme, logo no início — e por um tempo suficientemente demorado para que possamos pensar a respeito, ou pelo menos não esquecer —, que a função analógica da imagem encontra-se totalmente obliterada e que a significação não nasce do que a imagem mostra, mas da relação entre os elementos. Mostrar imagens, fixas ou em movimento, referentes às Forças Armadas, não teria levado ao mesmo resultado? Como, além disso, era bastante arriscado, na época, fazer referências diretas às Forças Armadas, pode-se responder que não. Primeiro, porque teria sido muito óbvio, e o filme tem horror ao óbvio e procura fazer com que o espectador trabalhe sobre suas significações, seus mecanismos de significações e sua ambiguidade; e, depois, porque teria sido a negação da busca expressiva do filme, ou seja, que o discurso signifique, não pelo que diz ou mostra, mas pelo modo como se compõe.

No momento em que o discurso abandona sua transparência e vem à tona, vem à tona igualmente quem o compõe. O que se evidencia pela heterogeneidade do material reunido. Pela origem erudita da música, Paganini e um muito bachiano Villa-Lobos. Pela inclusão de poemas eruditos que nada têm a ver com o universo dos camponeses — são uma meditação do poeta sobre o camponês e a situação do campo, extraídos da primeira parte de *Lavra lavra*, de Mário Chamie, justamente intitulada "o poeta sai a campo".[2] O acesso do cineasta à problemática rural não provém de uma vivência, é mediado, e uma das mediações é a arte que trata de temas rurais; de certa forma, os quadros de Portinari em *Viramundo* já traziam essa mediação, só que, lá, eles tinham sido colocados antes pela representação do camponês que pela filiação cultural, enquanto em *Lavrador* a hipertrofia que ganham esses elementos no conjunto da obra e a dificuldade de compreensão que nos colocam acentuam muito esse caráter, que passa a mudar de qualidade. É o poeta nos dizendo ainda que não pretende desvincular poesia e política. A presença do cineasta manifesta-se também pelo cuidado e pela precisão na composição do filme, o que revela o prazer do autor na feitura e propõe um prazer ao espectador que usufrui dele. Esse prazer provém da beleza gráfica e sonora do filme; dos obstáculos que nos apresenta — já falamos da dificuldade dos poemas, das vozes superpostas; às vezes duvidamos até de nossa percepção: esse ruído que duas ou três vezes surge no fundo dessas duas vozes, serão ovações ou ondas quebrando na praia? Ouvindo bem, mais parecem ondas, mas que sentido faria? Meramente aleatório? Provém das ironias: o assustador letreiro do EMFA é acompanhado por um elegante solo de flauta que lança o tema da sonata de Paganini que vai cobrir o plano do casebre; o trecho da sonata usado é um movimento *allegro* quase marcial, retomado depois de um *andante*. Nem o *allegro* nem o *andante* têm muito a ver com a situação de derrota, medo e capitulação das vozes. Provém dos pequenos enigmas, quase charadas: os primeiros compassos do *allegro* serão assim tão parecidos com compassos do Hino Nacional brasileiro? Sim, parece não haver dúvida. Quando é Paganini, dá para tocar altissonante, mas o mesmo não ocorre com o próprio Hino Nacional, reservado para os momentos cívicos respeitáveis: assim, Paganini funciona como referência brincalhona aos poucos compassos do hino com que se abre a faixa sonora do filme, assobiados tão baixinho e destoantes que mal dá para reconhecê-los.

E provém também de jogos de montagem, por exemplo: a repetição da zoom que faz desaparecer os três camponeses, sobre a qual incide da primeira vez a fala desanimada de um camponês, e da segunda um flamante discurso da OLAS; da primeira vez, é a solidão dos camponeses abandonados pela zoom e oprimidos pelo latifúndio mostrado na sua vastidão que emana desse plano; da segunda, é o espaço aberto para a luta e a exibição de um latifúndio com o qual é preciso acabar. E o prazer provém do ritmo: o ritmo cortante da leitura dos poemas e suas muitas aliterações e paronomásias ("Medir é a medida/ mede/ a terra, medo do homem, a lavra;/ lavra/ duro campo, muito cerco, vária várzea" — "Onde tenho a pá, o pé e o pó... Onde tenho o pó, o pé e a pá"), e a montagem das fotografias acompanha o ritmo; os ritmos vibrantes dos estudos de Villa-Lobos e do *allegro* de Paganini; as vozes inflamadas da ponta preta e do discurso da OLAS; as rupturas entre as várias partes do filme, tudo isso dá ao filme um ritmo que não esmorece.

A essa presença do filme como discurso corresponde ainda um recuo da figura do camponês. A partir do momento em que o cineasta desacredita da possibilidade de colocar o camponês na tela, crendo ser possível apenas apresentar seu discurso relacionado com o camponês, que colocar um camponês na tela será sempre uma ilusão, porque será sempre um discurso, o camponês tende a se dissolver. Não encontramos em *Lavrador* nenhum dos vigorosos primeiros planos de *Maioria absoluta*. De camponês, temos o plano de conjunto dos homens andando em volta do casebre, os pés do homem solitário, os planos gerais dos grupos de camponeses marchando e o plano geral repetido que se abre e engole as três figuras — a própria representação da dissolução dos camponeses. E, se tivermos um primeiro plano, será uma foto fixa em que o tratamento gráfico assumirá o papel principal.

A figura do camponês torna-se desnecessária, nessa construção, por outro motivo ainda: se o filme for um discurso que não pretenda se fazer passar por real, o cineasta não vê por que não ir diretamente àquilo que o interessa: o geral. Ele quebra o mecanismo particular/geral, que estudamos a respeito de outros filmes; não mais precisa da mediação do particular, da amostra, para daí partir para o geral: ele imposta diretamente o discurso no nível dos problemas e ideias que pretende abordar. Esse mecanismo afrouxa a localização no espaço e no tempo. Temos referências implícitas ao golpe de 64, mas não a datação precisa que encontrávamos em *Viramundo*, *Liberdade de imprensa*, *Maioria absoluta* ou *Migrantes*; reconhecemos paisagens nordestinas nas fotografias fixas, mas já a paisagem mostrada pela panorâmica do primeiro poema nada tem de nordestino — a zoom mostra uma paisagem rural indefinível, os camponeses do final poderiam até ser mexicanos; enquanto São Paulo está citado em *Migrantes*, a grande cidade ou o Nordeste são evidentes nas imagens de *Viramundo* ou *Maioria absoluta*. Se alguma referência geográfica houver em *Lavrador*, serão a América Latina e os dezessete países, citados globalmente pelo discurso em espanhol, em que não se verificou substancial modificação na estrutura agrária desde a colônia. Outro fator que contribui para essa imprecisão temporal e espacial é que em momento algum, nem nos créditos, são citadas as fontes dos diversos materiais de arquivo integrados no filme.

Deve-se acrescentar que, embora *Lavrador* seja o único filme desta filmografia que alude a uma luta camponesa, não há nenhuma perspectiva de vitória. É uma ponta preta que acompanha os discursos iniciais; a voz do plano do casebre expressa medo e decepção; a marcha final dissolve-se numa tela branca e num tiroteio. Isso só pode ter reforçado o apagamento da figura do camponês.

"Vou contar pro senhor": assim começa o depoimento do camponês no plano do casebre. Esse vocativo do depoente que se dirige ao entrevistador se perde. O entrevistador desapareceu, as perguntas *off* foram até eliminadas, a distância entre o autor, o filme, os espectadores e o camponês que se dirige ao "senhor" é tamanha, que o vocativo fica flutuando no ar, não tendo onde pousar.

Resulta disso que não teremos nenhuma oportunidade de nos emocionarmos com a presença dos camponeses, de lhes carrear a nossa simpatia, como ocorrera com outros filmes. Emoção e prazer só virão do discurso.

Estará tão seguro de si esse discurso? Vimos que ele questiona o gênero documentário, mas não só: ele se autoquestiona. Após ter várias vezes perguntado "Documentário?", ele responde afirmativamente "Documentário", num letreiro de fundo branco com letras pretas. Mas, após essa afirmação, volta o ponto de interrogação para a última aparição da palavra, já numa cartela de créditos. E o letreiro final desse filme em que não aparece a tradicional palavra "fim" — "Que no se detenga nadie/ que aqui no ha pasado nada" —, como relacioná-lo com o conjunto de filmes? Que não se prenda ninguém. A ideia de prisão nos remete ao depoimento do camponês que justamente comenta que foi preso e torturado. No entanto, não aconteceu nada; aqui = no Brasil, não se fez a revolução, nem a reforma agrária, nem a aliança operário-camponês foi adiante: tudo o que exaltava as vozes da ponta preta deu em nada. Nem se fez a reforma agrária pela qual clama a voz em espanhol. Então não há por que prender alguém. Mas há ainda um outro sentido possível: que não se prenda ninguém porque aqui não houve revolução nenhuma. Orientemos diferentemente a interpretação da segunda parte do letreiro: prenderam-se, torturaram-se camponeses, houve um golpe, metralharam-se homens, mas nada aconteceu! É um sentido irônico: não é nada, logo esqueceremos. Outra mudança de orientação: aqui — sala de projeção — houve apenas um discurso, apenas um filme, digo, nada. Mudando a chave, aqui = Brasil/sala de projeção, mantém-se a ambiguidade do letreiro, que dessa forma comenta tanto a temática do filme como o discurso, e parece ser exatamente isso que o filme busca. O letreiro, com essa segunda interpretação, responde sem dúvida a um certo ideário cinematográfico que vigorava nos anos 60 e tendia a apresentar o cinema como uma arma revolucionária. Pois filmes não fazem a revolução; limitam-se a ser discursos. Mas isso não ocorre impunemente: ao assumir o discurso e negar a representação do real, não estará o cineasta tomado por certa inquietação quanto à função ou importância de seu discurso, e propenso a negá-lo?

Mas o texto em espanhol não sustenta essa interpretação. De fato, para que se pudesse traduzir a primeira parte do texto por "Que não se detenha ninguém", seria necessário que a redação fosse "Que no se detenga a nadie". Em linguagem coloquial falada, não haveria diferença de pronúncia entre "detenga nadie" e "detenga a nadie". Mas no caso o texto está escrito. No entanto, mantenho a interpretação, porque ela vem sendo feita por espectadores brasileiros desde a realização do filme e se apoia nessa estranha língua que se chama portunhol (a operação, no caso, consiste em se basear na sintaxe portuguesa para compreender uma frase em espanhol, cujas palavras são muito semelhantes nas duas línguas).

Restabelecendo a tradução fiel, "que ninguém se detenha", a ambiguidade se sustenta. Que ninguém se detenha porque aqui não houve revolução, porque aqui houve apenas um discurso: nada.

Talvez não haja outra resposta a essa dúvida diante do discurso, senão o próprio discurso, seu ritmo vibrante, sua beleza, o prazer de realização que ele revela e de fruição que ele propõe, o fato de ser um discurso instigante que mudou a perspectiva do cinema documentário no Brasil.

Como o poeta Mário Chamie que, após *Lavra lavra*, publica *Indústria*, os autores de *Lavrador* realizam *Indústria*, que radicaliza o processo do filme anterior. A palavra "sequência" nem se aplica mais às diversas partes que compõem o filme, tamanhas são as rupturas e descontinuidades entre elas. É preferível falar em "blocos". Esses blocos estão fechados sobre si mesmos: nenhum material, nenhuma operação de filmagem presente num bloco se repetirá em outro, e cada bloco está separado do seguinte por um letreiro vertical que obriga o espectador a inclinar a cabeça, e por um silêncio, enquanto a música tem uma presença marcante no filme.

O primeiro bloco inicia-se com um plano de galinhas cacarejando. Superposto, um letreiro informa que o problema do empresário não é diretamente a produção, mas a apropriação desta sob a forma de lucro realizável no mercado. Após o letreiro, continua o plano das galinhas. Estranheza: qual a relação entre as galinhas e o valor de uso/troca, o lucro? A avidez com que as galinhas bicam grãos no chão? Qual a relação entre a produção industrial e essas galinhas num quintal de vegetação magra? Segue-se uma série de fotografias fixas apresentando cenas da vida burguesa nos anos 30 a 50 e plantas industriais animadas. Na faixa sonora, o depoimento *off* de um empresário que narra as dificuldades de sua empresa enquanto manteve uma atitude nacionalista de autonomia; como foi absurdo tentar firmar a empresa na tecnologia nacional, que não pode competir com a estrangeira; e a melhora que lhe trouxe sua recente associação com uma companhia alemã, facultando-lhe o acesso a uma tecnologia com a qual não podia nem sonhar e que lhe permite exportar.

Um letreiro vertical: "Buscamos por todas as partes a aventura". Um mistério.

Um plano geral fixo abre o segundo bloco, mostrando pessoas e bandeiras num descampado. Ruído de vento. Seguem uma cartela com uma vírgula e um plano de 3'45" em que as pessoas se movimentam com suas faixas, bandeiras, tabuletas. A abertura do plano, o vento, o vermelho vivo de uma grande faixa e as bandeiras lhe conferem um tom grandiloquente. O que é reforçado pela canção de Gilberto Gil, *Alfômega*, seu ritmo e seu arranjo complexo.

Mixado com a canção, um depoimento *off* de um industrial ou de um sociólogo, de que ouvimos apenas pequenos trechos. Na grande faixa vermelha que cruza todo o campo e veda o horizonte, lemos: "Lógica do capital". As pessoas que se movimentam são vestidas de operários e de executivos; há, inclusive, uma grande mesa à qual estão sentados, como numa reunião de trabalho, homens de negócio. A câmera inicia um amplo e belo movimento circular, cujo término se dará quando alcançar uma posição simétrica, em relação à faixa vermelha, à do ponto de partida. Do outro lado da faixa, lemos "Capital lógica" e construímos a frase: "A lógica do capital é a capital (= principal) lógica". Enquanto a câmera se desloca, as pessoas, com suas bandeiras, tabuletas e mesa deslocam-se também até atingir uma composição quase simétrica à inicial. Lemos os dizeres das tabuletas com maior facilidade: "Indústria compra técnica", "Técnica compra indústria?", "Projeto nacional". Apesar da simultaneidade da apresentação das tabuletas, sua disposição no espaço do plano nos leva a lê-las nessa ordem. Estabelecemos uma ligação com o depoimento anterior: ao comprar tecnologia, uma indústria deixa-se comprar? E isso é o projeto nacional? O plano termina com quatro homens carregando, como se fosse imagem de um santo, a maquete de um edifício tipo Empire State Building, com a inscrição "Democracy Building". Na parte final do plano, o depoimento, no meio de estatísticas que não acompanhamos, e na medida em que a canção não abafa sua voz (com a música e toda essa movimentação, não ficamos seguros quanto ao que nossos ouvidos conseguem pescar), nos informa que "tá difícil encontrar experiência de um país em que o crescimento rápido e autossustentado não tenha sido apoiado num processo interno de desenvolvimento tecnológico", o que contradiz (a aquisição de tecnologia no exterior não provocará o crescimento rápido) e confirma (a ausência de desenvolvimento tecnológico impede o crescimento autossustentado) o depoimento anterior. Uma série de brincadeiras vem à tona, a começar pela grandiloquência do efeito cênico, que espanta num tipo de produção que em geral dispõe de parcos recursos. A cor: essa orgia de bandeiras ao vento e o vermelho têm um quê de Primeiro de Maio. Isso também nos lembra os versos quase finais de *Terra em transe:* "Não é mais possível esta festa de medalhas/ Este feliz aparato de glórias/ Esta esperança dourada nos planaltos/ Não é mais possível esta marcha de bandeiras". As bandeiras apresentam formas diversificadas; numa, notamos um círculo; noutra, um losango; numa terceira uma estrela ocupa toda a superfície do pano e podemos pensar numa decomposição da bandeira brasileira, e, num relance, as bandeiras se cruzando, vislumbramos por um instante a bandeira brasileira recomposta. A movimentação da câmera nos sugere, num plano único, o que, na linguagem do cinema clássico, seria um campo-contracampo. Nesse plano, onde é indisfarçável o prazer de filmar, o movimento que inverte simetricamente a posição inicial da câmera é análogo à inversão das palavras: lógica/capital — capital/lógica, indústria/técnica — técnica/indústria. A significação cinematográfica pode contaminar as primeiras palavras que conseguimos captar do depoimento *off* e que ficam sem referente preciso: "O nosso plano começa com a proposta", "funcionou como tese", que tanto podem se aplicar a um projeto industrial como a um plano de filme. A proposta e o teste podem ser o plano inicial do bloco, que se desenvolverá no terceiro plano, após a interrupção da vírgula. Esta confere à continuidade do espaço cinematográfico o caráter discreto da linguagem verbal — se quisermos interpretar a vírgula nesse sentido. Pois, se quisermos interpretá-la em outro sentido, quem impedirá? Em português familiar, no Brasil pelo menos, a palavra "vírgula" significa que se está fazendo uma objeção ou uma restrição ao que vem de ser dito. Diz o empresário do bloco anterior na parte final de seu depoimento: "A desnacionalização me dá uma tecnologia que isoladamente não podia nem sonhar. É o desenvolvimento!" — "O desenvolvimento, vírgula!". A canção de Gil foi escolhida pelo seu ritmo e seu arranjo. Mas não só. Ela começa com dois neologismos: "O analfomegabetismo/ Somatopsicopneumático", palavras incompreensíveis dentro das quais podemos cavar diversas palavras do nosso repertório, e superporemos significações. Assim, na primeira palavra: anal/fome/alfa-ômega/analfabetismo/início-fim. O terceiro, o quinto, o sétimo e o penúltimo versos repetem, ironicamente, "Que também significa". E o que significa está nos versos quatro, seis e oito: "Que eu nao sei nada sobre a morte", "Tanto faz no sul como no norte" e "Deus é quem decide a minha sorte". Vasculhar o filme como se vasculham os neologismos para saber o que "também" significa.

Após essa agitação ruidosa e festiva, mais um misterioso letreiro: "Não somos vossos inimigos". Nós, vós, quem?

O terceiro bloco compõe-se de um plano único: primeiro plano de um operário de capacete de aspecto mais norte-americano ou alemão que brasileiro. Reconhecemos a voz, que não satisfaz o sincronismo labial: é um trecho da entrevista do operário qualificado de *Viramundo* que fala do povo do Sul que gosta de trabalhar, de ter a casa encerada, sair aos domingos com a esposa e os filhos, "gozar o que se chama a vida". Em segundo plano sonoro, uma fala incompreensível em inglês, que pode ser a fala original do operário da imagem. A citação colada em *Indústria* lembra *Viramundo* para melhor se diferenciar dele: nada de comum entre esses dois documentários (documentários?), a fala de *Viramundo* fora de sincronismo aplicada a um operário estrangeiro é eloquente quanto à manipulação do material cinematográfico e à rejeição de qualquer ilusionismo. O plano do operário nos lembra outra coisa: o filme fez uma inversão em relação aos que vimos até agora, em que nos ocupavam operários, camponeses e jogadores de futebol, enquanto empresários, latifundiários ou diretores de clube eram referidos, contrapostos, criticados, nunca ocupando o centro do palco. Em *Indústria* a burguesia industrial está no centro do palco. E com ela uma estranha criatura polimorfa que é esse operário satisfeito da vida, meio estrangeiro, meio brasileiro, uma equívoca elite operária.

A mim, a referência a *Viramundo* lembra outra coisa. A rigor, *Indústria*, e também *Lavrador*, não precisam de nenhuma referência a *Viramundo* para se situarem — são filmes que se afirmam com plena autonomia. No entanto, sua afirmação se faz contra um modelo, do qual partiu a reflexão dos autores dos dois filmes sobre o cinema documentário. Necessidade de explicitar a rejeição do pai para melhor cortar o cordão umbilical. E essa dinâmica — evoluir para novas formas de cinema documentário diferenciando-se do modelo sociológico — marca este ensaio. Ter colocado *Viramundo* na abertura do trabalho, ferindo a apresentação cronológica dos filmes que resolvi estudar, e ter me dedicado tanto a esmiuçar seus mecanismos de significação corresponde a essa evolução histórica que pode ser notada em *Lavrador* e *Indústria*. O clima de amizade, contradição, respeito, oposição que envolvia Geraldo Sarno, Paulo Rufino, Ana Carolina e a mim, a apresentação de *Lavrador* no Festival de Valparaíso, em 1969 no Chile, o espanto da delegação brasileira, a reação de Sarno e a forte discussão que tivemos os quatro a seguir. Não só relações pessoais informam a estrutura deste ensaio, mas um mecanismo bem mais profundo e complexo que se verifica em segmentos da sociedade brasileira, que é a ação gerada por uma oposição à figura do pai. Uma dupla postura: ruptura com o pai, o qual é no entanto reafirmado para que possa se reefetivar o ato de ruptura. Essa atitude é particularmente sensível no documentário. Em 1972, Artur Omar publica um belo artigo sobre documentário significativamente intitulado "O antidocumentário, provisoriamente". Isto é: antidocumentário: oposição ao documentário sociológico; provisoriamente: enquanto não voarmos com nossas próprias asas. Ou seja, é uma atitude de oposição que sustenta sua postura diante do documentário. No entanto, na altura em que escreveu o artigo, embora ainda dominasse o documentário sociológico, Artur Omar poderia ter tomado apoio na ruptura fundamental operada por *Lavrador* e *Indústria*. Talvez não os conhecesse, nem deles tivesse ouvido falar, pois a repressão (*Lavrador*) e o desprezo (*Indústria*) não permitiram que esses filmes deixassem com muita frequência as prateleiras onde dormitavam.

Outra afinidade, espero, entre o filme que comento e a estrutura deste ensaio — que é um ensaio e não uma coletânea de análises de filmes — é seu caráter fragmentado em pequenos blocos relativamente autônomos, que deveria permitir ao leitor estabelecer circuitos e relacionamentos que estão latentes, como uma potencialidade que desejo não estar de todo controlando.

Me agrada deixar este autocomentário no meio da análise de *Indústria*.

"Apenas combatemos nas fronteiras": letreiro enigmático que separa o terceiro bloco do quarto, a cabeça sempre inclinada.

O primeiro plano do quarto bloco mostra o ator Cláudio Correia e Castro interpretando um empresário que, com um pequeno sorriso de empáfia, dá seu depoimento. A solução para a indústria brasileira é a associação com o capital estrangeiro, não mais num espírito colonialista já superado, mas com liberdade, decidindo os brasileiros onde e como deve ser aplicado esse capital. O depoimento torna-se *off* sobre um anúncio de jornal com um desenho que euforicamente apresenta um supermercado com os dizeres: "Hello Word — Supermarket — Mass Merchandising". O depoimento acaba sobre o último plano do bloco, que mostra um enorme barranco desabando, quando ganha força a música sinfônica triunfal que iniciara baixinho no final do plano do empresário, no exato momento em que afirmava "nós temos que criar um clima favorável ao capital estrangeiro". O plano do empresário, mais uma vez, lembra *Viramundo*: é filmado no escritório, começa a falar sentado no braço da poltrona e continua em pé, fazendo alguns passos para a esquerda — o que tem a ver com o plano do empresário de *Viramundo*, apesar da diferença de enquadração.

Mais um letreiro vertical: "Do sem limites e do futuro".

Quinto bloco: numa paisagem urbana, São Paulo; aproxima-se da câmera, pela direita, um grupo de palhaços carregando anúncios referentes ao pequeno comércio. Um zoom descobre mais amplamente a paisagem até aparecer no asfalto uma seta com a indicação "Z. Norte". Os palhaços saem pela esquerda do quadro, ficando a paisagem urbana com a indicação "Norte" em primeiro plano. Esse bloco é o último, o que só ficamos sabendo porque não vem outro a seguir, pois o quinto bloco não apresenta nenhum caráter conclusivo que nos dê a impressão de ter chegado o fim de uma trajetória. Mais uma vez, nos perguntamos a que vêm esses palhaços que fecham o filme que se abrira com galinhas, elementos que têm pouco a ver com o assunto do filme: a indústria e os empresários. Esses elementos só podem ser interpretados metaforicamente, seguindo a lei conforme a qual, diante da justaposição de dois ou mais elementos heterogêneos, o espectador sempre procura uma relação. Tanto as galinhas como os palhaços aparecem como comentários da autora sobre a indústria e os empresários. Empresários de fundo de quintal, ávidos como galinhas, não passam de palhaços. Por que galinhas, palhaços, e não outros elementos? Quintal lembra uma frase dita por Cláudio Correia e Castro, explicando a precariedade de certos setores da indústria brasileira: "É que nós temos indústria que se instalou no quintal, sem mentalidade, sem tecnologia, conseguiu sobreviver artificialmente". O plano das galinhas poderia ter sido montado próximo dessa fala. Então a relação seria clara, compreensível, imediata, e se perderia o efeito de estranheza, a dúvida, a busca, e também a possibilidade de ampliar as significações potenciais do plano ao filme todo. A aproximação entre a fala e as galinhas tornaria estas últimas mera ilustração. Outrossim, colocado no início do filme, esse plano pode servir de transição entre o universo rural do filme realizado anteriormente pelos mesmos autores — *Lavrador* — e o universo urbano e industrial do novo filme. A origem dos palhaços pode ser talvez procurada no imaginário pessoal do autor. De fato, no primeiro longa-metragem de ficção de Ana Carolina, *Mar de rosas*, uma menina passeia por uma praça e sem mais nem menos surgem palhaços, ela os segue e eles desaparecem como apareceram, o que pode revelar um interesse pessoal da autora por palhaços, com inserção num filme documentário de imagens mais motivadas pelo imaginário da autora que pela temática do filme. E, a partir daí, outras ilações seriam possíveis, tais como: a implicação depreciativa de galinhas e palhaços — tal como interpretados aqui — poderia aplicar-se não apenas aos empresários, mas sim à figura masculina: esse filme, que só tem homens, foi feito por uma mulher que, em obras posteriores, oscilará entre a exaltação da figura masculina (*Getúlio Vargas*) e seu aviltamento (*Mar de rosas*). Essa qualificação negativa da figura masculina pode ser rebatida sobre os filmes que comentamos até agora, em que o feminino é simplesmente obliterado, com exceção de *A opinião pública*. *Lavrador* e *Liberdade de imprensa* não fazem referência a mulheres — todos os entrevistados são homens. *Migrantes* apresenta duas mulheres, mas elas têm um papel subordinado a Sebastião e não aparecem no plano mais importante. Todas as entrevistas dominantes de *Maioria absoluta* são com homens. *Viramundo* se detém numa mãe de santo, mas ela recebe Pai Damião e, quando ela fala por si, exalta as virtudes do santo. Todos os autores dos filmes comentados até agora são homens, todas as vozes *off* são masculinas.

As galinhas, os palhaços: a construção de uma alegoria. Como se a pesquisa sobre a indústria tivesse levado a autora a determinadas conclusões que ela codificasse com elementos não relacionados com o tema central e deixasse ao espectador o cuidado de decodificar. A decodificação funcionaria então do modo seguinte: que informações sobre o tema indústria-empresários podemos obter ao relacioná-lo com esses elementos heterogêneos? De certo modo, trata-se de uma montagem de atrações, em que o elemento heterogêneo cria uma perturbação dentro da homogeneidade e do relacionamento lógico das partes do tema — perturbação que tentamos superar ao estabelecermos relações significativas. No entanto, ficamos sempre insatisfeitos e inquietos diante das relações que conseguimos construir, pois não sabemos se é ou não possível extrair mais do que já extraímos, como se esses elementos fossem carregados de uma potencialidade de que as relações estabelecidas não dessem conta. Por mais relações que estabeleçamos, permanecerá essa impressão de insuficiência. O desabamento do barranco é o fracasso a que levará a política econômica preconizada pelo empresário? Seu próprio fracasso? Ou fracasso para a sociedade, o que não impedirá vantagens para ele? Ou o fracasso que, agressivamente, lhe deseja a autora?

Como fizemos com alguns elementos de *Lavrador*, trabalhamos aqui com hipóteses. A palavra "norte" na última imagem é mais um exemplo desse tipo de operação. Além do apoio para a construção plástica do quadro, nesse "norte" podemos investir pelo menos duas significações nitidamente diferentes. No fundo da paisagem urbana, para a qual aponta a seta, observamos dois imensos painéis publicitários: "Casas Pernambucanas" e "Cobertores Parahyba". A referência aos dois estados nordestinos (apesar de os cobertores provirem do vale) permite interpretar "Norte" como Norte do Brasil, cuja miséria se opõe a essa monumental paisagem urbana, à industrialização do Sul. É o Norte que se opõe ao Sul de que fala o operário do bloco três. Mas essa mesma palavra pode designar um outro Norte, o da riqueza, a América do Norte, donde vieram os capitais a que se associou um concorrente do empresário do primeiro bloco e donde provavelmente vêm os capitais estrangeiros de que fala o empresário do bloco quatro. Em função disso as galinhas do quintal podem ganhar novo sentido: costumava-se dizer que a América Latina era o quintal dos Estados Unidos. E, por falar em geleia geral, já disse Gilberto Gil: "Tanto faz no sul como no norte". É evidente que não se pode nem se deve escolher entre essas diversas possibilidades de significação. Em última instância, a significação não é uma delas, nem mesmo todas juntas e mais ainda aquelas que se puder construir, mas sim essa indeterminação do sentido, sua flutuação, o esforço da busca com suas hesitações e a ambiguidade que subsiste. Seria, de fato, uma decepção chegar a uma conclusão que eliminasse toda indecisão.

Os quatro letreiros verticais não nos apresentarão problemas menores. Quem é o sujeito que fala na primeira pessoa do plural? Não vejo outra saída senão interpretar esse "nós" como uma voz autoral que não usa um plural de modéstia, mas fala em nome dos cineastas, ou de uma certa categoria de cineastas, o que pode provavelmente ser estendido a uma certa categoria de intelectuais. O "vós"? Sua indeterminação permite preenchê-lo com uma primeira significação: vós, empresários. Contra vós, fazemos filmes críticos, mas não estamos no centro da produção e, por isso, não vos combatemos diretamente, mas sim nas fronteiras, e então não somos realmente vossos inimigos. Fazemos filmes e, mesmo que tenhamos diferenças em relação a vós, pertencemos ao mesmo lado da sociedade. Os segundo e terceiro letreiros enquadram o operário do bloco três, o que nos permite dirigir o "vós", não mais ao industrial, mas ao operário, ou ao que ele representa. Apesar de sua posição de classe, o cineasta não é inimigo do proletário, mas, diferentemente do operário, ou de uma determinada concepção de proletário, que combate no centro, o artista permanece nas fronteiras, ou as ultrapassa, buscando a aventura no sem limite do tempo e do espaço. Não bem a revolução, mas a aventura, que pode ser uma aventura de linguagem, sem que por isso o cineasta se torne o inimigo do documentário sociológico, nem inimigo do espectador, embora faça filmes de difícil compreensão, nem do produtor do filme, no caso uma comissão estatal de cinema, que esperava sem dúvida um filme mais bem-comportado.

Que tudo isso seja um documento. *Indústria* dá prosseguimento à interrogação de *Lavrador* em torno do documentário, mas desloca o questionamento. A cartela, letras pretas sobre fundo branco, que sucede ao bloco dos palhaços, afirma: "Documento". Isso não é uma afirmação a respeito do gênero do filme, nem sobre se trata ou não do real. Ele é real. O documentário seria elaborado com documentos ou neles se apoiaria, os quais provam, permitem abordar um fato ou um fenômeno, enquanto o documento é parte do fato ou do fenômeno, é parte da situação. *Indústria* vê-se como um documento, como parte de uma situação industrial, na medida em que participa da reflexão sobre a indústria e, por ser um filme, de uma situação cinematográfica, de uma situação estética, de um momento de linguagem, de um relacionamento com o espectador. Como documento, ele não se apresenta tratando de uma situação, mas se oferece como objeto a ser pesquisado, a ser usado por quem quiser estudar a situação — por exemplo, os documentaristas ou os críticos.

A seguir, o filme apresenta seus documentos: são doze cartelas de créditos. Na última aparece o título: *Indústria.*

Congo radicaliza um processo que vimos em *Lavrador*, em que a figura do camponês ia se dissolvendo e o discurso do cineasta assumia o papel principal. Em *Congo*, o camponês desapareceu completamente, tendo sobrado apenas o discurso. Nesse filme sobre a congada, não haverá nenhuma imagem, fixa ou em movimento, de congada. O processo analógico recua a ponto de 114 dos 148 planos do filme serem constituídos por letreiros. E dos 34 planos que não são letreiros, apenas 24 são filmados ao vivo, sendo os outros fotografias fixas, páginas de livros ou fotogramas pretos ou brancos.

Por volta de 1972, quando o filme foi produzido, era relativamente intensa a produção de documentários que procuravam fixar aspectos tradicionais da cultura de zonas rurais, sob o pretexto de promover a cultura popular, de registrar a memória da nação ou documentar tradições que o avanço do capitalismo fazia desaparecer. A temática de *Congo* era portanto atual, com a diferença de que esses filmes acreditavam plenamente na possibilidade de filmar, registrar, documentar, conservar na película as manifestações culturais, enquanto *Congo* sonega radicalmente seu referente, ou aparente referente. Do ambiente rural, restaram apenas algumas imagens irrisórias, soltas, sem muita significação, algo como aspectos de um sítio: vacas, porcos, feno, jovens brincando num galpão velho, algumas engrenagens abandonadas. Fragmentos, talvez, do que um olhar urbano pôde captar, desatentamente, numa visita a um sítio. E o último plano do filme: cachorros acasalando-se.

O plano 62 mostra um imenso pátio retangular de alguma fazenda; a câmera é frontal; a composição, simétrica; o pátio, limitado ao fundo e pelos lados por prédios de alvenaria. Ao fundo, minúsculas, crianças correm. Esse pequeno movimento perdido no fundo acentua o vazio e a imobilidade do pátio: esse talvez seja um espaço onde se representa ou se poderia representar partes de uma congada. Só que vazio. Possivelmente sejam guardiães de tradições culturais rurais esse belo rapaz que vemos em primeiro plano logo após os créditos do filme, essa família de negros que vemos em foto fixa diante de uma casa, num plano que precede imediatamente o letreiro: "Fizeram os negros teatro no Brasil?". Mas, se forem, os vemos fora dessa atividade.

O que sobra da congada são as informações que nos fornecem os letreiros, tiradas, a dar fé aos créditos, de obras de antropologia de Arthur Ramos, Câmara Cascudo e Mário de Andrade, e são textos deste último que, em *off*, são lidos pela voz hesitante de uma criança. Está claro que da congada só saberemos o que nos dizem os livros. Não fazemos a congada, ela não é nossa produção cultural, não a modificamos, ela não nos modifica. Falar da congada seria necessariamente assumir a voz do saber que torna objeto aquilo de que fala, seria privar o outro da possibilidade de ser sujeito. Nós, alfabetizados, universitários, urbanos, brancos, mantemos com a congada uma relação de exterioridade que será radical e provocadoramente expressa pela supressão total de sua representação. A presença do livro será reforçada pela voz *off* da criança: ela lê com dificuldade, nossa compreensão é comprometida, de modo que o que vem à tona não são as informações que os textos lidos poderiam nos fornecer, mas sim o próprio ato de leitura. Essa voz nos remete ironicamente às seguras vozes masculinas e adultas dos locutores dos filmes anteriores. Até os sons se metamorfoseiam em palavras: três vezes é apresentado o letreiro "ê tum/ êh tum" (onomatopeias do canhão) e são filmadas duas páginas de livros mostrando partituras. As partituras, por sua vez, nos remetem ao ato de ler, porque são para ser lidas e porque, numa delas, se lê trecho de uma canção recolhida por Mário de Andrade em *Danças dramáticas do Brasil:* "Lê Lê Lê/ Tudo nóis já sabe lê". Nossa relação com a congada é mediada por nosso conhecimento livresco: no filme, sobrará apenas essa mediação — nossa produção cultural não é a congada, é essa mediação. *Congo* é um filme sobre tal mediação, é esse o seu tema, e não a congada.

Isso nos frustra duplamente. Como bons espectadores de cinema, esperávamos ver imagens na tela, e o filme nos diz: representação proibida. E também porque esse saber livresco que exibem os letreiros não nos serve. Queremos acreditar que o saber científico é uma ponta para o real, nos fala dele, o interpreta e expressa; no limite é o próprio real. A partir do momento em que esse saber é cortado do objeto em função do qual teria sido construído e que o justifica, ele fica sem função. Esse saber deixou de ser um meio de apropriação da congada, tornou-se até um obstáculo. Exibido e esvaziado, virou um fetiche. Que informações tiramos desse fetiche? Ficamos sabendo que "a futura Rainha Ginga finge colaborar com seu irmão usurpador do trono", "serve de embaixatriz junto ao colonizador português, deixa-se converter ao catolicismo e recebe o nome de Ana de Souza"; "Ana de Souza envenena o irmão numa ilha deserta ao ser derrotado pelos portugueses e abandonado por seus vassalos", "é aclamada soberana e subjuga o reino vizinho de Angola", e "a Rainha Ginga renega a fé católica, desfaz as alianças com o colonizador e exerce contra ele reinado de terror". Essa pequena história apresentada em cinco letreiros consecutivos é o único momento em que algo de articulado nos é contado ou exposto. Todos os outros letreiros referentes à congada se compõem de indicações soltas: "Coroação de um rei negro em 1748 — na igreja de N. S. de Lampadosa no Rio de Janeiro"; enumerações: "Quimboto feiticeiro — Secretário — Mestre de campo — Capataz — Primeiro Capitão — Marinheiro — Arautos — Damas de honor — 8 fidalgos do rei"; de indicações que não sabemos se se referem à congada ou se são comentários do autor: "Rei eleito/ escravaria se acalma/ pão e circo". Lendo a relação dos letreiros ou passando o filme na mesa de montagem e nos detendo à vontade neles, poderíamos ir estabelecendo relações; no ritmo da projeção, não damos conta dessa avalanche de palavras e informações atomizadas que nos submergem, não temos um tempo de reflexão suficiente. Demorando-se mais tempo sobre eles, alguns pequenos enigmas se elucidariam — parcialmente, pelo menos. Por exemplo, o letreiro "Instrumentos africanos contra desintegração das figuras" não é de fácil compreensão, embora não deixe de ser sugestivo: a música africana como síntese, totalidade, opondo-se ao espírito analítico da cultura europeia. Mas a relação que podemos estabelecer com o plano anterior — o que é praticamente inviável ao ritmo da projeção — talvez nos dê a chave de sua gênese: numa sala de tipo burguês, uma pequena panorâmica para baixo parte do retrato de uma senhora de aparência burguesa e descobre a palavra "música" escrita dentro de um medalhão. Relacionamos música/instrumentos africanos. Mal se vê a figura da senhora devido a um reflexo luminoso sobre o vidro do quadro, o que podemos relacionar com a desintegração das figuras. Suposição. Em realidade, essa linguagem não quer perder sua opacidade, ela oferece obstáculos e resistência à compreensão e à interpretação: ceder completamente às investidas do interpretante seria, para ela, negar-se. Por sua vez, essa resistência intriga e aguça a fúria interpretativa do espectador (ou o desinteressa completamente). Esse amontoado de palavras resistentes não nos transmite um saber sobre a congada e cria uma situação inquietante: esse saber desgrudado de seu objeto, privado de sua função, não sabemos mais se é ou não é um saber. Destituídas das imagens que, no documentário costumeiro, nos dariam a impressão de controlá-las e de chancelar sua autenticidade, as palavras desse saber podem proliferar por si, mantendo uma aparência de saber antropológico e uma coerência científica, mas nada nos garante sua veracidade. Se as palavras "sudanês", "bantu", "cristãos de Carlos Magno" ou "N. S. do Rosário" evocam para mim elementos de cultura negra no Brasil, já não tenho ideia se existiu um "terrível Mampombo" ou um "Mameto", ou se entre os personagens da congada figuram marechais, brigadeiros e coronéis. Assim como parece haver na faixa imagem momentos aleatórios, como o desenho dos tubarões ou o coito dos cachorrinhos, pode também haver elementos aleatórios ou simplesmente enganadores nos letreiros, sem que seja quebrada a aparência formal do saber. Essa aparência pode fazer com que a linguagem trabalhe no vazio sem que percebamos. Não será essa a informação que podemos extrair do plano do feno? Sobre um monte de feno uma zoom abre-

-se, para um instante e fecha-se voltando ao ponto de partida, cena acompanhada pelos pomposos acordes finais de alguma sinfonia clássica. O feno, um fragmento banal do que o sítio oferece à vista, algo sem nenhuma importância e nenhuma beleza, é magnificado pelo rigor e pela segurança do insistente efeito ótico e pela música, a ponto de tornar solene um monte de feno. A relação entre o fasto dos recursos retóricos e a insipidez do objeto a que se aplicam nos surpreende e desorienta, pois tentamos captar a razão de apresentação tão enfática do feno. E a razão talvez seja essa, de não haver razão e de nos fazer sentir a linguagem girar sobre si mesma. As palavras — talvez desagarradas, talvez não, perdemos o controle e a segurança — acabam desenhando na nossa cabeça um certo universo cultural referente à congada, mas nossa dificuldade em concatená-las as transforma, não num veículo de saber, mas numa espécie de cenografia conceitual, uma cenografia de palavras. Enquanto isso, o espectador, pelo menos da primeira vez em que vê o filme, se esforça por assimilar ou concatenar informações e desespera de conseguir acompanhar o filme.

Além de letreiros referentes à congada, há outros, tais como "Gil Vicente", "Kinoglaz", "Antigas epopeias contra herói atual", "O filme contra história classe 'A'",[3] "Definição científica contra produto de 3ª". Esses letreiros sugerem o universo cultural do cineasta, os critérios que ele leva em conta na composição do filme ou em sua reflexão sobre a congada. Mais uma vez, são apenas indicações que não temos tempo de assimilar, como balizas de cuja existência tomamos conhecimento sem que possamos deduzir delas uma metodologia. O mesmo em relação a uma fotografia tirada de *Os inconfidentes*, de Joaquim Pedro de Andrade. Esse filme é uma reflexão sobre a Inconfidência Mineira e também sobre o filme histórico. A representação extremamente estilizada da história que *Os inconfidentes* apresenta poderia nos levar a crer que a foto foi inserida em *Congo* com um sinal positivo (dentro do sistema do filme: inviabilidade da representação), ou que, apesar de discutir a representação da história no cinema, *Os inconfidentes* acaba acreditando na possibilidade de uma certa forma de representação, e aí o sinal seria negativo. Mas acredito que tanto faz, a ambiguidade é o que importa, e sabemos que nos movemos num processo em que, como estrelas, aparecem Gil Vicente, Lukács ou *Os inconfidentes* como referências. Outra referência cultural do autor: no plano 144, entre fotogramas brancos, pisca a palavra "Mimesis", em homenagem à congada desaparecida.

O filme martela (e isso fica claro) que tais referências não são as da congada, de modo que dois universos culturais — o da congada e o do cineasta que reflete sobre sua apreensão da congada e sobre si — estão frente a frente, e essa ideia de oposição é que rege o filme. Parte dos letreiros, quer referentes à congada, quer ao universo cultural do cineasta, apresenta o sinal "×" (*versus*, dois letreiros), a palavra "contra" (32) ou o sinal "+" (8), criando oposições ou junções binárias. Muitos deles podem ser considerados indicação de choque ou oposição cultural: "1618 + 1972", "Forma superior de cultura contra instituição teatral popular"; outros podem ser encarados como autocomentários do filme — por exemplo, alguns dos que vimos acima —; outros ainda como opções poéticas e filosóficas: "Mistério do mundo contra 2 e 2 são 4", "Angola contra hospício", "Força da fruição contra o contrato social". Nessas oposições é possível considerar positivo o primeiro termo — positividade a ser creditada provavelmente à cultura africana contra a cultura superior branca.

Essa estrutura recorrente dos letreiros encontraria fundamento na congada? Nos poucos trechos inteligíveis da leitura infantil, chega a nossos ouvidos que a luta do Rei e da Rainha Ginga seria uma espécie de luta entre os princípios do bem e do mal: como se o filme tirasse elementos de sua estrutura da própria congada, ou melhor, de uma interpretação da congada. Esses letreiros de oposição ou junção distribuídos pelo filme todo (a primeira aparição do "contra" se dá no oitavo letreiro, a última no 143º) sugerem uma relação binária. Mas dois letreiros parecem indicar que as intenções são outras: "Tese contra antítese", "Dialética do filme + alvos táticos". Esse sistema binário não é dialético: o filme se afirma dialético, mas se deixa seduzir por pares de oposição. No entanto, um letreiro como "negro aproveita autos populares dos colonizadores" sugere a possibilidade de um processo dialético mais complexo do que parece ser o instituído pelo filme — para não falar da história já citada da Rainha Ginga, que é sintetizada no letreiro "Rainha Ginga contra Ana de Souza", sendo que ambas são a mesma personagem.

Esse jogo de oposições está presente nas imagens, pois algumas se referem à cultura burguesa e à religião católica. O plano 18 é a imagem de um santo; depois encontramos ex-votos e três planos do altar de uma casa. O plano 48 compõe-se de uma panorâmica de 360° sobre a parte alta das paredes de uma sala, onde aparecem retratos de burgueses e, dentro de medalhões, as seguintes palavras: "Indústria — Poesia — Escultura — Pintura — Amor — Pátria — Música — Jurisprudência — Glória — Deus — Fidelidade — Agricultura — Medicina". Essas referências cristãs e esse rosário da cultura europeia opõem-se à cultura negra a que pertence a congada. E aí a força da congada consiste em não aparecer, pois, dessa cultura europeia, o que o filme mostra são vestígios, ruínas. Para essa oposição cultural nos encaminha um letreiro em que mal temos tempo de pensar: "Raiz contra crucifixo". "Crucifixo", entendemos a que se refere. E "raiz"? Não seria o aparecimento desse velho tema tão em voga em setores nacionalistas: as raízes culturais (nesse sentido, costuma-se usar o plural e não o singular que se vê no filme) seriam aquele momento original que foi esmagado pelo colonialismo e que agora temos a missão de resgatar na sua pureza para o desabrochar da nacionalidade? Muitos dos filmes sobre cultura popular nas zonas rurais que se vinham produzindo na época da realização de *Congo* nutriam-se dessa ideologia. E "raiz" seria afetado do sinal positivo, já que em geral o primeiro termo da oposição é o positivo — isso é bem possível e não vejo outra interpretação viável para esse letreiro. Se essa interpretação da função do catolicismo no filme for correta, estamos longe da complexidade do papel que teve essa religião na dupla traição da Rainha Ginga. Mas o filme se beneficia da dúvida. Nada no filme confirma essa interpretação: o filme sempre diz meias palavras, avança palavras ambíguas e meio que se esconde atrás delas.

Esse soltar a informação até um certo ponto, meio enigma, esse gesto de reter ao mesmo tempo que se solta, essa impressão de retenção que nos deixa o gesto mesmo de lançar a informação, me parece já estar presente na abertura do filme, quando entra por um tempo muito breve a palavra "congo" seguida de fotogramas brancos. Como se, mal comunicada, a temática do filme fosse sonegada; mal se desse, se retomasse o dado de volta. A codificação da informação no filme torna-se tão sintética que tende a virar enigma, ganhando em densidade por um lado, por outro se escondendo, se negando. O plano 26 é o do título: retoma-se a palavra "congo", que, dessa vez, ocupa na tela um espaço bem maior que da primeira. "Congo" está mais afirmado, mas justamente esse plano apresenta, intencionalmente, sujeiras: umas linhas, restos de acetato maculam o letreiro. Essas sujeiras são indicativas da não representação da congada? Ou também e mais indicativas ainda da tentação do discurso de negar-se a si próprio? Talvez pudesse ter mais um letreiro: "O filme contra o filme".

O conhecimento da congada e dos textos de que se valeu o autor permitiria sem dúvida tornar mais complexa essa leitura, ou até mesmo propor outra sensivelmente diferente. Basta nos determos no único personagem da congada a que o filme dá destaque. Pelo pouco que sei, a congada é uma dança masculina, em que as figuras femininas são raras, e mais rara ainda a Rainha Ginga.

Poucas são as congadas em que ela é personagem e, quando é, aparece não ela, mas seu embaixador, que se refere a ela no canto. Ela é apenas um personagem verbal, o que leva Mário de Andrade a qualificá-la de "invisível" — e o que enriquece os circuitos que estabeleço no filme. Além de sua invisibilidade, a escolha da Ginga pode ter outros motivos. Afora suas ambíguas relações com os colonizadores, que não podem deixar de ecoar na cabeça de um intelectual brasileiro, Ginga é uma traidora. A foto de *Os inconfidentes* inserida no filme mostra Tiradentes. Ao lado de quem? De Silvério, justamente o personagem tido e havido como o traidor da Inconfidência Mineira. Haveria uma linha a desenvolver em torno do tema da traição, tema tão presente no Cinema Novo dos anos 60? O trabalho do filme por justaposição, o trabalho do intérprete que estabelece relações entre termos carregados de grande margem de indefinição nos sugerem a possibilidade de uma interpretação que se multiplica indefinidamente, como um vértice.

Tudo isso é "um filme em branco", letreiro logo posterior aos créditos e sucedido de fotogramas brancos. Branca a tela sobre a qual aparecem as letras pretas dos letreiros. Branco o saber que (não) apreende a cultura negra. Branca a tela onde não aparece a congada sonegada e/ou irrepresentável. Branco o silêncio ao qual pode ser levado o discurso que, por se condensar mais e mais, por se tornar cada vez mais sintético e compacto, por se entregar e se recusar, pode se reduzir a nada. A fascinação da página em branco. Isso num filme que, com seus 114 letreiros, não deixa de ser prolixo. O outro não foi transformado em objeto: apenas se indicam os instrumentos que o tornam objeto. Mas tampouco tornou-se sujeito, foi eliminado. O sujeito é o cineasta. E, nesse filme, o sujeito que emite o discurso também está apontando para seu desaparecimento.

A voz do outro

Tarumã
Jardim Nova Bahia

Tarumã é um filme espantado.

"Durante as filmagens de um documentário sobre acidentes de trabalho na agricultura, realizadas em Tarumã, estado de São Paulo, 1975, foi colhido o seguinte depoimento." Esse texto é dito por um locutor *off* sobre um plano geral em que vemos se aproximar da câmera, num imenso descampado, um grupo composto por duas mulheres e algumas crianças. Elas carregam feixes de lenha na cabeça que lhes escondem o rosto. Antes disso, um letreiro anunciava: "A Futura Filmes apresenta". Essa é a abertura de *Tarumã.*

Que depoimento é esse, que voz é essa que interrompeu as filmagens do referido filme? Que depoimento é esse para o qual se gastou película que não foi montada no filme que estava sendo feito, justificando uma montagem à parte? Debaixo da sobriedade da voz *off*, há uma emoção, um espanto: a voz de uma camponesa interrompeu o filme que se estava fazendo, os cineastas suspenderam seu trabalho para filmar essa mulher e gravar sua voz.

O filme, de aproximadamente treze minutos e meio de duração, compõe-se de seis planos. O primeiro é o letreiro. No segundo plano (cerca de 2’7”), as mulheres aproximam-se da câmera, e uma delas, quando fica perto, começa a falar. O terceiro plano é uma ponta de pouco mais de 5”, sobre a qual ouvimos uma voz *off* dizendo rapidamente que acabou o rolo de filme. No quarto plano (7’47”), as mulheres depositaram a lenha no chão: nesse e no quinto planos (3’16”), o depoimento prossegue. Finalmente, mais uma ponta, na qual pergunta-se à mulher sua idade e onde nasceu, e a voz *off* dá os créditos.

Nos segundo e quarto planos, a câmera quase não para quieta. Ela se fixa no rosto da depoente, mas logo desce sobre seu corpo para pegar as crianças perto dela, gira para a esquerda até atingir a segunda mulher sobre a qual sobe até o rosto, voltando então para a direita, até reintroduzir a depoente. No quarto plano, vemos um menino, que chegou provavelmente durante a filmagem; a câmera o introduz no campo à direita. Esse movimento de câmera e as suas variantes descrevem o ambiente e o grupo, mas suas informações tornam-se logo redundantes: o ambiente é um só, os outros personagens não fazem nada. Uma vez apresentada a situação, a única coisa que realmente importa é a fala da mulher, mas a câmera não quer ou não consegue se fixar exclusivamente nela. É como se se movimentasse, de modo um tanto supérfluo, para evitar a monotonia, para criar alguma diversificação, algum dinamismo. É verdade que as várias referências às crianças e à escola podem algumas vezes justificar o movimento descritivo da câmera, mas não há uma relação direta entre essas referências e a focalização das crianças. E veremos, na análise do plano seguinte, que uma referência precisa da mulher, acompanhada de gesto, não provocou o movimento da câmera. A passagem do quarto para o quinto plano parece motivada pelo esgotamento do filme virgem, embora não seja dito explicitamente como no fim do segundo plano, mas o plano já ultrapassou sete minutos e meio. A atitude da câmera muda sensivelmente nesse quinto plano: a mulher dá prosseguimento ao seu depoimento, e a câmera, abandonando seus meandros, se fixa nela. Como se a câmera se conscientizasse de que o que interessa mesmo é o depoimento e portanto não há por que fugir da mulher e inventar ornamentações, como se o fascínio pela fala da mulher aumentasse e a câmera renunciasse à sua autonomia. Essa evolução da câmera não só valoriza a fala da mulher, mas expressa o aumento do fascínio, do espanto, da imantação do cineasta em relação a ela. É no comportamento da câmera, nas hesitações e evoluções dos planos iniciais e na concentração do quinto plano, que se sente o impacto da voz do outro sobre o cineasta. Na verdade, no quinto plano, além de pequenas correções que acompanham os ligeiros deslocamentos da mulher enquanto fala, a câmera faz dois movimentos que deixam seu rosto fora de campo. O primeiro é quando ela se refere a Tarumã e aponta para a frente com o braço direito: a câmera desliza sobre o braço até atingir a mão e volta ao rosto quando ela abaixa o braço. A grande diferença entre esse movimento e o dos planos anteriores é que ele é motivado pelo movimento da mulher, o que não ocorria anteriormente, quando a câmera se mexia por decisão própria. No segundo movimento desse plano, a câmera abandona a mulher, desloca-se para a esquerda até a segunda mulher, sobre a qual se detém um instante, e faz o movimento inverso até se fixar novamente na depoente: durante dez segundos ela permaneceu fora de quadro. Dessa vez, o que provocou o movimento foi que a mulher parou de falar. Visto que a câmera se fascina por sua fala, essa pausa como que faz desaparecer a imantação, dissolve a fascinação, liberta a câmera, que então reencontra uma movimentação como a dos planos anteriores. Assim que, espontaneamente, a mulher retoma sua fala, a câmera fica novamente imantada e não mais a abandona.

A fala da mulher é um depoimento e não uma entrevista, ou seja, ela não responde propriamente a perguntas. É ela, quase sempre, que decide sobre o fluxo de suas palavras, ficando reduzido o entrevistador a deslanchar o fluxo verbal. Entre a fala do locutor *off* gravada em estúdio e o início da fala da mulher, ouvimos, em som direto, uma fala *off* do entrevistador: "O que é que a senhora queria falar, fala para nós". Por mais duas vezes logo no início do depoimento, o entrevistador diz alguma coisa para deslanchar a fala: "O qué que é?", "Não tá boa a situação!". Ele raramente pergunta ou sugere tema e, nessa sua primeira intervenção, ele apenas se remete a uma situação anterior (verbo no imperfeito) em que se teria ouvido a mulher falar ou ela teria falado com os cineastas (primeiro nível da dramaturgia do ator natural), ou teria manifestado a vontade de falar. Ele pede então que essa fala seja repetida. Essa situação anterior é referida em outro momento, quando, aproveitando uma pausa da mulher, o entrevistador lhe pede que fale daquilo "que Geraldo falou", sem que saibamos quem é esse Geraldo a que a mulher já fizera alusão. Voltando à primeira frase do cineasta, há uma outra diferença notável em relação às entrevistas dos filmes anteriormente analisados: "queria". A vontade de que a mulher fale não é colocada no cineasta em busca de depoentes e entrevistados para seu filme, mas o filme atende à vontade da mulher. Ela queria falar, o filme se submete a essa vontade. Como se ela dominasse o filme e o cineasta se dobrasse. A primeira frase da mulher, depois da partida dada pelo entrevistador, é mais ou menos: "Não..., não..., é que tava conversando aqui entre nós". Fica a indicação de que a fala não atende à solicitação ou a perguntas do entrevistador, mas é uma camponesa conversando com outra(s), independentemente da existência da equipe cinematográfica: "entre nós". É essa fala que o cineasta vai pôr em seu filme — ele que nunca consegue isso e sempre coloca em seus filmes falas especialmente produzidas. Em realidade, essa situação, "entre nós", o filme não a captou nem a reproduzirá, pois ele se compõe de um monólogo, e a outra mulher fica absolutamente muda.

O comportamento da câmera, a evolução do seu fascínio, o fato de que, como em *Migrantes*, ela se limita a fazer panorâmicas sem se deslocar, o comportamento do entrevistador revelam por que esse filme foi feito e por que o outro foi interrompido: a fala da mulher. Ela quer falar, entrega-se o filme a ela, o cineasta se curva diante do discurso do outro, diante do discurso de alguém das classes subalternas. Não é um discurso que ele provoque. É um discurso que se apresenta e que ele apresenta como autônomo. O desejo realiza-se: o outro de classe fala. Por isso, o aproveitamento dos recursos da linguagem cinematográfica é reduzido ao mínimo. A frase que, no terceiro plano, anuncia que o negativo se esgotou foi dita por um membro da equipe a outro: a pronúncia, a entonação, o tom da voz não deixam dúvida. Essa informação para uso interno, ao ser guardada na montagem final, torna-se uma informação para o espectador e deixa de significar que o filme acabou no chassi, mas que se trata de um material quase bruto, quase não elaborado. O filme se reduz ao mínimo, a ponto de não ter título, nem em letreiro nem nos créditos finais, fornecidos oralmente. A frase que introduz os créditos diz apenas: "Faziam parte da equipe da Futura Filmes". A produtora é usada como referência, não o filme e muito menos um título. Os nomes dos integrantes da equipe são dados em ordem alfabética, sem menção dos cargos técnicos.

O filme é, todavia, classificado como *Tarumã* no catálogo da produtora, no de uma distribuidora e numa pesquisa sobre cinema de curta-metragem. É notável que nessa pesquisa não seja explicitado que o título é aposto à obra. Trata-se de um esforço de recuperação sociológica: é necessário que o discurso da mulher saia do nível pessoal e individual, para significar algo mais extenso que ela; é preciso que ela se torne um exemplo ou uma amostra de uma categoria — o camponês, ou o boia-fria. A última frase do comentário que a pesquisa faz sobre o filme explicita a operação: "A marginalização a que está sujeita imensa parcela de nossa população que vive nos campos é vista pela descrição que essa mulher faz de seus problemas existenciais" (p. 145). Por isso, o filme não se intitula "Joana" ou "Maria Antônia", mas se lhe atribui o nome da região: Tarumã. Sendo que de Tarumã, no filme, só vemos parte de um descampado, e mais nada; inclusive quando, no quinto plano, a mulher aponta para Tarumã, a câmera acompanha o movimento, mas para na mão e não prossegue até o lugar que ela indica e menciona verbalmente. No entanto, o filme é conhecido como *Tarumã*. Em favor da interpretação generalizante, deve-se dizer que, no início do depoimento, a mulher usa diversas vezes o "nós". Outras mães, como ela, não conseguem manter os filhos na escola, e conclui: "Nós somos boia-fria". Portanto, certas características de sua vida não são apresentadas por ela como exclusivas.

O que espanta na fala da mulher? Espanta que ela fale, que sua fala seja ou possa ser tida como autônoma; espanta que o cineasta e seu espectador possam reconhecer essa fala como consciente. A mulher fala de suas condições de vida, mas a compreensão que ela tem dessas condições revela que entende a opressão a que está submetida e que a mantém num estado miserável: "O mundo é de todos nós que Deus fez. Dois, três tomou conta de tudo. [...] Aqui, têm três, quatro pessoa que é dono de Tarumã". Ela conhece certos mecanismos dessa opressão e toma atitude consequente: conta que o marido foi enganado por um fazendeiro por ter assinado papéis — "[...] não se deve assinar, em folha de patrão nenhum... sem saber o significado dela". O cineasta, que se via como fomentador de consciência, que encontrava na consciência que fomentava ou fomentaria a sua justificativa, mas que, simultaneamente, lamenta que o povo não tenha consciência, esse cineasta fica deslumbrado diante do aparecimento da consciência popular, a ponto de interromper seu trabalho (o filme sobre acidentes de trabalho) e de reduzir ao mínimo o efeito de seus conhecimentos técnicos.

Mas, além da consciência da estrutura social e das condições de sua vida, a mulher desenvolve, com insistência, dois temas que sensibilizam particularmente o cineasta e seu público intelectual:

as questões da educação e da inteligência. O tema da educação é o primeiro levantado no depoimento e será retomado uma ou outra vez: não dá para botar os filhos na escola, a professora exige uniforme e cadernos que a mãe não pode comprar e que o governo tampouco paga, não se pode educar os filhos como ricos. A partir daí, ela desenvolve uma crítica da educação: "O senhor não vê que tem muitos estudantes que estuda, estuda, estuda e não vale nada, não vale nada, não vale nada. Ô, tem aqui o colégio de Tarumã. Onze e meia da noite, quando abre esse colégio, eu vou dizer pro senhor, dá vergonha, é verdade, dá vergonha [...] moças e rapazes falando palavrões na frente da casa da gente [...] Porque tem milhares e milhares de ladrão [ela quase grita] que são estudante, estuda só para roubar, só para roubar, para fazer desordem, para fazer tudo, tudo que não presta, eles estuda praquilo, né? [...]". Mesmo que fantasiosa, é uma crítica. A essa educação, ela opõe outra, mais válida que a escolar: a educação no campo. A vida na roça "cria o homem honesto, o homem do trabalho, o homem que [...] conhece a lavoura. Procura um estudante que [ele] conhece a lavoura! Eu conheço, eu conheço até quando vai dar bicho no algodão. Eu, com sete anos, meu pai me [pôs] na roça, meu pai não me deu leitura [...] [na roça] eu faço tudo, não tenho leitura nenhuma [...] mas na roça eu conheço tudo". A uma cultura letrada voltada para o mal, embora ela tente pôr os filhos na escola, mas sem sucesso, ela opõe uma cultura iletrada e positiva.

E, assim como há uma educação não escolar melhor que a escolar, existe uma inteligência não letrada. O camponês inteligente não é o alfabetizado. Ela fala do marido, se ele sabe ler: "Pouquinho, pouquinho, mas ele sabe, dá para tirar os documentos mesmo [...] [o marido é] um homem que não tem leitura, mas ele tem todos os documentos, ele trabalha em todas as firmas, ele trabalha em qualquer indústria, é um homem inteligente". Inteligente é o camponês que compreende o sistema social no qual está inserido e sabe se precaver contra o fazendeiro e lutar, e, para isso, não precisa saber ler. "[...] se a pessoa é bem inteligente, ele não arruma nada [...] então ele [o fazendeiro] fala: ele [o camponês] é inteligente, eu não posso aproveitar dele. Aproveitar dele, como? Ele é inteligente, tá guardando, tá guardando tudo, depois ele me solta tudo isso aí, ele vai me fazer reclamações, tou perdido. Porque um fazendeiro com nome sujo é muito sujo [...]. Eles não ajustam [empregam] a gente dessa. [Basta] dizer que a pessoa ativa, que compreende a lei, eles não ajustam [...]". Do filho que será criado na roça, já que não dá para botar na escola, ela comenta: "Acredito que se ele for inteligente como o pai, ou puxar a minha metade da minha inteligência, ele dá um bom homem [...]". Prepotência à parte, duas educações e duas inteligências são contrapostas: a letrada e a do trabalho. O cineasta foi provavelmente sensibilizado por essa rejeição do mundo culto ao qual está vinculado e pelo qual se sente sempre um tanto culpado, e pela afirmação sem sentimento de inferioridade de uma inteligência formada e voltada para a ação e a luta. O entrevistador, como eu disse, não sugere temas, limitando-se a pequenos empurrões para deslanchar a fala. Mas este tema ele sugere: "A senhora acha que uma pessoa que sabe das coisas tem mais dificuldade de arrumar emprego do que... um ignorante [...] aquilo que Geraldo falou?". Diante dessa inteligência, o cineasta reduz seu saber ao mínimo, tenta colocar-se entre parênteses, limita ao indispensável os recursos para a realização do filme, chegando a um grau zero no quinto plano. Estamos longe da atitude do cineasta de *Migrantes*, apesar de uma certa semelhança no comportamento da câmera nos dois filmes.

É possível ainda uma outra interpretação para o comportamento da câmera. Esse despojamento pode ser visto como uma manifestação do que Haroldo de Campos chama de "poesia menos". Essa "magreza estética", que se expressa na câmera, na redundância da imagem, no descampado monótono onde se encontram as mulheres e suas crianças, não só se filia a uma linha estética da literatura brasileira, mas também é "dobrada pela pobreza da matéria no nível do referente" — para retomar o comentário de Haroldo de Campos a respeito do romance *Vidas secas*. O estilo "pobre" de *Tarumã*, além de expressar a fascinação do cineasta pela voz do outro, além de reduzir a expressão ao mínimo indispensável para que o outro de classe assuma o discurso e não seja abafado pela voz do cineasta, é uma forma de coincidência, de identificação com a pobreza da vida em Tarumã. A pobreza do referente contamina a expressão do filme. A "poesia menos" de *Tarumã* expressa a vida menos da mulher de Tarumã. Essa interpretação harmoniza-se com a outra, pois o estilo pobre revela uma desconfiança em relação à linguagem, "o mais perigoso dos bens", e a põe "sob suspeita como forma de opressão".

Comentando sua própria inteligência, a mulher declara: "E conversar até com o próprio governo, eu não tenho medo, sei falar com ele, tenho educação". O entrevistador, que não sugeriu o tema, aproveita a deixa: "que recado a senhora [gostaria] de mandar ao governo, para aproveitar agora?". Ela responde: "Eu mandava um recado assim, que estamos numa situação que a pobreza não tem mais aonde morar, a dificultação tá demais [...] O que eu desejava conversar com ele [o governo] pessoalmente... Se eu chamasse umas trinta mulher da minha classe, eu mandava uma carta para o governo. Eu não tenho leitura, mas medo... educação e capacidade de conversar com o próprio governo, eu tenho". O cineasta faz a tentativa de pôr seu filme à disposição da mulher. O filme não veicularia a mensagem do cineasta, quer ao governo, quer aos camponeses ou aos de sua classe. O cineasta tenta fazer com que a mulher se apodere do filme e o torne seu próprio veículo de expressão, é isto que o filme significaria: o cineasta se apaga em favor da voz do outro de classe, que se torna sujeito do filme. Mas o olhar continua sendo o do cineasta.

* * *

Os créditos de *Jardim Nova Bahia*, dirigido por Aloysio Raulino, informam que também foi responsável pela fotografia, enquanto ele e Deutrudes Carlos da Rocha assumiram a câmera. O penúltimo letreiro, antes do "Fim", dá maior precisão à informação: "As imagens da estação do Brás e de Santos foram filmadas por Deutrudes Carlos da Rocha, sem qualquer interferência do realizador". Por que tanta insistência sobre a câmera? É que, se Raulino é o diretor, fotógrafo, câmera, roteirista, produtor, se é o autor do filme, Deutrudes é o personagem. Aí reside a particularidade desse filme. O autor entregou a câmera a seu personagem, que filmou cerca de um terço das imagens que foram montadas. O filme tem duas partes: na primeira, filmada por Raulino, Deutrudes é personagem; ele é entrevistado e conta episódios de sua vida; a segunda é o material filmado em Santos, na estação e na praia, pelo personagem. A segunda parte é anunciada por duas falas inseridas na primeira: "Estou aqui [...] contar uma coisa que se passa na minha vida aqui em São Paulo. Vou pegar uma máquina para poder filmar alguma coisa que se passa aqui em São Paulo", e "Tenho uma máquina e vou filmar a estação do Brás em Santos". Enquanto a primeira fala é seguida de casos que Deutrudes conta com imagens de Raulino, a última incide sobre duas fotografias fixas de Deutrudes segurando a máquina e vêm a seguir as imagens que ele filmou.

Esse é um ponto limite. Buscando a voz do outro, tentando que se erga o outro — que é objeto no modelo sociológico —, negando-se a se afirmar sujeito diante do outro-objeto, questionando sua posição de cineasta, este entrega a câmera ao outro. *Jardim Nova Bahia* é provavelmente o ponto de tensão máxima a que chega a problemática relação cineasta/outro de classe na filmografia que estudamos. O cineasta abdica de sua posição para o outro assumir.

Deutrudes pega na câmera e filma o quê? Dentro da tradição do documentário sociológico, poderia se esperar que filmasse algo relacionado com suas condições de vida e trabalho, algo que tivesse um caráter reivindicatório ou denunciador. Mas não: filma a estação do Brás e a praia de Santos, uma mendiga, umas pessoas e dois amigos na praia quase deserta. Ele filma para se exercitar ou brincar com a câmera, filma alguma coisa que se refere antes ao lazer que ao trabalho. Raulino não quer reduzir seu personagem proletário ao trabalho; de sua vida fazem igualmente parte o lazer, as relações amorosas. A primeira parte do filme faz alternar duas sequências de gafieira com cenas de Deutrudes lavando carro — trabalho que, como migrante nordestino, exerce atualmente —, a apresentação da carteira de previdência social de Deutrudes, cenas de uma fábrica. Há três depoimentos de Deutrudes: o primeiro, *in*, narra seu desentendimento com um engenheiro numa obra em que trabalhava; o segundo, *off*, diz respeito a relações amorosas malsucedidas, em consequência do que fugiu da cidade; e no terceiro, que começa *in* e acaba *off*, ele fala de uma estada no Paraná, onde trabalhou na lavoura por uns tempos, e se detém sobre um terno de linho branco que adquiriu e jogou fora, sem que entendamos bem por quê, devido à má qualidade do som. O indivíduo não se reduz ao trabalho. Raulino até tenta, poderíamos dizer, tirar o indivíduo do universo do trabalho. O trabalho proletário descaracteriza o indivíduo, o reduz a uma carteira de previdência social. O momento alegre do filme é uma sequência de gafieira. O trabalho na construção civil é contado de forma jocosa: Deutrudes trabalhava no elevador, que ainda não manejava bem, e acabou fazendo com que um engenheiro batesse a cabeça numas tábuas, o que parece tê-lo divertido e lhe valeu o xingamento de "baiano burro". O trabalho está presente numa sequência de fábrica, mas não prevalece: o primeiro plano mostra o pátio da fábrica, meio vazio, dominado pela imobilidade; longe, ao fundo, movimenta-se um guindaste. Os cinco planos restantes da sequência se iniciam ou são compostos por primeiros planos de trabalhadores. Alguns, parados, olham longamente para a câmera com um sorriso entre irônico e melancólico. Os planos dessa sequência vêm acompanhados de uma canção de amor. Outro momento em que talvez possamos captar o tratamento que Raulino dá ao trabalho é o plano de lavagem de carro inserido entre o primeiro e o segundo plano do depoimento *in*. Ele apresenta um trabalhador outro — além de Deutrudes — totalmente silencioso. O silêncio tem grande força dramática e provoca efeito de surpresa devido ao fato de a música (quando aparece) ocupar um ostensivo primeiro plano sonoro. Esse silencioso plano de trabalho interrompe o depoimento de Deutrudes, como que lhe corta a palavra. No segundo depoimento, não haverá dificuldade em jogar *off* a fala sobre imagens da gafieira. Nem no terceiro: começa *in* com um primeiro plano de Deutrudes e continua *off* quando a câmera panorâmica sobre umas crianças encostadas num barraco. Só não corre *off* o depoimento quando a imagem é de trabalho, como se realmente fosse o trabalho que cortasse a palavra. É antes no não trabalho que as pessoas se encontram. Raulino interessa-se pelo trabalhador enquanto não trabalhador. O fato de Deutrudes ter filmado a praia está plenamente dentro da dinâmica do filme.

A parte filmada por Deutrudes é bela. Seus planos da estação, aquele principalmente em que se demora sobre uma mendiga solitária, entre grotesca e patética, com a mão aberta estendida em direção à câmera; seus planos gerais numa praia quase vazia, mar ao longe, algumas figuras que se deslocam, passa uma bicicleta; não deixa de haver um grupo de moças fazendo ginástica, mas a lente escolhida não dá consistência ao grupo, e as moças se diluem no espaço; ou então são os longos planos sobre os dois amigos, um tanto desajeitados enquanto a câmera os focaliza. A câmera é pouco estável, os movimentos irregulares, a lente não muda, a fotografia bastante granulada, as figuras descentradas. Um charme que lembra o cinema primitivo, filmes amadores de família. Que Deutrudes segurava a câmera, não há dúvida, mas em que medida ele filmava?

Quem selecionou e ordenou os planos, quem determinou sua duração, não foi Deutrudes, mas o autor do filme. Quem decidiu a faixa sonora: permanência do ruído da câmera, reforçando a sua presença e a ideia do fazer, entrada da música no decorrer do plano da mendiga e seu prosseguimento até o fim da sequência? O autor. Quem escolheu a música? A escolha e o volume da música são características do estilo de Raulino: uma música que se instala em primeiro plano, forte, presente, que guia a emoção e contrasta com a imagem: *Strawberry Fields Forever*, dos Beatles, seu canto, sua orquestração, sua força envolvente nos distanciam das imagens com que não mantêm relação direta e conferem a essa praia semivazia, a suas figuras isoladas, ao céu cinzento, à câmera insegura, uma funda melancolia que sabemos ser frequente nos filmes de Raulino. Não esqueçamos também que o próprio tema da sequência, Santos e sua praia, é recorrente na filmografia de Raulino: *Porto de Santos* e *Noites paraguaias* (na sequência em que os músicos paraguaios viajam para Santos e descobrem o mar).

Apesar de o material filmado por Deutrudes ter sido trabalhado pelo autor, verifica-se uma nítida diferença entre essas imagens e as anteriores: a fotografia, tanto em cores como em preto e branco (a gafieira), é excelente; a câmera, segura, comporta-se de maneira variada: é sinuosa na sequência da gafieira — por exemplo, ao acompanhar a evolução coreográfica dos casais que exibem seu prazer e virtuosismo ao dançar samba —, ou, ao contrário, imobiliza-se no depoimento dado por Deutrudes. Aí, como na série de "retratos" de operários na sequência da fábrica, a relação que a câmera mantém com as pessoas que filma é precisa e direta: olhos nos olhos, figuras bem centradas na tela. A montagem não é menos rica: duas sequências ambientam-se numa gafieira e foram montadas com um material filmado no mesmo lugar, na mesma situação. A primeira é a alegria de dançar; a segunda é a solidão dos que não têm parceiros, são tensos demais para soltar o corpo, estão cansados ou envelhecidos. Raulino mostra como, pela montagem e pela música, num mesmo ambiente, criar duas atmosferas totalmente distintas.

Estilisticamente, o que talvez mais diferencie os materiais de Raulino e de Deutrudes, além da segurança no manejo da câmera, é uma relação entre o cheio e o vazio. Afora o plano de abertura da sequência da fábrica, os planos de Raulino são cheios, cheios de gente na gafieira, ou então a tela fica toda ocupada pelos primeiros planos bem enquadrados, repletos de um preto forte nas sequências de gafieira, ou de cores (um negro sobre fundo branco; o primeiro plano com que se inicia a panorâmica do começo do filme apresenta um mulato de olhos verdes e camisa roxa sobre fundo branco; vermelho e cores quentes na fábrica), enquanto os planos de Deutrudes são acinzentados e vazios. Filmando a estação ou a praia, ele deixa a calçada ou a areia vazia invadirem a metade inferior da tela, o que provém antes de uma inabilidade que de uma opção. Filmando pessoas, ele as descentra, ficando também grande parte da tela vazia. Como se essa relação cheio/vazio fosse a expressão de uma dimensão latente do relacionamento Raulino-Deutrudes-*Jardim Nova Bahia*.

O trabalho de Raulino, Deutrudes nunca poderia fazê-lo. Não basta ter a câmera na mão; Deutrudes não detém os conhecimentos técnicos e linguísticos que lhe permitam trabalhar, e seu material tosco acaba sendo recuperado pelo talento, pela prática e pelo estilo de Raulino. A melancolia da sequência de Deutrudes harmoniza-se perfeitamente com o estilo do autor. Esse é o primeiro obstáculo no qual esbarra o projeto de Raulino: mesmo segurando a câmera, Deutrudes não consegue se afirmar e se expressar. Na confrontação do saber cinematográfico de Deutrudes com o do cineasta, quem supera o outro?

Detenhamo-nos um pouco sobre a questão do trabalho. O do cineasta é complexo, especializado, definido, comprovado (a própria existência do filme). O de Deutrudes é indefinido, vago, sem qualificação. Ele trabalhou por uns tempos no campo e na construção civil, e o serviço que ele faz na cidade no momento da realização do filme não é qualificado — lava carros. Não só isso: a esse trabalho o filme dá relativamente pouca atenção. Há apenas quatro planos de lavagem de carro: Deutrudes lava um carro no plano que segue imediatamente a apresentação da carteira de previdência social; depois ele manobra um carro dentro da máquina automática de lavar carros. Quanto aos dois planos de trabalho que interrompem o depoimento, no primeiro o carro está sendo lavado por outro que não Deutrudes; no segundo vemos apenas as mãos do empregado. Ficamos sabendo que o serviço é lavar carro, mas o filme não se detém sobre isso — a duração do conjunto dos planos de trabalho é nitidamente inferior à duração quer das sequências da gafieira, quer da sequência de Santos. Da mesma forma, como vimos, a sequência da fábrica não traz o trabalho em primeiro plano. O que é perfeitamente condizente com a percepção que o filme tem do trabalho (com exclusão do do cineasta), já que Raulino prefere valorizar o indivíduo em seus momentos de não trabalho, já que o operário não se define pela atividade que exerce.

No entanto, o peso que o trabalho tem em *Jardim Nova Bahia* não difere muito do que ocorre nos outros filmes comentados até agora. Com exceção de *Passe livre*, sobre o qual escrevi apenas uma nota, o único filme em que o trabalho é realmente apresentado é *Subterrâneos do futebol*: o jogo sob vários aspectos, a jogada artística, a violência, a concorrência, o treino, o acidente de trabalho. Mas trata-se de um trabalho diferente: um espetáculo destinado ao grande público. Em contrapartida, o trabalho de fábrica, de construção civil ou de campo é bem pouco visto. Em *Viramundo*, o trabalho é mostrado no início da sequência da construção civil e na sequência da indústria. Na obra, vemos operários martelar tábuas, retorcer arames. Na fundição, dois planos de conjunto e um plano geral apresentam o operário qualificado em seu ambiente de trabalho; ainda teremos primeiros planos dele na fábrica e um plano de detalhe em que se vê, na escuridão, um metal incandescente sendo despejado. Esse homem é provavelmente um contramestre, mas qual é, realmente, sua ocupação, não o sabemos. As cenas de trabalho são imprecisas e têm antes como função situar o personagem no seu ambiente de trabalho, mas não a de se deter nesse trabalho, percebê-lo, captar as relações do trabalhador com sua atividade. Em *Maioria absoluta*, o trabalho é apresentado de forma semelhante. Planos gerais de canaviais, com câmera alta, informam sobre o ambiente, apresentam os personagens como trabalhadores rurais. Planos mais fechados mostram alguns camponeses cortando cana. Os planos abertos e fechados de trabalho somam dez, agrupados todos entre o plano 56 e o 69 no conjunto dos 96 planos do filme. Sua função é principalmente ambiental e de caracterização do trabalhador rural — mais precisamente, do trabalhador dos canaviais, sem que o filme se detenha sobre a relação do cortador de cana com a cana.

Essa tendência a apresentar o trabalho de forma descritiva, a pouca atenção que se lhe dedica e a total eliminação do trabalho como subjetividade do trabalhador são perfeitamente compreensíveis e coerentes. Se, por um lado, é fundamental que o trabalhador trabalhe, já que, na concepção marxista,[1] é essa relação com a produção que o caracteriza como classe, por outro é explicável que o trabalho não mereça mais detida atenção, já que esse trabalho é alienado, que o trabalhador é espoliado de seu trabalho e de sua produção. A abordagem conceitual explica a pouca presença do trabalho nesses filmes e o tratamento descritivo e exterior que lhe é dado.

Mas os próprios filmes nos informam que a relação do trabalhador com sua atividade não é essa — pelo menos, não apenas essa. Não sabemos realmente que vínculos os trabalhadores mantêm com seu trabalho, já que os filmes se detêm pouco nessa questão e orientam as entrevistas antes para as condições de trabalho que para o trabalho em si. Basta, no entanto, o depoimento da camponesa de *Tarumã* para entender que a relação com o trabalho inclui outros elementos além da precariedade das condições desse trabalho, a alienação e a espoliação. Se por um lado a mulher de *Tarumã* nos dá fartas informações sobre essas más condições e a espoliação, ela que não tem moradia digna nem possibilidade de botar os filhos na escola, por outro, o trabalho é indiscutivelmente fonte de dignidade e de realização pessoal. Ela conhece o campo, sabe até quando os parasitas vão atacar o algodão, afirma-se pelo seu trabalho e saber em oposição à inteligência escolar e livresca. Não se sente de forma alguma desvalorizada por esse serviço — é exatamente o contrário. Dessa positividade do trabalho para o trabalhador, dessa relação subjetiva de afirmação, os filmes não falam. Neles, a imagem do trabalho é negativa. Como se poderia dar uma imagem negativa da situação dos trabalhadores se fosse apresentada uma relação positiva entre eles e seu trabalho? Ao que se deve acrescentar que citamos aqui um caso de atividade agrícola: podemos nos perguntar se o trabalho industrial permite obter uma satisfação pessoal da ordem daquela de que nos fala a mulher de *Tarumã*.

Percebe-se, por um lado, que essa abordagem conceitual do trabalho não apreende a complexidade da relação trabalho-trabalhador e que o conceito, nunca claramente explicitado mas latente nesses filmes, bloqueia outras abordagens possíveis que viriam a feri-lo. Por outro lado, esse achatamento da relação trabalho-trabalhador revela também que esse mundo do trabalho da fábrica ou do campo não é o do cineasta — que não tem familiaridade com ele, não tem intuição em relação a ele. É necessário acrescentar que o próprio cineasta encontra-se num sistema de produção — por mais que a produção de quase todos os filmes analisados neste ensaio seja precária — de baixíssimo custo, quase caseira às vezes.

Verifica-se assim mesmo um processo conforme o qual o realizador se apropria do trabalho da equipe, se beneficia de uma mais-valia, talvez não em termos de lucros financeiros, mas de prestígio cultural e de significação de sua obra. O trabalho é mobilizado para produzir o sentido da obra que se acumula em termos ideológicos e de prestígio em favor do realizador. Dizia-se ironicamente, nos anos 60, que se realizavam filmes de esquerda com uma produção de direita. Essa situação leva o produtor a camuflar o trabalho da equipe sob a capa da importância cultural, política, ideológica, estética da obra, e das dificuldades que teve para realizá-la. De modo geral, os realizadores são pouco propensos a discutir o trabalho envolvido na produção de seus filmes. O recalque da atividade operária nos filmes analisados pode também ser a expressão do recalque do trabalho cinematográfico. Ironicamente, *Jardim Nova Bahia* me parece fazer uma belíssima demonstração dessa hipótese que avanço aqui. Deu-se a câmera a Deutrudes, mas a análise que faço da recuperação estilística do material de Deutrudes por Raulino revela a apropriação do trabalho, quando as intenções originais eram sem dúvida bem diferentes. Ousarei dizer que nesses filmes, cujos personagens são trabalhadores pelos quais se manifesta indiscutível simpatia, o trabalho é pouco mais aparente que na sociedade em geral, ou melhor, na sociedade quando vista sob o ângulo da classe média e do setor de serviços: o trabalho do proletariado e do campesinato tende a desaparecer. O mundo do trabalho do cineasta é o de fazer filmes, o que fica mais patente quando outro que não ele segura a câmera.

Obstáculo que também bloqueia o projeto de *Jardim Nova Bahia* de buscar a voz do outro dando-lhe a câmera é a própria estrutura social: Raulino não pode dá-la a Deutrudes: só emprestá-la. Embora segurando a máquina, Deutrudes não filma com sua câmera, mas com uma câmera que lhe foi outorgada. Mesmo quando ele filma, o poder de decisão, bem como a posse da máquina, permanecem nas mãos do cineasta. E contra isso o cineasta nada pode fazer, pelo menos no que diz respeito a seu filme. *Jardim Nova Bahia* levanta, em última instância, a questão dos meios de produção, e Deutrudes só se afirmaria como sujeito do filme se se tornasse dono dos meios de produção e assumisse o filme como produtor e autor. A proposta do filme de Raulino redunda num fracasso, e não poderia ser de outra forma. Acusando o estado de crise entre o sujeito-cineasta e o "objeto" de seu filme, a grandeza de *Jardim Nova Bahia* consiste em ter tensionado ao limite, no quadro da filmografia que estudo, a abdicação do cineasta diante de seus meios de produção para que o outro de classe fale, até o impossível. O "sem qualquer interferência do realizador" do letreiro funciona como expressão do desejo do realizador, e nessa insistência e no evidente exagero — "sem qualquer" (afinal, mesmo que não tenha guiado a mão de Deutrudes, lhe indicou o que fazer, preparou a máquina e a lente) — pode-se ver um desafio e uma ponta de angústia diante do impossível.

Aliás, Deutrudes vacila diante do fato de ele próprio filmar. Na segunda de suas frases citadas na abertura deste texto, ele anuncia algo que, de fato, vai ocorrer — filmar em Santos; no entanto, o primeiro verbo, "tenho", não deixa de ser ambíguo: possuo uma câmera/tenho uma câmera em mão? Já a primeira frase anuncia algo que não vai ocorrer: Deutrudes não filma nada que se passe em São Paulo, embora essa frase expresse mais corretamente sua relação com a máquina ("vou pegar"). Em São Paulo, ele conta de fato "uma coisa que se passa" na sua vida, mas é o diretor que o filma, ele é filmado.

Como o diretor o filma? Com certa dureza. Se a câmera se faz sinuosa quando bailam casais na gafieira, bem como quando focaliza Deutrudes lavando carros, acompanhando gestos que esse trabalho implica, por outro, ela endurece quando registra *in* o primeiro depoimento. Este é apresentado em três planos, entre os quais intercalam-se planos de lavagem de carro. No primeiro a câmera mostra em plano geral um bairro periférico, panorâmica para a esquerda até enquadrar Deutrudes em primeiro plano; o curioso desse plano é que o foco está feito desde o início em função de Deutrudes, isto é, quando ele ainda não está em quadro, ficando portanto a paisagem urbana um pouco desfocada. É nesse plano que Deutrudes declara que vai pegar uma máquina. No segundo plano, que é o prosseguimento da tomada do primeiro, Deutrudes continua a falar; num determinado momento, por motivo não explicitado, abaixa-se por um instante, quase saindo de quadro, e volta em seguida à posição inicial: a câmera permanece imperturbavelmente fixa, como se se relacionasse antes com o lugar que foi designado a Deutrudes do que com o próprio; diferentemente, na sequência que apresenta primeiros planos de operários, a câmera não hesita em fazer correções para acompanhar os pequenos deslocamentos dos personagens. No terceiro plano, o fundo mudou, mas o ângulo da tomada e a relação câmera-figura-fundo permanecem inalterados. Assim, nas duas voltas ao depoimento, a câmera encontra-se no mesmo ângulo em que se fixou no final da panorâmica do primeiro plano. Essa repetição do ângulo, focalizando Deutrudes na mesma posição, reforça a dureza do tratamento, como se a câmera e o diretor quisessem evitar um relacionamento por demais afetuoso com Deutrudes, esfriar esse relacionamento para não marcar com sentimentalidade o ato de lhe ceder a câmera.

Apesar da importância do papel de Deutrudes no filme, o título, como ocorreu na obra analisada anteriormente, não é o nome da pessoa, mas o de um lugar — no caso, um bairro de São Paulo. O filme portanto se tensiona entre um particular, Deutrudes, e um genérico, que é o meio social a que pertence. Sem nenhuma locução que faça a articulação particular/geral, a relação é estabelecida pelo material de que o filme se compõe e pela montagem. Antes dos letreiros temos uma panorâmica sobre uma fileira de operários; a câmera corrige para centrar cada um deles em função de sua altura. Depois dos letreiros, uma animada sequência de gafieira. A carteira de previdência social. Deutrudes lava carros. A série dos depoimentos: o primeiro, sobre o trabalho na construção civil; nova sequência de gafieira com o segundo depoimento em *off*; o terceiro. A sequência da fábrica, sendo que nem na fábrica nem na gafieira Deutrudes aparece; ele aparece na primeira panorâmica do filme, é o último da fileira, mas ainda não está identificado e não recebe um tratamento que lhe dê destaque maior que aos outros. Finalmente, após a fábrica, vem o material filmado por ele. Se por um lado o filme concentra-se em Deutrudes — sobretudo por ele pegar a câmera —, por outro, sua presença tende a se diluir na primeira parte: ele se destaca, mas é um entre outros; como esse outro inserido no primeiro depoimento, todos esses outros que vemos em primeiro plano na fábrica, homens e mulheres na gafieira, têm iguais histórias de amor e de trabalho. A eles também se poderia/deveria passar a câmera.

É necessário acrescentar que, se a relação indivíduo-bairro nos encaminha para a relação particular-geral, isso ocorre pela justaposição feita entre Deutrudes e — não o bairro mas — o nome do bairro. De fato, do bairro Jardim Nova Bahia, nada sabemos. Onde fica? Como é? Quem mora nele? Perguntas que o filme não responde. Nenhuma informação verbal, nenhuma imagem de ambientação. Nem nos é dito se, porventura, é lá que mora Deutrudes. O título do filme estabelece uma relação entre Deutrudes e um determinado espaço, não há dúvida. Mas essa relação é vaga e hipotética, esse espaço é abstrato. Por um lado, um vínculo com um espaço, um meio social; por outro, ele não está vinculado a esse espaço — está solto, desenraizado. As enquadrações de Raulino sabem expressar esse desenraizamento, com admirável precisão e sensibilidade no segundo plano do depoimento *in*. Voltemos à panorâmica do depoimento. Disse que no início do movimento, antes de Deutrudes entrar no quadro, a paisagem urbana fica um tanto desfocada. Se essa paisagem representa o Jardim Nova Bahia, não sabemos; em todo caso é um bairro operário que é possivelmente o dito Jardim: é apresentado, mas, com o ligeiro desfoque, já se cria uma certa distância. O bairro filmado está situado num morro, de modo que as casas, que formam um conjunto tipo BNH, vão como que se empilhando num plano que tende à verticalidade. A distância focal — que, como já vimos, não está preparada para filmar o bairro, mas sim o primeiro plano que virá logo a seguir — provoca um certo achatamento da perspectiva que aumenta a verticalidade, fazendo do bairro uma espécie de telão de fundo. Em primeiro plano, a câmera vai pegar Deutrudes. Não sei onde ele estava localizado na filmagem desse plano; provavelmente num lugar elevado, separado do bairro por uma depressão. Resulta disso e do achatamento da perspectiva que não há nenhuma continuidade espacial entre Deutrudes em primeiro plano e o fundo. A figura fica como que superposta ao fundo. Essa composição que a um tempo relaciona Deutrudes com o bairro pela superposição, mas os desvincula um do outro pela descontinuidade espacial, é a expressão sensível e gráfica desse desenraizamento espacial (e social) de Deutrudes, que a relação do título com o filme já nos sugerira.[2]

De modo geral, os planos de Raulino tendem a ser fechados, tendem a apresentar primeiros planos sobre fundos, o que isola seus "retratados" do contexto. Não é assim nas sequências da gafieira, mas é assim na primeira panorâmica e na apresentação dos operários na fábrica. Esse procedimento é totalmente diferente do que verificamos por exemplo em *Viramundo* ou *Maioria absoluta*, nos quais, além dos primeiros planos durante as entrevistas, o ambiente de trabalho é apresentado (com as características acima comentadas), nos quais vemos o interior e o exterior da casa do operário não qualificado, camponeses andando pelos caminhos do campo, planos esses que, quer pela composição, quer pela montagem, realizam uma integração entre os indivíduos e um contexto espacial e social. Em *Jardim*

Nova Bahia há, ao contrário, uma dissociação e uma relação que tende à abstração entre esse contexto e os indivíduos.

Esse vínculo ao mesmo tempo existente e inexistente que relaciona Deutrudes com o bairro, podemos estendê-lo à relação entre as pessoas. Falei, de forma provavelmente apressada, dos "amigos" que Deutrudes filma na praia. A rigor, nada permite usar essa palavra; ela me veio espontaneamente e a aceitei acriticamente. Se me perguntarem por que a usei sem me questionar, respondo o seguinte: esses dois homens estão presentes nas imagens de Deutrudes, tanto na estação do Brás como na praia. Na praia, eles ficam perto da câmera, e Deutrudes se detém longamente neles e só neles. Tudo isso sugere uma certa relação entre os dois homens e Deutrudes. Além disso, um dos dois "amigos" é o lavador de carros que aparece entre os dois primeiros planos de depoimento *in* de Deutrudes, o que, para dizer a verdade, não percebi na primeira visão do filme. Isso possibilita criar uma historinha mínima: o rapaz é colega de Deutrudes no posto de lavar carros e o acompanhou a Santos para as filmagens. Mas não deixa de ser sintomático que essa relação não seja feita de imediato (embora se possa alegar uma simples deficiência de memória fisionômica por parte do espectador): é que ela é frouxa. São provavelmente amigos ou colegas, mas nenhuma imagem expressa essa relação. Assim como na relação pessoas/espaço, os indivíduos entre si não se integram muito e suas relações tendem à abstração. Já falei dos "retratos" de operários na fábrica — figura sobre fundo. A panorâmica do início do filme capta vários homens, mas eles parecem uma fileira em que ficam um ao lado do outro, tendo cada um deles mais relação, pelo olhar, com a câmera que com os demais. O último e mais demorado plano da segunda sequência de gafieira mostra um homem em primeiro plano: está de costas para a câmera, no fundo pessoas dançam, mas não se estabelece uma real integração espacial entre o homem e o ambiente; ele tem a cabeça virada para a câmera; seu esforço para manter o pescoço torcido numa posição pouco "natural" deixa a musculatura em estado de tensão; seu olhar crivado sobre a máquina é particularmente tenso. Essa postura forçada em espiral é a própria imagem da angústia e da solidão, como se ele não coincidisse mais com ele próprio. Só num momento do filme, as pessoas se integram entre si e com o espaço: é a primeira sequência da gafieira — a mulher que dança sozinha apodera-se do espaço onde evolui com prazer, os corpos dos casais se entrosam num mesmo ritmo.

Retomemos o título do filme: em realidade, não se refere, como eu disse, a um lugar, mas a dois. O nome desse bairro é uma lembrança da Bahia, donde poderá ter vindo Deutrudes ou qualquer outro migrante. Sobre a primeira panorâmica que cobre esses homens que olham para a câmera, a primeira música do filme é uma canção de nostalgia: "Meu canarinho [...]/ me dá notícia do meu grande amor/ que foi embora e nunca mais voltou/ meu canarinho, meu beija-flor". E antes da panorâmica, após uma única cartela anunciando o nome da produtora, o filme abre-se com uma notícia de jornal cercada por um traço vermelho e apresentada em dois planos, cuja manchete é: NA ASA DO AVIÃO, UM PASSAGEIRO. Trata-se de um migrante baiano preso no aeroporto. Com ele "foi encontrada uma carteira profissional, comprovando que é empregado em uma indústria da capital, e um cartão indicando que está sob tratamento mental". Conclusão da notícia: "Além da demência, Elias sofre de saudade da Bahia e queria voltar nem que fosse pendurado na asa do avião".

Abrir o filme com essa notícia, que não se refere ao personagem principal, mas que, por justaposição, compõe um quadro geral de trabalho e nostalgia, traz uma grande novidade na filmografia que analisamos: a loucura. O tema não é desenvolvido, não será retomado após esses dois planos iniciais, mas lança uma luz nova.

A outra vertente

O velho e o novo
Cultura e loucura

O velho e o novo (*Otto Maria Carpeaux*) trata de Carpeaux, ensaísta e jornalista austríaco radicado no Brasil. O filme apresenta-se, nos créditos, como "uma reportagem filmada" e abre com uma passeata estudantil no Rio de Janeiro. A seguir, o escritor está escrevendo em seu gabinete ao som de um concerto; no último plano da sequência, um *travelling* percorre uma fileira de livros que se encontra sobre a escrivaninha, donde se corta para outro *travelling* sobre casas e portas de uma rua, abertura de uma sequência que mostra aspectos da cidade. A sequência seguinte inicia-se com o primeiro plano de uma moça, dentro de um carro. Ela é jovial. Trata-se de Lygia Sigaud, cuja participação fora anunciada nos letreiros. A câmera acompanha Lygia caminhando por ruas, passa diante de cartazes que dizem "A opção brasileira e suas perspectivas de luta" e "As fraquezas e deficiências da polícia secreta americana". Ela compra livros numa livraria: inicia-se então a primeira fala do filme; é um depoimento *off* de Lygia sobre si própria (ela estuda sociologia). Nós a vemos em casa estudando, depois na redação de um jornal e na universidade. Sobre essas cenas, Lygia informa que vai "colher dados e fatos sobre um homem cujo nome me acostumei a ouvir. Na redação do *Correio da Manhã*, onde ele trabalha, nas livrarias, nas bibliotecas, preciso descobrir o que há de mais íntimo sobre Otto Maria Carpeaux, judeu austríaco, expulso de seu país pelo nazismo". Essa parte do filme encerra-se com um teste cinematográfico que Lygia faz para participar do filme como "aspirante a atriz". O caráter ficcional é assumido claramente pelo filme a partir de uma citação de Bertolt Brecht: "Em todas as ações e movimentos de vossos personagens, buscai sempre o velho e o novo". O plural de "personagens" permite estender a noção ao próprio Carpeaux.

O velho e o novo é anterior à grande ruptura que traria *Lavrador* no cinema documentário brasileiro: em 1966, o locutor *off* ainda goza de grande prestígio. Maurício Gomes Leite rejeita o tradicional locutor, mas, para não abandonar de todo o sistema de locução *off*, ele o substitui por um personagem de ficção que fornecerá todas as informações que o realizador quer transmitir a respeito de Carpeaux. Embora não de todo dissolvido, o locutor muda de *status*: ele é identificado, é visto na imagem, faz as entrevistas com Carlos Drummond de Andrade e Alceu de Amoroso Lima sobre Carpeaux, fala na primeira pessoa, e os dados sobre Carpeaux são apresentados como resultado da pesquisa que está desenvolvendo. O filme não se apresenta como o transmissor de informações acumuladas previamente à realização, mas de informações coletadas e organizadas ao longo da realização.

Em realidade, Lygia não é a locutora ou narradora do filme, mas um personagem criado pelo narrador e que serve de mediação entre este, Carpeaux e os espectadores. Seu personagem é um artifício de composição, mas que, de qualquer forma, relativiza a posição onisciente e oculta do locutor tradicional — apesar de Lygia dizer *off* a totalidade do texto. Atrás dela, permanece presente o narrador, cuja atuação se evidencia pelo seguinte: a primeira sequência em que se vê Carpeaux é anterior ao aparecimento de Lygia. Inúmeras vezes, a câmera nos mostrará Carpeaux sem a mediação de Lygia, pois ela só o encontrará na última sequência. É o narrador que nos dá acesso direto a Carpeaux, embora o texto *off* que cobre essas imagens seja dito por Lygia. Por exemplo: Lygia assiste a filmes sobre a Segunda Guerra Mundial para se informar sobre a situação europeia de que Carpeaux fugiu: ela é mediadora dessas imagens. Logo a seguir vemos Carpeaux trabalhando em casa, com texto *off* dito por Lygia: ela não está presente, não teve ainda nenhum contato com Carpeaux, que ela não conhece — é mediadora do texto *off*, mas não das imagens nem da música.

Mediadora do narrador, Lygia foi escolhida também por outro motivo: é jovem ("Ele tem 66 anos, eu 22") e por isso se opõe a Carpeaux. Além de seu papel de pesquisadora, ela representa uma juventude universitária que recolhe a "lição" de Carpeaux: seu liberalismo, sua luta política, sua coragem de jornalista que levará o governo do estado a apreender edições do jornal e a silenciar o jornalista, conforme nos informa o texto, são como que um alimento intelectual e espiritual para Lygia e para a juventude que vemos na passeata de abertura do filme e em diversos outros momentos. É o velho e o novo.

A presença de Lygia no filme tem outro efeito: mediadora entre o narrador e o espectador, é também mediadora entre este e Carpeaux. Dentro das condições comentadas acima, Lygia se interpõe entre nós e Carpeaux. Se, por um lado, ela nos guia na busca de informações sobre o escritor e, nesse sentido, nos aproxima dele, por outro, por se interpor, ela nos distancia dele. E isso me parece de grande consequência.

Embora Carpeaux seja a figura central, o filme nos apresenta muito material em que ele não aparece: cenas europeias durante o nazismo e a Segunda Guerra; fotos de cidades europeias por onde passou na sua vinda para o Brasil; manifestações estudantis nas ruas do Rio de Janeiro na época da realização do filme; entrevistas com dois intelectuais; o episódio do Hotel Glória, quando diversos intelectuais se manifestaram contra a reunião da OEA; uma longa sequência em que Carpeaux não aparece, iniciada com o letreiro "Carpeaux narra o filme", além dos trechos já aludidos referentes a Lygia. A todos esses elementos de contexto, Carpeaux está vinculado: contexto de sua vida europeia, contexto de sua luta política; esses elementos são acompanhados de texto dito por Lygia sobre Carpeaux ou textos de Carpeaux ditos por um locutor; no entanto, apesar da forte presença de Carpeaux, sua figura tende como que a se diluir nesse contexto. Essa relação Carpeaux/contexto está sugerida na apresentação do título em duas cartelas: na primeira, lemos "O Velho e o Novo"; na segunda, o nome do escritor que completa o título vem entre parênteses. Embora o filme gire em torno de Carpeaux, a apresentação gráfica do título valoriza o processo, relativizando o personagem principal. Essa relação expressa pelo grafismo do título está plenamente confirmada pela maneira como o filme apresenta Carpeaux. Ele aparece em nove sequências que são centradas sobre ele: nas seis primeiras, está em casa, seja sozinho, escrevendo, lendo ou ouvindo música, seja com a esposa; na sexta sequência, apronta-se para sair de casa; na sétima, passeia sozinho em Ouro Preto, contemplando a arquitetura; a oitava e penúltima sequência do filme se compõe de fotografias fixas de Carpeaux andando na rua em direção ao *Correio da Manhã*, na redação e nas oficinas do jornal; finalmente, na última sequência, caminha na rua, ao lado de Lygia, com quem mantém uma conversa que não ouvimos; no último plano, andam em plano americano em direção à câmera, que recua mais rapidamente (zoom) do que eles avançam, o que os deixa em plano geral, perdidos na paisagem urbana; sobre a parte final desse plano, vem sobreposto o letreiro "O Novo". O tratamento visual dado a Carpeaux o isola do contexto. Seu hábitat é a tranquilidade de seu gabinete de trabalho, repleto de livros, onde se ouvem compositores clássicos, de Bach a provavelmente Beethoven. Os livros, ordenados na biblioteca que fica atrás da mesa de trabalho e numa fileira em cima da própria mesa, têm uma importância fundamental: inúmeras vezes a câmera os descreve em longos *travellings*. Capas ou lombadas destacam nomes: Hemingway, Horácio, Kafka, Joyce, Dante. É um desses *travellings* que introduz a sequência de vistas do Rio referida acima; de fato, uma semelhança visual entre os livros filmados em *travelling* e as portas do plano seguinte mostradas também em *travelling* nos dá a impressão de que o segundo plano é o prolongamento do anterior. Num plano, Carpeaux está mergulhado atrás da fileira de livros que deixa aparecer apenas a parte superior de sua cabeça. Num outro, o último dos planos de Carpeaux à sua mesa de trabalho, ele olha fixamente a câmera, e entre os dois se interpõe a fileira de livros. Não por casualidade, Lygia foi vista no início do filme circulando numa livraria e comprando livros. O papel atribuído aos livros justifica provavelmente um plano que, à primeira vista, causa estranheza na cena da livraria. Em todo o filme (com exceção do material de arquivo na sequência do nazismo), a câmera mantém-se no nível do "olho humano". Se, algumas vezes, Carpeaux é focalizado em câmera alta, é porque está sentado, e a câmera mantém o ângulo de "um homem em pé". Uma câmera alta quase vertical no plano em que Lygia compra livros rompe esse comportamento, e não se entende a razão dessa brutal mudança de ângulo. Posteriormente, percebemos que ela nos alertava para um dos polos de significação do filme: os livros. Após esse plano, a câmera volta a sua angulação habitual para, uma última vez, optar por uma forte câmera alta, no momento em que Lygia entra na redação do jornal. É mais uma chamada para outro polo de significação: o jornalismo. Os dois planos em câmera alta destoando do regime de angulação adotado pelo filme sugerem e prefiguram a tensão na qual vai ser colocado Carpeaux entre a dedicação à cultura livresca e o jornalismo.

Os livros, dizia, criam uma espécie de muralha que isola Carpeaux do mundo e atrás da qual ele se protege. As sequências seguintes não alteram essa imagem: passeio solitário por Ouro Preto; no jornal, lugar onde publica os artigos que indispõem o governo, está presente, mas em fotografias *fixas*; na última sequência, finalmente ele caminha numa rua do Rio — é uma rua tranquila e arborizada, bem diferente daquelas agitadas onde ocorrem as passeatas. Um intelectual comodamente instalado em sua torre de marfim? Não é essa a impressão que passa. Se por um lado vemos um homem imerso em livros e na cultura europeia, por outro, exatamente em cima das imagens que mostram o nome de grandes escritores, ouvimos a voz de Lygia: "1964, março, 31"; é a data do golpe militar. Há uma tensão entre a informação visual e a sonora: o golpe rompe essa tranquilidade da vida cultural. Lygia tira a lição dessa tensão: "Um outro trabalho começa. Para Carpeaux já não é uma sobrevivência. É uma vivência que luta". A seguir, três fotografias fixas de João Goulart discursando com veemência (provavelmente durante o comício da Central), mais algumas do ex-presidente, provavelmente no aeroporto de Brasília, pouco antes de deixar a capital. Voltamos a Carpeaux com o plano descrito acima: atrás da fileira de livros, olha intensamente a câmera. Corte para um letreiro: "Carpeaux narra o filme". Nesse momento, o filme procede a uma operação curiosa e complexa. Com a mudança de situação política, Carpeaux afasta-se de seu universo literário e musical para assumir um papel político, o que vai se dar, em sua qualidade de escritor, pela palavra, pelo discurso. O fato de Carpeaux assumir, pela palavra, uma atuação política é expresso por uma mudança de *status* de Carpeaux dentro do discurso que trata dele, o próprio filme: ele assume a narração do filme. Esse letreiro vem complicar o que dizíamos no início sobre o locutor e o narrador. Temos uma segunda mediação narrativa a reger o filme: de objeto do filme ou das indagações de Lygia, ele passa a narrador (ou é apresentado como tal) — essa é a maneira encontrada pelo narrador para explicitar a passagem de Carpeaux para a ação política. A sequência aberta por esse letreiro começa com uma parte intitulada "I — Terra", que apresenta cenas de ruas, bairros populares, trem de subúrbio (únicas imagens que saem do meio social onde o filme se ambienta), vitrinas, cenas de alguma Feira das Nações com mulheres em trajes folclóricos, provavelmente austríacos, nada que seja particularmente expressivo de uma tensão social e da nova situação política, ou até, talvez, imagens que mascaram essa tensão. E, sobre essas imagens, um texto *off* de Carpeaux (o primeiro de sua autoria lido no filme), e quem o lê é a voz de um locutor que não tínhamos ouvido até então. Esse texto, justamente, fala de linguagem, mais precisamente de linguagem disfarçada: "Língua esópica é arte de falar de alguma coisa parecendo falar de outra [...]. A necessidade do uso da linguagem esópica não é tornar o discurso incompreensível, mas torná-lo comunicável". Carpeaux qualifica dessa forma a linguagem meio disfarçada que se passou a usar depois do golpe. É sutil e até brilhante a maneira como o filme constrói a mudança de atitude de Carpeaux e a mudança de qualidade de seu discurso. Mas é pouco clara: a compreensão da operação feita pelo filme exige um tranquilo exercício de reflexão e decodificação. Além disso, até hoje, não consigo entender com segurança o título das três partes da sequência: "Terra", "Ar com Martha" e "Mar". "Terra", além do texto já citado, traz um outro ironicamente antimilitarista, donde extraio o seguinte trecho: "[...] então a ordem jurídica será restabelecida pelas baionetas, em cima das quais o governo em exercício perpétuo tomará assento. Diz Marx que 'com baionetas se pode fazer tudo, menos sentar em cima delas'. Será assim paralelamente mobilizado corpo de médicos para cuidar das eventuais feridas da retaguarda do governo". "Ar" apresenta imagens de aeroporto. Um avião levanta voo, talvez alusão ao exílio de brasileiros naquela época; as imagens dão destaque a uma moça nunca vista anteriormente e que não reaparecerá, e vêm acompanhadas por um texto que se refere às características kafkianas de certos países — essa parte encerra-se com o luminoso de um hotel situado próximo ao aeroporto: "Novo Mundo". Como entender isso? Talvez da forma seguinte: Carpeaux veio para o Novo Mundo (outro sentido da palavra "novo" do título), fugindo do fascismo; agora, outros fogem do fascismo do Novo Mundo. "Mar" mostra cenas de praia, enquanto o texto faz comentários irônicos sobre a obsolescência da Marinha de Guerra na guerra moderna. O último plano dessa parte é uma bandeira: "Libertas quae sera tamen". A câmera se afasta: não é uma bandeira, mas a camiseta de uma banhista. A isso ficou reduzido o lema dos Inconfidentes, ou, então, finalmente, o lema encontrou uma função — a de amoldar seios bem desenhados. A referência a esse lema enriquece o sentido do passeio por Ouro Preto, que deixa de ser apenas cidade histórica para se tornar também a sede da Inconfidência. Esses eventuais elementos de análise não satisfazem. É certo que os três elementos naturais citados referem-se aos três ramos das Forças Armadas, que são, dessa forma, significadas sem serem diretamente mencionadas. Mas é só, ou há outras significações implícitas que nos escapam? A dificuldade de decifrar essa parte nos remete à linguagem cifrada — a linguagem esópica —, frequente naqueles anos de ditadura e que nem sempre se deixava decodificar facilmente.

Há provavelmente uma interpretação bem mais simples e imediata para o letreiro: "Carpeaux narra o filme" anuncia que os textos a seguir são de sua autoria. Mas essa interpretação claudica de modo significativo. Costuma-se usar "narrar" e "narrador" a respeito da voz *off*, principalmente no cinema documentário, para designar não o autor do texto, mas sim o leitor. Ora, no caso, Carpeaux é o autor. Os textos são lidos por outro. Quem não conhecer a voz do escritor ou não perceber que a que se ouve não é a sua, ou quem não identificar a voz trabalhada de um locutor profissional, poderá lembrar-se da informação dada nos créditos: "Leitura dos textos de Otto Maria Carpeaux: Tito de Lemos". Essa medida terá sido provavelmente tomada devido à gagueira que dificultava a fala do escritor, mas o efeito é outro: Carpeaux assume o filme, Carpeaux passa à ação, Carpeaux muda seu discurso, no entanto não assume a palavra. Há um efeito de distanciamento. Embora a situação política tenha tirado Carpeaux de seu reduto livresco, é como se não chegasse a concretizar plenamente a ação. O não comparecimento de sua voz nesse momento crucial do filme corrobora de certa forma a impressão deixada pelo tratamento visual que lhe é dado. Essas considerações sobre a voz podem ser estendidas: em nenhum momento do filme Carpeaux fala. Há duas sequências em que o vemos falar — uma vez no seu apartamento, a outra na sequência final com Lygia —, mas sua voz não é reproduzida: uma boca articula palavras que não são ouvidas. A própria Lygia não tem nenhuma fala *in*, a não ser nos dois momentos de som direto — as entrevistas com Carlos Drummond de Andrade e Alceu de Amoroso Lima. Esse tratamento sonoro, cuja origem poderá ser a precariedade da produção, nos distancia do que vemos, como se os personagens não assumissem plenamente seus papéis, como se permanecesse sempre um obstáculo entre eles e nós, entre eles e sua ação, o que acaba dando um tom melancólico ao filme.

"Carpeaux narra o filme": a contrapartida da fala será o silêncio a que o governo acaba reduzindo Carpeaux em decorrência de seus artigos antimilitares e antiditatoriais. Na parte final da locução, que incide sobre a penúltima sequência, Lygia declara: "Forma-se o cerco contra Carpeaux. O que a polícia não fez, o silêncio começa a fazer. Após dezesseis anos de atividade diária no jornal, sua voz é abafada". A última sequência se abrirá no mais completo silêncio, entrando uma música suave apenas no final do último plano, depois do aparecimento do letreiro "O Novo". Esse é o silêncio imposto pela ditadura. No entanto, o silêncio, no filme, está carregado de ambiguidade. Primeiro por causa de tratamento sonoro que já comentei — como se esse silêncio já estivesse embutido no filme, de forma latente, antes mesmo de ser repressão ditatorial. Em segundo lugar, porque, antes de Lygia falar de silêncio, o poeta Carlos Drummond faz, na entrevista, uma digressão que valoriza o silêncio: "A melhor coisa da amizade é o silêncio... isso ele [Carpeaux] prometia, que da próxima vez que nos encontrássemos, ele guardaria silêncio. A maneira mais interessante das pessoas se comunicarem. E realmente, ao longo desses vinte e cinco anos de amizade que eu tenho por Carpeaux, eu noto que o silêncio tem funcionado em nossa amizade mais ativamente que um diálogo [...]".

Os planos da última sequência representam um ponto de chegada positivo: finalmente, pela primeira vez, Carpeaux e Lygia encontram-se. Mas esse encontro não deixa de ser bastante melancólico: a conversa que não se ouve, o silêncio até a entrada da música suave, a fotografia estourada que cobre as imagens de um branco leitoso. Há uma tensão entre esse final — a quase total ausência de vozes *in*, a total ausência da voz de Carpeaux, a maneira como foi apresentado (em seu gabinete, em Ouro Preto: retraimento; e na redação do jornal, lugar da luta, mas em fotografias *fixas*, já imobilizado), elementos que nos distanciam dele e o distanciam do palco dos acontecimentos com o qual se relaciona pelo verbo — e, por outro lado, a agressividade audaciosa de seus textos. É como se essa coragem e os riscos assumidos chegassem a um magro resultado. A coragem de enfrentar verbalmente a ditadura militar como que se esvai melancolicamente num mundo de palavras, mesmo corajosas, e de silêncios. Uma ação corajosa mas ineficiente, talvez inadequada. Para recuperar o desgaste dessa coragem, uma frase de Carpeaux que incide sobre imagens de pessoas solitárias em ruas do Rio de Janeiro, logo antes das fotografias fixas na redação: "Nesta hora de desolação, só nos conforta saber que os inimigos também são criaturas mortais [...] esta noite não é a última noite... e haverá uma aurora". É o velho tema compensatório do "amanhã que canta".

Esse tom acaba envolvendo a sequência do Hotel Glória; nove artistas e intelectuais manifestam-se diante do hotel onde se realiza a reunião da OEA de novembro de 1965, "exigindo a redemocratização do país e o respeito aos direitos universais do homem" (texto lido por Lygia). O resultado desse ato aparece no recorte de um jornal francês: "Le cinéma novo en prison". Essa ação corajosa é tragada pelo mesmo movimento que acaba na aurora.

Todos os intelectuais que participaram da manifestação do Hotel Glória são apresentados. Entre eles, Glauber Rocha, que vemos filmando uma cena de *Terra em transe*, que estava realizando na época. Esse dado nos fornece uma referência cronológica para *O velho e o novo*, mas também uma referência ideológica. Após o golpe de 1964, um setor do cinema brasileiro dedica-se a um intenso trabalho crítico e autorreflexivo em torno do intelectual. *Terra em transe* é o filme mais agudo dessa crise. Para o personagem principal do filme, Paulo Martins, "a política e a poesia são demais para um só homem". Entre a política reacionária do senador e o populismo do governador, entre a poesia e a política, a ação legal e a guerrilha, a ternura e a violência, Paulo naufraga. *Terra em transe* é o filme agônico de uma intelectualidade que vê desmoronar todo seu sistema de valores e princípios de ação.

E nos interrogamos sobre os valores que informam a luta levada adiante por Otto Maria Carpeaux e outros personagens de *O velho e o novo*. Amoroso Lima comenta o jornalismo político de Carpeaux: "Como naturalizado, ele traz para a política brasileira uma noção de universalidade que é extremamente necessária para que nós saiamos dessa política provinciana, desse isolamento que muitas vezes os problemas são colocados de modo deformado [...] a política local e nacional de um país está na base de princípios universais". Esse depoimento nos dá a imagem de uma intelectualidade, sem dúvida combativa, mas voltada para princípios "universais" e liberais singularmente ineficientes na situação ditatorial. Ela ironiza, ela luta, ela se compromete, mas seus textos e suas ações podem não passar de doloroso lamento da inadequação de seus princípios e de sua luta. Ao falar da luta indiscutivelmente corajosa de um desses intelectuais, é esse doloroso sentimento que o filme acaba provocando com todos os mecanismos de distanciamento e retraimento que analisei. Desses princípios, uma visão que beira a derrisão nos é fornecida por um texto de Carpeaux que aparece escrito na tela quando ele comenta as diversas cidades pelas quais passou na sua viagem em direção ao Brasil fugindo do nazismo: "Paris — Passando por lá, fugitivo, economizei uma hora para visitar os quadros dos impressionistas no Jeu de Paume, e as deliciosas criaturas de Renoir e Degas pareciam sair das molduras, cantando: 'Allons, enfants de la patrie...'".

Os créditos de *Cultura e loucura* informam que o filme se refere a um "debate realizado no Museu de Arte Moderna, Rio de Janeiro, 1968", e que participam do filme Rogério Duarte, Lygia Pape, Luís Saldanha, Caetano Veloso e Hélio Oiticica. Afora os créditos, o filme, em preto e branco, compõe-se de onze planos, todos com câmera fixa, cuja duração varia entre 1'17" e 17". Os três primeiros, entre meia figura e primeiro plano, apresentam Rogério Duarte sobre fundo escuro, sucessivamente de frente, de perfil voltado para a esquerda e de costas: veste um capote militar com uma flor branca na manga. Obedecendo exatamente ao mesmo sistema, os três planos seguintes apresentam Lygia Pape; no primeiro ela está de blusa escura sobre fundo branco; nos outros, de blusa clara sobre outro fundo, também branco. Segue uma ponta preta que, pela ordem das personalidades citadas nos créditos, corresponde a Saldanha. Caetano aparece nos três planos seguintes, de camiseta florida sobre fundo branco listrado horizontalmente, respeitando o mesmo sistema de apresentação dos artistas anteriores. Finalmente, uma fotografia fixa, bastante escura, de Hélio Oiticica, de perfil para a esquerda.

Sobre essas imagens elaboradas em 1973, incidem fragmentos do debate referido. O primeiro fragmento começa no meio do plano inicial de Rogério Duarte e o último acaba no último plano de Caetano. Supõe-se que as vozes dos debatedores correspondam às pessoas mostradas nas imagens. Essa afirmação pode ser feita no caso de Caetano, cuja voz é conhecida. Mas não é sistemático: os planos de Lygia Pape são cobertos por uma voz feminina, provavelmente a sua, mas no meio do último plano entra uma voz masculina. Em segundo plano sonoro, ouvem-se risos da plateia, que reage aos pronunciamentos dos debatedores. Compõe ainda a faixa sonora a *Marselhesa*, cantada em francês: ela ocupa o primeiro plano sonoro entre os fragmentos do debate e fica em perspectiva durante as falas. A *Marselhesa* entra após o primeiro fragmento do debate e termina no fim do plano de Oiticica.

Os personagens ficam estáticos e, quando de frente, olham no eixo da câmera imóvel, colocada perpendicularmente ao fundo. Um gesto apenas, o de Rogério Duarte, que, no plano inicial, cruza os braços; senão, são apenas piscar de olhos e leves contrações faciais provocadas pela imobilidade prolongada. O modelo dessas enquadrações é a foto 3 × 4; o procedimento é o da identificação policial. A montagem dura faz os planos se sucederem como peças de acusação. A enquadração rigorosa e fixa tranca os artistas num espaço concentracionário. São artistas submetidos, oprimidos pelo poder policial, pela ditadura. Duas ausências: a ponta preta no lugar de Saldanha, a foto de Oiticica no lugar da filmagem ao vivo — sabemos ser a expressão da presença-ausência de artistas então exilados.

Nesse universo de opressão e imobilidade, a faixa sonora faz contraponto. A primeira fala é: "Atenção, eu preciso falar! Atenção,

atenção, eu quero falar!". Os artistas tomam a palavra para abrir um espaço que a faixa imagem interdita. "Toda coisa criativa é um lance de loucura", diz Rogério Duarte. "É a própria vida, é a loucura que faz o homem [...]. A loucura para mim significa uma abertura, uma liberdade, um sentido de criação e de invenção", afirma Lygia Pape. Intensos risos femininos acompanham a declaração de Duarte: "E na Bíblia, que é a coisa mais criativa que existe, é uma loucura permanente [...] corpo, pão e vinho, é a própria LSD [...] e o vinho é o sangue, o corpo é o pão e batismo no rio Jordão, uma pomba que desce não sei daonde [...]". Nesse mundo de loucura, a importância do artista não fica assegurada: terá ele outro papel além do de "palhaço nessa grande farsa que é a cultura brasileira"? Mas nem todos os fragmentos mantêm esse impulso. A voz que incide sobre a ponta preta diz: "É que eu sou muito garoto ainda, entendeu? [...] eu não quero falar muito, porque não sou muito bom ainda nisso, eu quero aprender mais [...] portanto eu peço que não me encham muito o saco". Ou então compara-se o processo cultural com a leucemia. O debate deve ter sido qualificado de "masturbação mental" por alguém da plateia a quem um artista tenta responder. Pela resposta de Caetano Veloso, fica-se sabendo que alguém perguntou até que ponto os artistas poderão resistir à tensão a que estão sendo submetidos. E Caetano faz a única afirmação do debate que se abre para o futuro: não pode responder, só a continuação de seu trabalho o mostrará. Finalmente a pressão policial se faz presente na sala. Um artista acusa uma ala da plateia de estar tomando uma "atitude quase policial", e sobre essas últimas palavras encerram-se as falas. A pressão policial não se faz presente apenas na imagem; está também no próprio meio intelectual em que vivem os artistas. Se o início das falas é mais alegre e afirmativo, no final os artistas sentem-se acuados pelo próprio público que veio ouvir/participar do debate e tendem a ficar na defensiva, com exceção da frase citada de Caetano.

Coroa tudo isso o canto revolucionário e libertário da *Marselhesa*. O hino é cantado por um solista acompanhado de coro, com uma rica orquestração. Essa interpretação pomposa, longe de remeter à liberdade e à luta revolucionária ou cívica, é antes uma patriotada opressora com todos os seus violinos e instrumentos de sopro. Possivelmente, o autor do filme terá atribuído à *Marselhesa* a função de apontar para a liberdade e a libertação, o que poderia até ter ocorrido, não fosse essa orquestração monumental (quão diferente da *Marselhesa* desafinada assobiada por Aloysio Raulino, bêbado e vestindo um uniforme militar rasgado, no final de *O noivo da morte*, de Walter Rogério). Mas a orquestração escolhida a torna um chavão cívico e uma opressão. Se realmente houve a intenção de usar esse hino como bandeira de liberdade, o tiro saiu pela culatra. Fica assim realçado quão disparatado é usar o hino nacional francês como aceno para a liberdade no quadro político e cultural brasileiro, mesmo que se alegue que a censura exigia alusões e não referências diretas. Longe de ser um grito de libertação, uma resposta à opressão, um projeto de liberdade, esse hino não faz nada mais que prolongar uma velha atitude da intelectualidade liberal brasileira que consiste em aludir à França como um ideal de liberdade abstrata, a-histórica, apolítica — ideal hoje plenamente superado pelo civilismo e militarismo convencionais. Esses estouros sonoros de uma *Marselhesa* faustosa mais oprimem os artistas do que sugerem sua sede de liberdade e, se sede de liberdade há, ela é vaga, desorientada, desprovida de um projeto. A explosão do "liberté, liberté chérie" soa ridícula, irrisória. De eventual canto de liberdade, essa majestosa *Marselhesa* passa a ser um hino fúnebre solene e grotesco.

O sentido das imagens se desloca. Se elas exprimem a opressão policial, exprimem tanto quanto a paralisia, a catalepsia. Nessa situação de opressão, os artistas como que não têm resposta, seus corpos ficam obedientemente congelados diante da câmera.

À passividade do corpo no espaço circunscrito da tela, tentam responder os voos verbais da loucura emitidos por vozes desvinculadas de corpos, mas esses voos revelam-se fracos diante da força da imagem. Eles acabam tendo uma função compensatória diante de uma situação de opressão, sem conseguir se tornar nem uma resposta, nem um projeto autônomo. Esses artistas e sua *Marselhesa* são indefesos e tão suicidas quanto vítimas da opressão. O filme oscila entre por um lado denunciar a repressão, acusar a ditadura, como que afirmando "a isso nos reduziram", não sem um certo tom de autocomiseração; por outro, revelar a impotência. *Cultura e loucura* é extremamente doloroso, mais pelo sentimento de impotência que emana dele que pela denúncia da repressão. Uma intelectualidade massacrada? Mas também uma intelectualidade que se entrega ao massacre.

O rigor mecânico das enquadrações e a sucessão dos planos nos remetem à opressão policial. Podemos nos perguntar — esta é a questão principal do filme — por que o realizador adotou um estilo que nos remete por *analogia* à atitude policial. Por que a situação de opressão não é significada por um sistema que não adote a própria forma policial, que se referiria a ela sem imitá-la? De toda evidência, referir-se à opressão não há de ser necessariamente feito por um processo mimético. Me pergunto se, além de nos dizer que esses artistas são vítimas da ditadura, o filme, ao optar por uma representação analógica, não nos sugere também que eles aceitaram o papel de vítimas, como se se entregassem ao carrasco. E até mesmo se não há um certo prazer nesse oferecer de si uma imagem de vítima. São duplamente vítimas: da ditadura e do ato simbólico que é o filme. Ao descrever assim os artistas como vítimas, o autor reforça a opressão ditatorial e, ao mesmo tempo, tenta puni-la no próprio corpo dos artistas. Projeto, realmente, esses artistas acabam tendo: é o de se ver pelos olhos da ditadura, de serem vítimas que cantam com vozes cortadas de seu corpo estigmatizado. Só a voz de Caetano escapa.

Penso que o filme não foi feito com essa intenção, mas com o propósito de denunciar a opressão. No entanto, realizado com tanto rigor que acaba dizendo mais que seu provável intuito original previa. Vítimas da ditadura, esses artistas e sua tão retumbante quanto oca *Marselhesa* acabam, numa atitude paranoica, se oferecendo ao sacrifício. A dor que o filme causa — ou me causa — não se deve exclusivamente à constatação-denúncia dilacerada da opressão, mas ao que ele sugere a mais. A petrificação dessas figuras será só efeito da repressão, uma fachada atrás da qual fervilha uma vida reprimida? Ou sinistras figuras de cera de que a vida se retirou? O sacrifício e a morte introjetados? Mudas, nas imagens, porque não as deixam falar, ou mudas também por não terem mais o que dizer, a não ser que são vítimas, a não ser esse ingênuo apelo a uma liberdade abstrata e fossilizada? O que sobrará a quem se reduziu ao papel de vítima, se se despojar desse papel?

O outro é um segredo?

Gilda

Destruição cerebral

Iaô/Mito e metamorfoses das mães nagô

O filme abre-se sobre o retrato emoldurado de uma mulher sorridente com longa piteira e quepe de marinheiro que lembram musicais norte-americanos dos anos 40 e 50. O retrato é uma fotografia retocada e colorida a mão, num estilo popular tradicional. Desafinando, uma voz feminina *off* canta alguma cançoneta americana, à base de "I love you". Alguns planos interiores e exteriores da casa, e depois Gilda, em primeiro plano de perfil, começa seu depoimento, ora *in*, ora *off*: "Meu nome é Jovina de Oliveira, meu nome é Jovina, mas o segundo é de... Gilda... é de filmes, porque fiz o filme de *Gilda*. E... eu... não sai mais esse nome de Gilda, de mim, porque ficou gravado na história. Minha história é um romance [...]".

O depoimento gira constantemente em torno dos mesmos temas, as informações se repetem em círculo vicioso: ela filmou com Glenn Ford, Clark Gable, fez mais de quinhentos filmes, dos quais o mais célebre é *Gilda*, por isso ela é a "famosa Gilda de Campinas". Ganharam muito dinheiro com os filmes que ela fez e com a sua vida, mas nunca recebeu nada, e acabaram por lhe dar uma casa: quem deu foi Quércia, "prefeito" e "senador" após doze anos de noivado, mas ele nunca foi visitá-la. Ela teve muitos namorados além de Glenn Ford e Quércia, entre eles Francisco Alves, Agnaldo Rayol, Marcelo Costa. Deveriam lhe dar um cinema para ela ganhar dinheiro, mas ela só ganha o ingresso de graça numa sala. A faixa sonora se compõe apenas do depoimento de Gilda e das suas cançonetas americanas; não entra nem música, nem voz de entrevistador ou locutor.

Pode-se dividir *Gilda* em três partes. Tomadas diversas de Gilda, sua casa modesta, seus objetos *kitsch*. Prepara-se para sair, calça sapatos, experimenta dois chapéus sofisticados iguais, um branco, outro vermelho. Sai de casa, caminha pela rua, aproxima-se do cinema, um espectador compra um ingresso, ela entra de graça no saguão do cinema, e finalmente fica cantarolando a "Valsa do adeus" na frente do cinema, em plano geral, quando o resto do filme trabalha principalmente com planos fechados. Entram então a cartela do título, *Gilda*, e os créditos. O filme não revela maior preocupação com continuidade: quando se apronta para sair de casa, Gilda está de chapéu branco; sai sem chapéu; após um detalhe da chave na fechadura, ela caminha na rua de chapéu vermelho.

Em 1973, esse filme choca: ele se concentra num caso singular, se fixa numa atitude descritiva, em nenhum momento dá chaves que permitam uma generalização, que possibilitem alcançar, por meio do personagem, uma questão mais ampla. Fechado sobre o personagem, *Gilda* descamba para o exotismo social, para o mundo cão, com sua louca, suas canções desafinadas, suas rugas e seu olho vazado, perfeitamente nítido nos primeiros planos. Gilda não se deixa recuperar pelo sistema de significação dominante no modelo sociológico.

O que fazer com esta louca, quando o realizador do filme diz apenas, ou parece dizer: há uma mulher assim, Gilda é assim? Ele não procura explicações, não fornece dados biográficos, não analisa, não está apresentando um caso patológico a que confira dignidade científica, e intitula pura e simplesmente o filme com o nome da pessoa — o que nenhum dos filmes até agora estudados fizera. É evidente que, diante do modelo sociológico que usa as pessoas como tipo ou amostra, diante dos documentários que vão buscar assuntos já recortados e valorizados pela política ou pelas ciências sociais, *Gilda* afirma despudoradamente a esfera individual. E não é nem o nome da pessoa que é escolhido como título, mas o nome que, no seu delírio, ela se atribui. O cineasta aceita o delírio e em nenhum momento o questiona. Não aproveitar o caso individual para outra coisa chocou, ainda em 1973, quando a loucura não tinha feito senão uma tímida aparição no documentário brasileiro.

O autor foi também acusado de se aproveitar de uma doente mental indefesa e expor seu distúrbio aos risos da plateia. Gilda parece o tempo todo extremamente satisfeita em filmar. Pouco sabemos sobre seu passado. Um retrato de mocinha com adereços de estrela de cinema de décadas passadas. Ela exibe umas faixas de "Miss", "Rainha do Brasil", "Rainha do Carnaval" que podem indicar que, no passado, moça bonita, desfilou em passarelas, mas até isso é vago: o que nos assegura que as faixas são dela? O que realmente temos é sua convicção de ter sido uma grande estrela do cinema norte-americano, hoje injustiçada. O que esse filme pode justamente lhe proporcionar, no seu delírio, é um grande prazer e uma ilusão de reconhecimento: ela é filmada e, quem sabe, pela primeira vez na vida. Talvez seja esse segundo *Gilda*, em que ela ocupa o papel de primeira dama incontestada, que finalmente a realiza.

Então o espectador — ou o crítico — não pode ficar quieto: essa Jovina que se representa (ator natural) e que representa o personagem que seu delírio constrói, nesse *Gilda* ao segundo grau, permite desdobramentos. Estudos sobre a psicologia do espectador e sua relação com o cinema de ficção falam em mecanismos de projeção-identificação entre espectador e personagem; não raro percebemos fenômenos de mimetismo, em gestos, roupa, cabelo, nos devaneios, entre espectadores e personagens-atores. Jovina nada mais faz que, quixotescamente, levar essa identificação ao extremo, a ponto de perder a própria identidade. Isto é, ela radicaliza o que é latente em cada espectador ou em muitos deles, em muitos de nós, que colocamos freios nesse perigoso jogo da identificação. Ela vai até o fim de uma das formas de relacionamento que existe entre certos públicos e a mitologia hollywoodiana. Gilda acaba de sair de seu isolamento, e reconhecemos nela uma significação mais extensa que a sua singularidade. Ela se torna a potencialidade de cada fã de cinema.

No jogo duplo de Jovina que se toma por Gilda-Rita Hayworth (que ela cita apenas uma vez e de forma confusa), vemos também uma espécie de pastiche de uma estrela decadente, um irrisório *Sunset Boulevard* de Campinas. Isso nos abre para novas relações. Campinas foi, nos anos 20, um pequeno centro de produção cinematográfica com sonhos grandiosos — tornar-se uma Hollywood brasileira —, e diz a lenda que produtores locais teriam convidado os americanos Art Arcor e Louise Lorraine para estrelar seus filmes (esses atores teriam aportado ao Brasil, mas nunca chegado a Campinas). A 19 de julho de 1924, o comentarista de cinema da revista *Selecta*, Pedro Lima, coloca Campinas na lista das concorrentes ao posto de "Los Angeles brasileira", e, a 30 de agosto do mesmo ano, o produtor campineiro Felipe Ricci não tem mais dúvida: "Campinas está [fadada] a ser a Hollywood brasileira", escreve ele na *Gazeta de Campinas* (citado por Carlos Roberto R. de Souza, p. 158). Até que o delírio de Jovina é brando. Sua loucura não é tão particular quanto parece, mas a expressão de um traço da história do cinema brasileiro, tanto mais que Campinas e seus produtores não foram os únicos a sonhar em recriar Hollywood. Ao viver a miragem hollywoodiana, Gilda foi até o fim de uma das dimensões da história do cinema no Brasil.

A avassaladora presença do cinema norte-americano no mercado brasileiro, a sua quase que exclusiva dominação das telas por anos a fio teriam tido uma influência determinante sobre a mentalidade do público brasileiro, moldando os gostos e o imaginário dos espectadores, forçando projeções sobre atores e personagens totalmente desvinculados da realidade social e cultural do país. Essas ideias, um tanto mecânicas, são provavelmente bastante discutíveis, mas são usuais. Aí também Gilda foi até o fim: se o cinema americano molda o imaginário do espectador brasileiro, Gilda deixou-se moldar totalmente por ele, apresentando-se como o exemplo evidente do efeito alienante que teria esse cinema sobre os brasileiros, obliterando sua própria cultura. A loucura de Gilda é o sistema. Resta um sincretismo fantasmagórico em que Glenn Ford e Clark Gable convivem com Quércia e Francisco Alves.

Mas nesse delírio há um traço estrutural condizente com os mecanismos da indústria cultural numa sociedade capitalista: a relação entre mitologia e dinheiro. Gilda insiste em sua glória de estrela, que rendeu muito dinheiro, e em sua miséria atual. Além de reclamar dessa injustiça, pede que lhe deem uma sala de cinema, para que possa ganhar seu dinheiro. "Você acha que também não mereço? Acho que mereço, né?" Em vez disso, o gerente a deixa entrar de graça no cinema, só. Sobre isso, o filme insiste um pouco: o único plano em que ele se distancia de Gilda e seus objetos é aquele em que focaliza a bilheteria do cinema: um espectador paga e recebe um ingresso.

A não ser nesse único plano que nos puxa para fora do delírio de Gilda (e ainda poderíamos interpretá-lo apenas como uma maneira de salientar que Gilda entra gratuitamente no cinema), o filme, com sua atitude descritiva, não nos encaminha para nenhuma das interpretações e relações que fiz acima, mas tampouco as impede. Temos então de nos perguntar se a metaforização de Gilda em termos de história do cinema brasileiro ou de dominação cultural (ou em quaisquer outros termos que fossem: metáfora de caso clínico, preocupação com psiquiatria ou antipsiquiatria, por exemplo) não é obra, dessa vez, do crítico. Enquanto o cineasta se mantém estritamente (com exceção do plano comentado) na esfera do individual, o crítico cria relações que extrapolam essa esfera e manipulam o indivíduo. O método crítico está salvo, já que o filme acolhe tais interpretações que não ferem sua estrutura e que trabalham com o conjunto dos elementos que ele oferece. Talvez seja, nesse caso, o próprio crítico que não aceita que o filme se restrinja a uma singularidade. Se, por um lado, tais interpretações parecem enriquecer o filme, estender suas articulações com um contexto cultural mais amplo, se o levam inclusive a desvendar traços desse contexto ou a reencontrar nesse particular traços gerais eventualmente não suspeitados (diferentemente do modelo sociológico que sempre "suspeita" dos traços gerais latentes no particular), por outro, essas interpretações relegam, mais uma vez, para um segundo plano, os traços individuais, a voz rachada de Gilda, seu sorriso infantil no meio de um rosto depredado pelas rugas, as cores um tanto berrantes de suas roupas e dos objetos de que se cerca, a solidão em que deve viver e de que, respeitosamente, o filme a tirou por uns dias. O que não impede que recusar tais interpretações implicaria não explorar a riqueza de significações potenciais do filme. *Gilda* nos coloca numa gangorra entre a esfera individual e a manipulação metafórica do indivíduo representado no filme, sendo que, no caso de *Gilda*, pelo menos, é absolutamente inaceitável ficar apenas com um dos extremos. Metaforizar o personagem implica manipulá-lo e empobrecer a esfera individual; portanto, da metáfora, corremos para a esfera individual para não perdê-la. Ficar na esfera do individual prejudica a abertura significativa do filme, e então corremos para a metaforização. Esse jogo sem fim só é rico e possível porque o filme se absteve de dar as pistas: teria sido fácil inserir alguma documentação referente ao ciclo cinematográfico de Campinas, ou algum cartaz do tipo *A dama do lotação*, em que a pose e o vestido de Sônia Braga lembram claramente a Rita Hayworth de *Gilda* (dentro da linha de interpretação que estou propondo). Só que então a gangorra desapareceria, pois o filme já ofereceria pronta a metáfora, e a estrita esfera do individual já estaria comprometida.

Uma sorte teve o cineasta: a fachada do cinema diante da qual filmou Gilda cantando a "Valsa do adeus" expõe a publicidade do filme que está sendo exibido, um *western-spaghetti* cujo título é *Meu nome é ninguém.*

Aliás, "nunca houve uma mulher como Gilda".[1]

A análise de *Destruição cerebral* — cujo título completo é *Destruição cerebral, esmagamento craniano, precipitação, fraturas generalizadas* — ficou gravemente prejudicada pelo fato de as tomadas de som direto serem praticamente incompreensíveis.

Destruição cerebral relata a trajetória final de Áureo Medina Barbosa, que se suicidou em Belém, jogando-se de um prédio, em 19 de agosto de 1974. Originário de Pontal, cidadezinha do interior do estado de São Paulo, foi para a capital, onde trabalhou como torneiro mecânico, constituiu família, frequentava o sindicato dos metalúrgicos e a Congregação Cristã no Brasil. Por motivos não explicitados e sem prévio aviso, Áureo abandonou São Paulo, viajou para Brasília, onde ficou horas, e daí para Belém, onde permaneceu dias; praticou uma tentativa frustrada de suicídio e finalmente uma segunda, bem-sucedida. Tendo permanecido várias horas em cima do prédio antes de se jogar, seu suicídio obteve grande repercussão em Belém.

A faixa sonora se compõe da voz de um locutor que lê, com certa neutralidade, fragmentos do noticiário, fornecendo sempre o nome do jornal, o dia e a data da notícia, criando assim um sistema de repetição mecânica ou litúrgica (pois quase todas as notícias datam do dia 20); e lê também fragmentos de cartas que Áureo mandou durante a viagem, à esposa, à irmã e sobretudo aos filhos. Embora o noticiário jornalístico e as cartas se oponham (a frieza do relato após a morte — a experiência vivida até o suicídio), não deixa de haver entre eles uma espécie de eco; à indicação um tanto obsessiva das fontes jornalísticas corresponde a meticulosidade quase maníaca das informações fornecidas por Áureo: que dia e a que hora tomou o ônibus para Brasília, que dia e a que hora chegou, que dia e a que hora fez a sua primeira tentativa de suicídio, quantos remédios tomou de quantos vidros, quantos comprimidos. Ouvimos também longas conversas, sempre *off*, entre a esposa, a mãe, o cunhado, a irmã e os filhos: embora incompreensíveis, percebe-se que eles fornecem dados sobre a biografia e a personalidade de Áureo, num esforço para entender o que aconteceu. O depoimento, também ininteligível, de duas pessoas que presenciaram o suicídio. Em segundo plano sonoro, mas assumindo às vezes um primeiro plano explosivo, a *Paixão segundo São Lucas*, de Penderecki.

A faixa imagem se compõe de recortes de jornais, notícias e principalmente fotografias tomadas momentos antes da queda, o cadáver; a família de Áureo, cujos membros são sempre tratados em forma de "retratos" individuais; fotografias de família; uma tomada de Pontal; tornos em funcionamento; a fábrica onde trabalhou; o templo da Congregação; documentos; tomadas nas ruas de São Paulo, dando uma visão sombria da cidade; a rodoviária de São Paulo e a de Brasília, bem como diversas tomadas da capital e de Belém; um mapa do Brasil.

Destruição cerebral é tensionado entre dois polos: a frieza meio jornalística, meio policial do relato que descreve o suicídio. Antes desse espetáculo sensacional, Áureo não era vedete do noticiário, o qual fornece detalhes sobre a ocorrência, mas deixa incompreensível a significação do acontecimento: o que houve com Áureo, o que isso tudo significou para ele? E o nível familiar que tampouco desvenda o enigma (afirmação que faço apesar dos problemas de som): a família fala, a câmera pousa — em planos geralmente longos e fixos, raramente um movimento, que então será lento e regular, com uma preferência para composições simetricamente equilibradas — sobre o rosto dos familiares. Tristes, abatidas, as crianças talvez se divirtam, mas nunca se sabe se o sorriso tenso é de brincadeira ou um esforço para conter o choro; fotografias de lugares que Áureo frequentou ou por onde passou. Tudo isso pode representar a tentativa de penetrar na intimidade de Áureo, mas fica numa pura exterioridade. Áureo passou por Brasília, mostra-se Brasília, registro de um roteiro que nada diz sobre o que Brasília possa ter significado para ele nos seus últimos dias. Entre estes dois polos: as cartas de Áureo e seus olhares e gestos nas fotografias fixas tomadas por jornalistas no alto do prédio, pouco antes do suicídio. É aí que nos aproximamos mais de uma eventual compreensão de Áureo. Talvez não seja correto dizer "entre estes dois polos", pois, apesar da frieza da imprensa e da emoção da família, o relato jornalístico-policial e a vida programada (vinda para a cidade grande, fábrica, família etc.) representam o mundo institucionalizado e exterior com o qual entra em tensão a intimidade de Áureo.

A montagem acompanha essa tensão. O filme não se organiza cronologicamente. Seguindo um sistema de abertura e conclusão que vimos em filmes anteriores, ele inicia com o atestado de óbito e se encerra com um plano simetricamente inverso. O plano de abertura é seguido pelas cartelas do título, um plano de Brasília, uma panorâmica vertical sobre o edifício em construção de onde Áureo se jogou; essa panorâmica começa sobre um carro Volkswagen de um vermelho luminoso que explode na tela. Após essa abertura, fotos de jornais e a leitura do noticiário colocam a situação (planos 8 a 19); o encerramento (108 a 124) retomará as mesmas fotos, mais algumas semelhantes, e mais uma principalmente antes de voltar ao atestado: a do cadáver, plano de conjunto, distanciado. O filme se fecha numa relação de exterioridade com Áureo. Entre a introdução e a conclusão, a montagem percorre constantemente São Paulo-Brasília-Belém, com uma incursão a Pontal, numa ordem desvinculada da sequência factual, e acompanha as referências das cartas (plano das crianças quando tais cartas lhes são dirigidas, de Brasília e de Belém, quando Áureo comenta sua viagem etc.) e muito provavelmente dos depoimentos dos familiares. Mas há algo a mais nessa montagem: esse repisar os mesmos lugares (as mesmas imagens quase) sugere uma insistência para compreender, volta-se sempre às mesmas coisas como para tentar extrair informações que a imagem acaba não dando. Esse repisar um tanto monótono acaba imprimindo à montagem um tom de litania. Por exemplo, os primeiros planos de familiares são os de número 20 a 28, 35, 36, 44 a 46, 54, 55, 63, 95, 98, 99, 104, 107; do 35 em diante, quase não encontraremos tomadas novas, mas apenas o prosseguimento de tomadas já utilizadas nos planos 20 a 28.

O que aconteceu com Áureo? Poderíamos optar por uma linha de interpretação psicológica. Nessa direção, parecem nos levar os depoimentos dos familiares. Conseguimos extrair da fala da família algumas informações truncadas: Áureo teria duas personalidades, uma religiosa, uma revoltada. Quando na sua vertente religiosa, era bom com as crianças. O fato de não ter sido criado pela mãe, mas por um avô alcoólatra, o teria deixado revoltado. Era contra o jogo, o cinema, a televisão — a que as crianças eram proibidas de assistir. Era insatisfeito com os governantes, pois os ricos ficam cada vez mais ricos, e mais pobres os pobres, e a esposa ou irmã acrescenta: se todos pensassem como ele, o mundo seria bem diferente. Ia ao sindicato, mas era contra a greve. O ponto fundamental de Áureo era a Bíblia, que lia assiduamente.

Mas não é por aí que nos encaminha o filme (ou talvez seja impressão minha ao tentar me equilibrar diante de um filme cujos longos momentos de som direto não podem ser devidamente apreciados). Outra explicação: poderíamos pensar que as dificuldades da vida proletária levaram Áureo a um gesto desvairado. O que não seria totalmente errado. Ficamos sabendo, por uma carta, que Áureo tinha planejado seu suicídio para mais tarde, pretendia trabalhar mais um ano a fim de aumentar os direitos dos filhos no INPS. Mas houve imprevisto; embora não tenha sido despedido da Cinpal (fábrica de autopeças, conforme as indicações da fachada; lembrar o carro vermelho), foi convidado a pedir a conta (motivos?) e então tudo se antecipou. Mas essa também não é uma explicação. Em todo caso, não é por esses caminhos que nos leva a música de Penderecki, que insiste sobre o caráter religioso da aventura de Áureo e sua grandiosidade trágica. Nem por aí nos encaminha o primeiro plano-imagem (nº 6), logo após o título. Trata-se de uma cruz indicativa dos pontos cardeais — monumento de Brasília localizado em posição simétrica no Eixo Monumental. Esse plano nos indica um tipo de composição que prevalecerá no filme, mas sua inserção naquele momento privilegiado (primeira imagem) é problemática. Brasília não foi nem o ponto de partida nem o de chegada da trajetória de Áureo, e nada de muito significativo lhe aconteceu nessa cidade, a julgar pelo conteúdo das cartas; foi apenas uma cidade de passagem onde ele não quis se suicidar. O terceiro piso da Estação Rodoviária teria tido altura suficiente, mas a capital era por demais próxima de São Paulo, poderiam enviar seus restos mortais à família, e não queria que ela fosse molestada. Gastou apenas algumas horas em Brasília, antes de seguir para Belém, que se localiza a uma distância suficiente de São Paulo. Os fatos acontecidos em Brasília são bem menos relevantes que os de São Paulo ou de Belém. O que determinou a localização desse plano é uma metáfora que nos encaminha para uma possível compreensão de Áureo. Em realidade, só compreenderemos essa metáfora mais tarde, quando a imagem voltar (a cruz é repetida no plano 50, após dois planos do templo da Congregação e um plano do livro *Congregação Cristã no Brasil — Ensinamentos diversos e artigos de fé*) e tivermos então dados suficientes para decifrá-la. A cruz no Eixo Monumental de Brasília sintetiza a religião e o poder político, parâmetros da aventura de Áureo.

Uma outra significação possível deve ser acrescida a essa análise do plano de Brasília. O plano seguinte é uma panorâmica sobre o prédio de onde Áureo se jogou e que se inicia sobre um carro de um vermelho chamativo, como já se disse. A junção Brasília-automóvel nos remete ao governo Juscelino Kubitschek, cujos dois grandes empreendimentos foram a construção da nova capital e a instalação do parque automobilístico. A montagem de *Destruição cerebral* imprensa os símbolos do nacional-desenvolvimentismo de Kubitschek, Brasília/automóvel, entre o atestado de óbito de um operário e o final da panorâmica: o prédio de onde se suicidou.

Duas cartas são esclarecedoras — pelo menos parecem nos aproximar do projeto de Áureo. Não dá para viver em São Paulo (o filme apresenta um retrato infernal da cidade: fantasmas automáticos andam numa paisagem urbana opressora), que lhe comeu dezesseis anos de vida, e ele quer se ver longe "das fábricas com suas artimanhas, seu esquema". Procura um lugar onde morar com os filhos, e acha: Belém tem mar, tem bosques com animais que descreve com detalhes. Áureo está à busca de um lugar utópico, longe do inferno industrial. E isso nem o sindicato nem os governantes resolverão. Mas então por que não levar a família para Belém, os filhos, pelo menos, a quem escreve com ternura, já que a família ele não suporta? Ou por que ele não vive sozinho em Belém, meio escondido, dedicando-se a atividades não registradas, como vender frutas ou pescar? Aventa essa hipótese, mas não seria uma solução, pois viveria "uma guerra interna insuportável". Áureo está dividido: não consegue "abraçar a pinga e o rosário e o livro", não consegue "unir a vida, a religião e a submissão ao Estado", não consegue "servir a dois senhores, nem agradar gregos e troianos". Ele busca um absoluto, a resolução de uma contradição, o acesso a uma síntese. Se Brasília não serve não é tanto por ser relativamente perto de São Paulo — é porque é ainda próxima demais dele próprio. O que ele procura é se distanciar de "mim mesmo, o que só conseguirei de um modo". A morte, a unidade absoluta.

Essa dualidade de Áureo está visualmente sugerida no filme. As fotografias tomadas no alto do prédio pouco antes da queda nos mostram um homem agressivo (defendendo-se contra a aproximação dos bombeiros que tentam convencê-lo a não se jogar), vestido de preto, um vasto bigode negro, um olhar angustiado. As outras fotos mostram um adolescente tranquilo, um pai de família pacato (o grupo familiar reunido numa cozinha), um homem enquadrado (a foto 3 × 4 do Certificado de Dispensa, a mais do que convencional fotografia de casamento, ambas apresentadas duas vezes).

Um único elemento destoa no projeto preciso e firme de Áureo: os filhos. Não lhes fala de sua intenção de morrer e suas tentativas de suicídio. Mente: está doente, poderá morrer, pois todo mundo morre, os avós já morreram. E especifica à esposa que os filhos não deverão saber o verdadeiro motivo dos fatos, "para não criar um fator psicológico negativo".

O interesse de *Destruição cerebral* é o confronto entre as instituições sociais (família, trabalho, jornalismo, Estado, sindicato etc.) e um projeto utópico que o filme não questiona nem aprofunda, mas simplesmente sugere com as palavras do próprio Áureo. E, se o filme limita-se a expor, não é por desinteresse, mas porque não consegue ir além. Não conseguiria ir além sem correr o risco de apropriar-se da experiência vivida de Áureo ou de reduzi-la por uma interpretação qualquer.

Nem a redução religiosa tipo "ópio do povo", nem uma redução psicológica (doença mental) ou sociológica (do gênero: o desespero proletário e uma insuficiente politização levam a explosões tresloucadas) permitiriam sentir o projeto utópico e fatal de Áureo. Simplesmente o filme só pode dizer da existência de uma outra consciência e apontar para ela (o que fazem a cruz em Brasília e o próprio filme), isento de qualquer explicação e julgamento. Podemos tentar nos aproximar, sentir, compreender, mas esbarramos sempre em algo irremediavelmente íntimo: o essencial.

Esse essencial toma a forma de um vazio em torno do qual o filme gira. Um duplo vazio. Essa consciência outra que não se torna um objeto de estudo e para a qual não se pode senão apontar. E esse vazio é como que materializado pelo fato de que o filme trata de acontecimentos passados, de uma pessoa falecida; portanto, a recuperação desse passado só pode ser feita graças aos vestígios que foram deixados, por aproximações, e nunca pela apresentação direta da questão. Esse vazio e esse distanciamento são perfeitamente sugeridos pela abundante presença de fotografias fixas, citações das fontes de jornais, documentos etc., e pela total ausência de fala *in*. A leitura em *off* dos jornais e das cartas não oferece novidade do ponto de vista sonoro, ao passo que as conversas *off* (talvez resultado da precariedade da produção) dos familiares em torno de Áureo, uma voz feminina à beira dos prantos, o choro de uma criança nos sugerem um espaço ao qual não temos acesso. Em oposição à redução sociológica ou psicológica ou outra, temos aqui uma consciência indevassada.

Tão indevassada que nem sabemos dos limites dessa consciência. Se, por um lado, temos uma história individual, localizada no tempo e no espaço, por outro, o que temos? O mito. Sem que eu tenha atualmente condição de explicitar essa questão, basta dizer que a viagem de Áureo parece nos remeter a outras viagens. Sua ida a Brasília, que pode ter tido um simples caráter episódico, ser até um erro de planejamento (não sei se na época havia ônibus fazendo o trajeto São Paulo-Belém), adquire um caráter mítico em sua trajetória (caráter apontado pelo filme: ida até o centro do poder que ele não aceita e onde não deixará seu cadáver) e um caráter mítico mais amplo: é a penetração no centro do Brasil, a busca ansiosa pelo centro do país, tão presente no imaginário brasileiro e retrabalhada, por exemplo, pelo célebre romance de Antônio Callado, *Quarup*. A viagem pelo Brasil não deixa de lembrar as migrações internas dos índios no século XVII, que reencontramos no relato de Darci Ribeiro sobre Uirá e que foi adaptado por Gustavo Dahl em *Uirá, um índio em busca de Deus* — busca essa que assume a forma de uma viagem que se encerra com o suicídio do índio.

Será útil, neste momento, fazer algumas considerações em torno de dois filmes: *Iaô*, que Geraldo Sarno realizou em 1974, e *Mito e metamorfoses das mães nagô* (1979), de Juana Elbein dos Santos. A tensão existente entre essas duas obras, que abordam aspectos do candomblé em Salvador, esclarecerá o ponto a que chegamos na evolução da relação entre o documentarista e seu "objeto".

De *Iaô*, que descreve a iniciação de três iaôs num terreiro Gege Nagô, salientarei apenas alguns aspectos. O filme descreve visualmente momentos do ritual, enquanto um locutor *off* completa verbalmente a descrição e expõe sua significação. O texto tece também considerações sobre a significação social do candomblé, apoiando-se em algumas entrevistas. Do texto *off* — que, conforme os créditos, inspira-se no livro de Juana Elbein dos Santos, *Os nagôs e a morte* —, extraio as seguintes frases: "A escravidão destruiu as formas sociais que o negro mantinha na África, [...] mas não pôde destruir os mitos e deuses que trazia no próprio corpo, que podiam ser invocados ao som dos atabaques e revividos pela possessão. Numa sociedade dividida entre senhores e escravos, o culto dos orixás foi o único momento de integração e de resistência cultural do negro à dominação dos valores brancos". Será só comparar esse enfoque com aquele que o mesmo diretor dava às práticas religiosas em *Viramundo* para perceber a mudança radical: o que era alienação virou resistência cultural. A significação do transe mudou completamente: "O transe exprime aqui e agora a existência de um sistema religioso, com seus deuses e mitos, de um sistema de conhecimento, de uma doutrina. Esse conhecimento, porém, só pode ser atingido [...] pelo transe". É verdade que a simpatia com que as cenas de umbanda de *Viramundo* foram filmadas faz com que estranhemos menos essa mudança.

Iaô foi filmado em cor, mas contém cenas em preto e branco; a relação cor/preto e branco não parece muito clara. Geraldo Sarno informa que o projeto original previa que, enquanto ele dirigiria uma primeira unidade que filmaria em cores, uma segunda documentaria em preto e branco o trabalho da primeira; a montagem final devia apresentar o filme e o filme do filme. O clima emocional que envolveu toda a equipe assim que tomou contato com o terreiro não teria possibilitado manter o projeto que, com seu filme ao segundo grau, teria criado um distanciamento entre o cineasta e o que filmava e revelado o filme ao primeiro grau como um discurso. Foi o contrário que aconteceu. O documentarista tenta romper essa distância e se integrar ao que filma, tenta uma coincidência com o que filma; o filme não proviria de seu saber antropológico ou sociológico, mas de seu envolvimento pessoal nos rituais. Duas sequências apresentam um homem exterior à comunidade, no qual quem o conhece reconhecerá o próprio diretor, praticando atos religiosos. O texto *off* explica as duas sequências: "Encerrados os ritos preliminares e preparatórios, um membro da equipe que acompanhará os trabalhos de iniciação no interior do roncó faz a limpeza de corpo com ebô para exu"; "Para mobilizar seu aché individual e assim poder acompanhar os ritos finais de iniciação, um membro da equipe oferece a Oxalá, o orixá que preside à criação, o ebô, milho branco cozido". Para filmar os rituais, penetrar no roncó onde só iniciados podem entrar, filmar as manifestações do sagrado, foi necessário — por decisão de sacerdotes do terreiro, do próprio cineasta ou de ambos, o filme não esclarece — que o cineasta fosse ele mesmo, se não iniciado, pelo menos aceito pelos orixás. Os planos dessas sequências não valorizam a figura do cineasta e dão maior destaque aos oficiantes. Nesses rituais, aliás, toda a ação pertence aos oficiantes; o cineasta permanece fisicamente passivo, devendo sua ação consistir na intenção de se submeter à limpeza de corpo e de que as oferendas sejam feitas em seu nome. O cineasta não quis tanto chamar atenção sobre si e sobre o fato de que participava de rituais, quanto assinalar uma forma de relacionamento com a comunidade religiosa que filmava. O olhar puramente exterior não é aceito; o cineasta tem de se integrar, parcialmente que seja, àquilo que filma.

A ablação dessas duas sequências alteraria com certeza o filme, pois eliminaria uma dimensão da relação entre o cineasta, a comunidade e o processo religioso. No entanto, sem elas, tenho a impressão de que o filme permaneceria coerente. Não me parece que elas tenham marcado a linguagem e a construção dramática do filme. A filmagem revela atenção e carinho para com as pessoas e sua vivência religiosa; isso é indiscutível, mas nem por isso a atitude indicada nas duas sequências em questão alterou substancialmente uma descrição de tipo sociológico ou antropológico.

Entre as várias objeções que Juana Elbein faz a *Iaô*, constam as de que a filmagem de certos rituais constitui a violação de um segredo religioso e, principalmente, de que o sagrado não se realiza se o ritual for presenciado por um olhar profano, exterior (afirmações essas contestadas por diversos cineastas que filmaram rituais de candomblé e por sacerdotes).

O mito e metamorfoses de Juana Elbein divide-se em duas partes. Inicialmente, imagens relacionadas principalmente com pássaros e peixes, céu e mar, acompanhadas pela voz *off* de um locutor, expõem um mito cosmogônico da cultura nagô, o papel das mães ancestrais, dando bastante ênfase às penas e às escamas, que são parte do corpo materno. A segunda sequência da primeira parte apresenta cenas num mercado de Salvador, em que vemos mulheres negras em seus afazeres cotidianos. Uma cena de escamação de peixe, que está sendo preparado para ser vendido a uma freguesa, faz irromper o mito no cotidiano, pois esse peixe e suas escamas carregam a carga mítica de que foram investidos na sequência anterior.

Diferentemente do que se esperaria de um documentário habitual de inspiração sociológica ou antropológica, a primeira sequência do mito não mostra pessoas que acreditam nesse mito, ou objetos relativos a rituais, ou os próprios, ou outra forma de ilustração, mas imagens elaboradas pela autora do filme, fruto de sua imaginação. Essa sequência resulta de uma interiorização do mito na sua própria linguagem; para isso ela o adaptou e o assimilou. O mito foi recriado pela linguagem do documentarista com imagens que só existem no e para o filme.

A segunda parte diferencia-se radicalmente da primeira. Vemos, sobre fundo preto, objetos de culto e vestes litúrgicas, e, a seguir, mulheres negras, paramentadas, que dançam de forma demonstrativa no terraço de uma casa. Uma voz *off* explica a significação dos objetos, das roupas, das cores e dos gestos. Essa parte é pura exterioridade: esses objetos e gestos, que só ganham sentido no seio de cerimônias religiosas, estão aqui extraídos de seu contexto e exibidos como numa exposição científica ou num museu. Se, no início dessa parte, pensamos que o filme adquiriu uma forma banalmente didática de passar informações ao espectador, percebemos pouco a pouco que essa exterioridade é a forma que traduz a inatingibilidade do sagrado. Este torna-se uma interioridade distante que podemos vislumbrar ou imaginar, mas à qual não temos acesso. Os objetos do ritual podem ser mostrados e filmados; o sagrado não. Ele não pode ser mostrado, não pode ser olhado, só pode ser vivido. Do contrário, transforma-se em espetáculo ou em objeto de estudo, e deixa de ser sagrado. A exterioridade dessa parte do filme não provém de uma atitude mecanicamente descritiva, mas de uma noção de sagrado que não pode ser devassado.

A oposição radical entre essas duas partes poderia nos fazer pensar não em duas partes, mas em dois filmes. Mas é justamente a junção dessas duas atitudes no mesmo filme que lhe dá sua tensa unidade. Em momento algum, o mito nagô ou o sagrado se tornam espetáculo ou objeto: ou bem o cineasta reelabora o mito com base em sua cultura e gera, a partir do mito nagô, seu próprio texto mítico ou poético, ou bem assume uma atitude totalmente descritiva, próxima da que poderia presidir à feitura de um catálogo de botânica. Em ambos os casos, preserva-se o outro da redução quer ao espetáculo, quer ao objeto de estudo.

O intelectual diante do outro em greve

Os queixadas
Greve
Porto de Santos

Na cozinha de uma casa operária, um homem toma o café da manhã que a esposa lhe prepara; depois ela se senta à mesa. Sobre essas imagens, sons de rádio, discursos exaltados não muito inteligíveis, hinos. É a primeira sequência de *Os queixadas*,[1] realizado em 1978 por Rogério Correia.

A seguir, o homem caminha em direção à rua, seguido pela câmera. Entra uma voz *off*, mas, por alguns movimentos de cabeça que faz o homem, percebemos logo que é ele quem fala. Conta o que ocorreu há algum tempo: "1º de abril de 1964, eu, após ter tomado café, saí para consertar um defeito na cerca [...] não era desse jeito [...] estou trabalhando na cerca, de repente eu viro e vejo [...] policiais na frente da casa, policiais por trás de mim e policiais do lado. E me pegaram, me prenderam e depois na prisão que fui saber da intervenção no meu sindicato". O *travelling* está evidentemente no presente: é o tempo em que um operário dá um testemunho sobre seu passado. Mas esse testemunho coloca uma dúvida quanto ao tempo da sequência anterior: é uma sequência também no presente, tempo imediatamente anterior ao depoimento, ou é uma reconstituição da refeição a que alude o depoimento? Pelo rádio, optamos pela segunda hipótese. No entanto, o corte de uma sequência para outra nos encaminha para a primeira. De fato, a primeira sequência acaba com o homem quase em primeiro plano, levantando-se da cadeira; o corte do plano interrompe o movimento de se levantar, e o plano inicial da sequência seguinte — também um primeiro plano, mas de costas, do homem andando — sugere uma continuidade de movimento de um plano para outro. É o chamado "corte no movimento" que cria o encadeamento dos planos e das ações, dando a impressão de uma sucessão: o homem acabou de tomar café, levantou-se e logo a seguir se pôs a andar em direção à rua, prevalecendo então uma ambiguidade quanto à relação temporal entre as duas sequências.

Esse é o projeto de Rogério Correia. *Os queixadas* é provavelmente o primeiro filme dos anos 70 que tenta fazer a história do proletariado urbano. Narra a greve dos operários da indústria de cimento Perus ocorrida em 1962, ano em que, conforme um letreiro, houve 154 greves no Brasil — e acrescento que até aquele momento nenhuma delas tinha sido abordada pelo cinema. A originalidade desse filme, além de tratar de um tema então ausente do documentário e que só se desenvolverá a partir de 1979 com as grandes greves dos metalúrgicos da região de São Paulo, consiste no fato de que o realizador foi procurar operários que tinham tido uma participação decisiva no movimento. Esses operários, ele não os entrevistou, a não ser na segunda sequência já citada, mas lhes pediu que reconstituíssem os momentos da greve que julgavam essenciais. O tempo da reconstituição e o tempo do momento reconstituído misturam-se constantemente. Por exemplo, após uma sequência de reconstituição em que ficamos sabendo que o patrão respondeu com a polícia às reivindicações operárias, há uma assembleia do Sindicato dos Trabalhadores na Indústria do Cimento, Cal e Gesso do Estado de São Paulo; o homem de quem se falou anteriormente, então presidente do sindicato, abre a sequência dizendo: "Bem, companheiros, vamos tentar reconstituir aqui a assembleia de..., sei lá, vinte e poucos anos atrás. É difícil". E emenda com a leitura de um documento datado de 14 de abril de 1962. Em outra sequência, um fura-greve enfrenta grevistas e inicia a cena com umas ressalvas: "Eu sou queixada, vou fazer o papel de fura-greve"; aproxima-se então dos grevistas e declara que vai continuar a trabalhar. A reconstituição é às vezes pouco vigorosa, como nesta sequência: o fura-greve diz o que tem a dizer para interpretar o papel e os outros lhe respondem o que deve ser respondido, mas ninguém demonstra grande convicção. E a razão dessa situação parece clara: o operário que interpreta o papel do fura-greve é favorável à greve, vive o papel de um outro ao qual se opôs ou se teria oposto na greve verdadeira. Receia que se confundam sua pessoa e seu papel, donde a ressalva, e por isso mesmo ele trabalha timidamente. Outras vezes a reconstituição é bem mais densa. Por exemplo, numa reunião do comitê de greve num momento em que se considera o movimento praticamente vencido. Duas posições opõem-se: uns pensam que, já que não há mais que fazer, só resta ocupar a fábrica, enquanto defensores da não violência, apoiados no Evangelho, propõem uma greve de fome. Aqui os atores defendem provavelmente as posições que assumiram em 1962 e que talvez ainda sejam as suas no momento da realização do filme. Isso lhes permite interpretar a cena com maior dinamismo. Os que viveram a greve de 1962 parecem mais decididos que os outros, cuja interpretação tímida lembra algum teatro colegial de fim de ano.

Essa diferença entre o trabalho dos atores está diretamente vinculada ao projeto de Rogério Correia: suas qualidades e seus limites. A grande qualidade do projeto é ter tentado estabelecer a história desse episódio da vida operária com aqueles que o viveram. De ter deixado esses operários, ou melhor, de lhes ter facultado elaborar sua própria história e ter tentado apagar-se como realizador. Da direção, pode-se dizer que é "sóbria", isto é, que descreve as ações de conformidade com o código do cinema narrativo tradicional — uma decupagem "usual". Uma direção "neutra", mas não essa "abstenção ostensiva" que se traduziria por planos muito abertos e de longa duração, como se dissesse: "Deixo que façam o que querem, vocês estão vendo, não é mesmo?". O realizador busca a neutralidade do "cinema dominante", que lhe permite permanecer numa posição de técnico e de intermediário. Ele, que possui os meios de produção e a técnica necessária, coloca-se a serviço de operários para que elaborem sua memória, para que escrevam sua história no cinema.

São as qualidades do filme, e seus limites. Por um lado, quer se queira ou não técnico e intermediário, é ele que possui os meios de produção, ele que dirige o projeto. O realizador, que procura colocar-se entre parênteses para deixar falar o outro de classe, na mesma operação coloca também entre parênteses as relações e diferenças de classe entre os cineastas e intelectuais, de um lado, e os operários, do outro. O autor de *Os queixadas* não se pronuncia a esse respeito, e o filme apresenta-se como sendo pura e simplesmente a memória operária, sem que entendamos quais foram as mediações entre as pessoas que viveram a greve e o filme.

Por outro lado, me parece, o filme faz coincidir memória e verdade histórica. Confia-se plenamente no fato de que a memória das pessoas que viveram uma ação a reproduz fielmente. O filme em momento algum discute a memória, nem a questão da elaboração da história; e essa elaboração, provenha ela de historiadores profissionais ou de agentes da ação, é sempre problemática. Entre os atores do filme, há cinco que viveram a greve: João Breno, que abre o filme e era presidente do sindicato em 1962, o padre Bianchi e o advogado Mário Carvalho de Jesus, cujos nomes figuram nos créditos; há também a mulher de Breno e um negro que terá papel importante na última sequência. Talvez haja outros, não o sabemos, mas com certeza muitos não tiveram na greve o papel que representam no filme: dezesseis anos separam a greve do filme — basta ver os rostos numa sequência de passeata ou na reunião do sindicato para perceber que não têm idade para ter participado da greve.

Os três nomes citados nos créditos são cruciais, pois é a memória deles que o filme reconstitui. Têm os papéis de destaque: Breno dirige a assembleia do sindicato, faz contatos com operários, ou então comenta a greve com a esposa, que lhe dá todo o apoio. O padre é visto várias vezes rezando a missa num altar voltado para os fiéis, enquanto ouvimos seu depoimento *off*. O advogado é mostrado também várias vezes como orador num comício. E, na memória desses três personagens, não há contradições, eles não têm hesitações quanto aos fatos, nem quanto à sua significação; não há divergência na condução da greve. Isso é de estranhar, e por isso será necessário procurar nos interstícios do filme os elementos que nos permitam compreender como foi construída essa memória da greve. É provável que não consigamos, mas assim mesmo dúvidas vão aparecer. Tomemos, por exemplo, as cenas da missa. Em *off*, o padre inicia seu sermão sobre o povo bíblico dizendo: "Irmãos, o que estamos celebrando hoje? Não estamos celebrando o passado, não estamos celebrando um acontecimento passado muito tempo atrás, tamos celebrando hoje a libertação". Não temos motivo algum para duvidar da sinceridade e da honestidade desse homem. No entanto, ele dá uma imagem da Igreja que parece bem próxima do que se tornou uma parte da Igreja católica no decorrer dos anos 70, da Teologia da Libertação, da Igreja dos pobres, do relacionamento de certos setores da hierarquia eclesiástica com os movimentos operários. Nada impede, evidentemente, que um padre tenha tido em 1962 o papel que se atribui. Mas podemos nos perguntar se ele não teria feito uma revisão desse papel à luz da evolução da Igreja. Além disso — mas seria o caso de uma pesquisa mais aprofundada —, os altares voltados para os fiéis não deviam ser muito numerosos em 1962. O diretor do filme poderia objetar: é possível que o padre tenha melhorado seu papel, e por isso só o mostro dizendo a missa e nunca em contato direto com os operários, nem mesmo dentro da igreja. Pode ser que haja alguma tensão entre a memória do padre e a maneira como foi filmado. Mas fica nisso, já que o realizador não toca na questão da memória nem no seu papel de realizador.

Outro exemplo: com a penúltima sequência, damos um pulo no tempo. Estamos em 1977 e assistimos à tomada de posse de João Breno como presidente do mesmo sindicato. Esse ato não foi reconstituído, mas, sim, registrado para esse filme (a não ser que se tenha usado material de arquivo, o que é pouco provável devido à homogeneidade da fotografia e da câmera no conjunto do filme). Portanto o filme coincide aproximadamente com a trajetória de Breno: é presidente do sindicato em 1962, destituído em 1964 pelo governo militar, reeleito presidente em 1977 no quadro da "abertura". Podemos nos perguntar se a carreira de Breno não dominou excessivamente o filme e a interpretação da greve, e também se suas novas responsabilidades como presidente reeleito não teriam de alguma forma condicionado a imagem que ele dá de si na greve de 1962. Isso apesar da modéstia do seu discurso de posse: "Que nossa base não pense que nós somos um super-homem e que vamos resolver tudo, não. Resolveremos sim, passo a passo, degrau a degrau, junto com os outros. Sozinho, ninguém é ninguém". E não é sem relevância que essa seja a última sequência em que Breno aparece. O filme não coloca em discussão o momento em que foi realizado, não vincula a história do passado com o momento em que é produzido. Não fosse a desconfiança do espectador, seria possível aceitar este postulado: a memória daqueles que participaram de uma ação passada nos oferece a história. Pelo menos até a penúltima sequência.

De fato, na última sequência, que nos remete a um momento pouco definido de 1962 mas posterior ao fim da greve, nossas dúvidas se multiplicam, e já não mais por causa de nossa desconfiança, mas porque o filme parece enveredar por uma nova direção. Dois operários conversam num boteco: o negro ao qual já aludi e que, na reunião do comitê de greve, tendia para uma solução violenta. O outro, negro também, não o conhecíamos ainda. Este último acusa o outro de traição e covardia. Ficamos sabendo como a greve acabou: a Justiça do Trabalho deu ganho de causa aos operários estáveis, que não seriam despedidos e receberiam os cem dias de greve. Os não estáveis, entretanto, não seriam readmitidos, não receberiam salários nem indenização. O acusador estima ter sido atraiçoado — os outros não deveriam ter voltado ao trabalho nessas condições, já que nem todos os operários tinham sido atendidos. O outro defende-se: o risco era grande demais, nossos salários e o emprego. Acrescenta que retomaram o trabalho com tristeza justamente porque nem todos tinham vencido e muitos haviam sido despedidos. Essa sequência permite deduzir que havia provavelmente uma outra maneira de contar a greve, que deve ter havido contradições que a memória dos três atores principais descartou. Podemos considerar essa sequência como um comentário — talvez um comentário discreto — do realizador sobre a imagem que o filme nos deixa da greve, e até mesmo uma advertência quanto ao futuro de Breno como presidente reeleito. Por vários motivos. Primeiro porque, pela ordem cronológica, essa sequência deveria entrar antes da de 1977; tê-la deslocado no tempo e colocado no final do filme lhe dá um forte destaque. Depois, é incrivelmente repetitiva, a ponto de se tornar cansativa, como se o montador tivesse receado que a oposição entre esses dois homens não ficasse perfeitamente clara. Finalmente, porque são montados paralelamente planos já vistos no decorrer do filme: Breno no sindicato, o advogado no comício e o padre na missa. Essa retomada-síntese dos três memorialistas no seio de um diálogo que sugere a possibilidade de uma outra história da greve aumenta nossas dúvidas quanto à versão a que acabamos de assistir.

Penso que o realizador encontrou-se espremido entre duas atitudes. Por um lado, confia na memória dos agentes da história, porque foram agentes e, acrescento, porque são operários; quer valorizar a coragem deles de ter sustentado uma greve de cem dias, valorizar a época anterior ao golpe de 64 e suas lutas democráticas, bem como a própria noção de greve às vésperas da retomada de um movimento operário que levaria, um ano após a realização do filme, às grandes greves de 1979: por esses motivos todos, a crítica devia ser um tanto difícil. Mas, por outro lado, na última sequência, essa mesma memória é alvo de uma dúvida que não se desenvolve. Tal confiança na memória revela uma certa ingenuidade, assim como uma posição forte: construir uma história operária, geralmente eliminada da história, e que ela seja elaborada por proletários. Mas o realizador percebe o caráter parcial dessa memória, talvez mesmo sua falsidade. Donde essa espécie de corretivo final que não vai além de uma sugestão (que, aliás, os espectadores não serão obrigados a aceitar: os operários estáveis talvez tenham tido razão em retomar o trabalho mesmo nessas condições — a política impõe sacrifícios), pois correria o risco de jogar dúvidas sobre o próprio princípio de seu filme e de sua posição como realizador-intermediário.[2]

Greve e *Dia nublado* abordam a mesma situação: a greve dos metalúrgicos de São Bernardo em 1979, e ambos têm a intenção, não de fornecer uma análise sociológica ou política do fenômeno, ou pelo menos de se limitar a isso, mas de se inserir na ação. De fato, esses dois filmes foram exibidos no calor da hora e participaram da mobilização dos operários durante o período de 45 dias que sucedeu à assembleia no Estádio de Vila Euclides que decidiu pela volta ao trabalho — prazo após o qual nova decisão seria tomada diante da proposta a ser encaminhada pelos empresários e pelo governo.

Apesar dessa afinidade, os dois filmes fazem propostas bastante diferenciadas. *Dia nublado* mantém-se o mais possível ligado aos acontecimentos: o primeiro depoimento do filme fala dos antecedentes imediatos da greve e do que seria sua causa (os empresários negaram-se a atender às reivindicações dos operários); o segundo diz respeito à necessidade de os operários manterem a mobilização durante os 45 dias, isto é, no período para o qual o filme foi feito ou no qual devia agir de modo mais concreto e imediato. Segue o título, e o filme aborda a assembleia no Estádio de Vila Euclides que decidiu pela continuação da greve, passando a acompanhar cronologicamente o suceder dos acontecimentos, evitando extrapolações.

Greve opera diversamente. No início, imagens e depoimentos de operários colocam o tema da greve como um fato. Logo depois vêm os letreiros do filme, seguidos de imagens de TV que captam cenas da tomada de posse do novo presidente da República. Já nesse início é possível perceber um procedimento diferente de *Dia nublado*. *Greve* não pretende ficar nos fatos de São Bernardo em 1979, mas: 1) inseri-los num quadro mais amplo que os explicaria ou justificaria — contexto que começa pela posse do presidente e prosseguirá com temas como a política salarial, a atuação das multinacionais, as condições de vida dos operários; 2) atribuir a esses fatos uma certa exemplaridade: ele generaliza. Por exemplo, no plano 9, o locutor especifica uma data: "Sexta-feira, 23 de março de 1979", mas o segundo plano do filme é um letreiro que informa: "Brasil 1979", o que implica tanto fatos que ocorreram no Brasil em 1979, como fatos que caracterizam o Brasil de 1979. Encontraremos essa mesma atitude no entrevistador: enquanto um operário fala em "um colega" que foi despedido, o entrevistador pergunta: "E como é que eles controlam o operário?". Esse "o operário" é sintomático de um mecanismo de generalização na medida em que escapa à especificação de "um colega" ou de "os trabalhadores que tinham contato direto com o sindicato"; é a expressão de uma categoria.

A generalização se dá em vários níveis, que me parecem ser:

1) o contexto em que se deu a greve, o que engloba considerações referentes à situação política (o novo governo que fala em democracia), à política econômica (multinacionais) e salarial, bem como às condições de vida dos trabalhadores;

2) este último tema chega a constituir um nível de generalização em si, que poderíamos chamar de teoria do salário;

3) ainda a partir desse tema, podemos perceber um outro nível de generalização: a complexidade da estrutura da opressão sofrida pelos operários;

4) finalmente, o último nível de generalização compõe-se de uma discussão sobre as relações entre o líder e a massa.

O que possibilita falar numa teoria dos salários? Várias afirmações feitas por entrevistados. À pergunta se o salário é suficiente para viver bem, uma mulher responde que "não dá para ninguém morrer de fome, mas nem dá, nem dá... só dá para começar". A esposa de Enoque Batista diz que "estamos passando certas dificuldades, mesmo ganhando razoável...". Um operário diz que não ganha bem, recebe um salariozinho que não dá para nada e que não faz nada além de trabalhar na fábrica. Por sua vez, o dono de uma pensão afirma que seus pensionistas metalúrgicos lhe pagam regularmente.

Essas afirmações nos levam à conclusão de que os operários não vivem propriamente em estado de miséria, apesar de o poder aquisitivo de seus salários ter caído pela metade em catorze anos de arrocho salarial, conforme informação do locutor. Essas declarações diferem do que diziam, por exemplo, um operário da construção civil em *Viramundo* — "este salário nem dá para comer" —, ou um camponês de *Maioria absoluta*, que afirmava que só podia morrer de fome com seu salário. Mas, se não é miserável, o salário dos operários de *Greve* não permite ir além do estritamente necessário para a reprodução da força de trabalho: não dá para viver bem/não dá para morrer de fome. O que fica além desse limite é inatingível: o carro que um operário da Volkswagen gostaria de comprar, adquirir uma casa ou construir num terreno já adquirido; nem dá tempo para um "diálogo entre famílias", já que todo o tempo disponível é empregado na aquisição do salário para a reprodução da força de trabalho. Talvez devamos entender que a causa ou uma das causas da greve é que essas condições de vida caíram abaixo desse mínimo necessário para a reprodução da força de trabalho.

Ao abordar o problema dessa forma, o filme rebate uma tese que parece ter sido frequentemente afirmada por sociólogos e jornalistas: que os metalúrgicos do ABC constituiriam uma elite operária. O locutor usa essa expressão mais ou menos consagrada, "elite do operariado brasileiro", a qual é desmentida pelo próprio locutor — que diz que os operários moram em favelas, bairros periféricos e pensões —, pelas imagens e pelos entrevistados: "Quem ganha vinte e dois paus por hora, não ganha bem, pelo trabalho de lá, não ganha bem".

Além do governo e sua política de catorze anos de arrocho salarial, das multinacionais atraídas pelos baixos salários, dos empresários da Fiesp que se negam a atender às reivindicações operárias, além da polícia, outros elementos também participam do sistema que oprime e explora os operários. É o que se depreende quando uma mulher diz que "assim que se fala em aumento, tudo duplica os preços nas feiras". E mais ainda pela entrevista do dono da pensão, que se nega a dizer quanto ganha, mas reconhece que "dá bem". Nem os feirantes nem o dono da pensão são grandes capitalistas;

são também eles explorados (o filme não toca nesse assunto, mas o modo de o dono da pensão falar e se vestir o caracteriza como um "homem do povo"), mas estão inseridos num mecanismo de exploração que tem malhas mais finas que as lideranças do poder político e econômico.

Mas não é só exploração econômica, é também opressão ideológica. A longa entrevista com o dono da pensão não versa apenas sobre questões financeiras. O homem aprova a intervenção do governo no sindicato; suas referências não são a classe trabalhadora, os metalúrgicos de São Bernardo ou seus pensionistas, e sim conceitos que parecem distantes dele e que ele interiorizou (com a greve, "o governo federal deve ter bastante prejuízo, a nação, né!"); e tem dos metalúrgicos uma visão, digamos, conservadora: "Dificilmente se encontra um metalúrgico rebelde, são tudo bom!". Esse personagem — que, por estar inserido num mecanismo de exploração, não deixa de ser um personagem "popular" — lembra o jornaleiro de *Liberdade de imprensa*, que assimilara a ideologia de *O Estado de S. Paulo*. Em ambos os casos, João Batista mostra como a ideologia dominante pode ser introjetada por oprimidos, como a ideologia não se vincula diretamente à posição que se ocupa no sistema de produção e como a dominação ideológica é mais complexa e ambígua que a dominação econômica. É verdade também que, em ambos os filmes, jornaleiro e dono de pensão estão inseridos num setor de serviços, e, no caso do último, que trabalha por conta própria, a eventual "rebeldia" dos metalúrgicos ou a greve podem afetar o bom andamento de seus negócios.

A análise do contexto como operação de generalização é mais delicada. Os fatores que constroem o contexto em que estão inseridos os fatos abordados pelo filme são o momento político (tomada de posse do presidente), a legislação trabalhista (que permite que dezenas de sindicatos tenham sido colocados sob intervenção e seus líderes silenciados, que proíbe greves e retém para o governo o direito exclusivo de fixar índices de aumento salarial), multinacionais que aproveitam a política favorável ao capital estrangeiro e os baixos salários, a queda do poder aquisitivo nos últimos anos. Esses os fatores que afetam a classe operária e cuja origem encontra-se nos centros do poder econômico e político (governo e multinacionais).

É a voz *off* que fornece essas informações e, embora isso nunca seja dito explicitamente, elas valem como explicação: explicam a greve ou lhe dão sentido. A série de fatores citados degradou os salários, o que levou os operários à greve. Mas não é tão simples assim, pois a maioria dos fatores não é recente (o arrocho salarial prolonga-se há catorze anos), mas, evidentemente, esses fatores poderão ter sofrido uma evolução que os tornou ainda menos suportáveis. Além desses, há um fator recente: a tomada de posse do novo presidente, que fala de sua vontade inabalável de "fazer desse país uma democracia". Então a greve encontraria sua origem nos fatores de longa data, aguçados, e nessa situação criada pelo novo presidente? O filme ironiza a democracia preconizada e a conhecida expressão "abertura democrática" (usada no filme pelo locutor e não pelo presidente). De fato, ao discurso do presidente sucede uma primeira manchete de jornal — "COMEÇOU A ABERTURA" — e logo depois uma segunda estampa: "Greve", quando provavelmente quem encampa a expressão "abertura" não pensa em greve. O locutor afirma que a "primeira grande decisão" do governo Figueiredo é a intervenção nos sindicatos, o que não caracteriza uma "abertura democrática". A situação criada pela posse do novo presidente não é apresentada como explicação da greve. E a greve então, me parece, fica um tanto sem explicação, ou melhor: com explicações insuficientes. Se considerarmos que uma greve não nasce exclusivamente de fatores gerais, mas que são necessários fatos imediatos para que seja deslanchada, alguma forma de estopim que catalise os fatores gerais, poderemos talvez afirmar que o filme não fornece esse dado.

Ele deixa também de informar outros dados: apresenta as grandes articulações do movimento (início da greve, intervenção no sindicato, assembleia do Paço, assembleia no estádio encerrando a greve), mas o dia a dia da greve não está presente (nem em *Dia nublado*): o caminhar das negociações, ações e interações das várias forças em jogo, informações e contrainformações. É verdade que essa ausência não deveria fazer falta aos primeiros espectadores do filme, pois foi exibido logo após a suspensão da greve aos operários que a tinham vivido, os quais, portanto, só podiam estar aptos a preencher as eventuais lacunas informativas do filme, com a recente memória de sua vivência.

De qualquer modo, me parece válido perguntar se a locução, o nível de informação que nos fornece, a carência de uma vivência mais imediata da greve não seriam indicações de uma distância entre a autoria do filme e a greve e os grevistas. O filme não surge de dentro da greve, de dentro do meio operário, mas é um filme *sobre* a greve, feito por um autor que se aproxima dos operários, mas não coincide com eles. O que é óbvio no que diz respeito à produção (produção independente), mas que a análise da composição do filme nos revela mais intimamente.

E isso estaria confirmado por duas outras observações. A primeira é que entre os fatores gerais escolhidos para compor o contexto sociopolítico, nenhum se refere à história do operariado, à evolução de suas formas de organização, de suas ideias, mentalidade, comportamentos. E "assembleias de até 100 mil participantes" não surgem provavelmente sem antecedentes oriundos exclusivamente da política social e econômica dos governos (do contrário teriam sido realizadas antes). As referências à política oficial — em detrimento da política bem menos oficial e bem menos visível que se dá fora das cúpulas do poder — indica, por parte do realizador, um conhecimento dessa política oficial, mesmo que esteja em total oposição a ela, e uma familiaridade menor quanto à evolução do movimento operário. Não deixa de ser evidente que essa questão não é tão simples: quais os fatores da história operária que permitiram ou provocaram essa greve? O próprio Lula declara numa entrevista reproduzida em *Dia nublado* que essas imensas assembleias de metalúrgicos ultrapassam a imaginação.

A segunda observação diz respeito a uma frase da locução que caracteriza da seguinte forma o momento sociopolítico por que passa o Brasil em março de 1979: "O Brasil vive um clima de mudança de governo em meio a uma crescente pressão social pelo fim do estado de exceção e por uma verdadeira democracia". Esse vocabulário, essas referências políticas, que nos são familiares, só aparecem na locução e nunca em conversas, entrevistas ou discursos de operários ou líderes sindicais registrados pelo filme. Como se essa impostação do problema político não fosse a dos operários, como se essas palavras não constituíssem palavras de ordem para eles, não tivessem efeito mobilizador. Podemos evidentemente argumentar que tais palavras não são usadas por tática, apoiando-nos num trecho do discurso de Lula anterior à intervenção no sindicato, quando afirma: "Eu acho que ninguém tem o direito de vir aqui e confundir nossa luta com luta política" — discurso que não consta de *Greve*, mas é parcialmente reproduzido em *Dia nublado*, sem, no entanto, a inclusão desse trecho.

Pode-se objetar que a ausência dessa análise política é pura e simplesmente uma lacuna do discurso sindicalista que o locutor tenta preencher, sem se perguntar o porquê dessa "lacuna". Trata-se realmente de uma lacuna, ou então essa análise não seria a expressão da dinâmica política do proletariado, mas uma característica do segmento social a que pertence o realizador, caso no qual a análise representaria uma impostação ideológica? Essa maneira de abordar o momento político revela antes as preocupações do realizador que as dos operários e aponta para a distância que os separa.

As diversas questões que venho levantando a respeito de *Greve* serão mais bem compreendidas analisando-se o modo pelo qual o filme discute a função do líder. Paradoxalmente, nesse filme em torno de uma greve liderada por Lula, ele está pouco presente. É visto pela primeira vez na quarta sequência, quando deixa o sindicato após a intervenção, e a locução declina seu nome e qualidade, designando-o, e isso é importante, não pelo seu cargo oficial e burocrático de presidente do sindicato, mas sim pela sua função real no movimento: líder. Essa primeira aparição não é a de um Lula forte. Num plano longo, toda uma movimentação de pessoas, sobretudo jornalistas, é vista a distância; a polícia, em primeiro plano, impede que os cineastas se aproximem; até os espectadores que conhecem Lula terão de início alguma dificuldade em identificá-lo no bolo de gente. Depois da identificação, o que vemos é um Lula hesitante, um tanto perdido no meio da rua. Se é a imagem de um líder, é um líder derrotado, e a câmera nada faz para valorizá-lo.

Lula só reaparecerá na assembleia em que se decide pela volta ao trabalho, isto é, na sequência final. O que é quase conforme com os fatos: já que o filme começa seu relato factual com a intervenção, Lula de fato se retraiu durante dois dias para voltar à liderança do movimento nessa assembleia. Isso, Lula o diz numa entrevista reproduzida no filme: "Acho que eu fiquei ontem e hoje praticamente trancado dentro de uma casa".[3]

Só temos esses dois momentos de Lula, com exceção de uma breve aparição durante uma entrevista com o interventor do governo no sindicato. À pergunta "Como se sente no lugar de Lula?", o homem hesita em responder, e vemos então Lula carregado por operários, num plano rápido extraído do material da última sequência. A função dessa inserção é clara: opor o líder verdadeiro ao presidente imposto, numa linha iniciada com a locução que qualifica Lula de líder e não de presidente e que se prolonga na afirmação feita por ele no último discurso: "E eu não estou falando como presidente de direito, mas me sinto no direito de falar como presidente de fato".

A isso deve-se acrescentar que no início vemos Lula numa fotografia publicada num dos jornais mostrados pelo filme.

Atribuir a rarefação de Lula aos fatos (ausência de dois dias) pode não ser incorreto, mas é insatisfatório. Tanto mais que o próprio filme quebra essa lógica dos fatos quando o julga conveniente: aparecimento de Lula na entrevista com o interventor. Devemos encontrar outra explicação para compreender essa construção.

A chave talvez nos seja dada por afirmações feitas por operários. Na sequência que precede a da assembleia na praça do Paço Municipal, operários discutem à porta de um botequim. Um fala mais que os outros, diz que a classe trabalhadora uniu-se a Lula, que deu o exemplo, mas deixa claro que "com Lula ou sem Lula" o movimento continuará, pois "todos nós somos um Lula". Logo antes da sequência do Paço, um operário *off* afirma: "[...] cassar a diretoria... mas tem 80 mil Lula aqui". Mais tarde, o rádio transmite uma declaração conforme a qual não é Lula quem fez a greve, mas os trabalhadores. Finalmente, na penúltima sequência, um operário afirma que o governo subestimou a força dos metalúrgicos, pois cassou o líder, mas não pôde cassar sua união, "isso que é importante". Para esses operários, não é o líder que importa, pelo menos depois de ele ter dado o "exemplo", pois a classe operária teria os meios de se organizar e de agir sem ele. No decorrer da assembleia em que os metalúrgicos recusam as propostas dos patrões e resolvem continuar a greve, Lula, prevendo a intervenção no sindicato, a qual poderia afastá-lo do movimento, declara que, a partir do momento em que cada operário aceitou pessoalmente continuar a greve, eles deverão sustentar o movimento "com ou sem Lula". Esse discurso, que é o primeiro de *Dia nublado* mas que não consta de *Greve*, já que o filme só começa com a intervenção, contém o germe da questão discutida por *Greve*.

Há um momento decisivo que marca com precisão a posição do realizador e contradiz os operários que defendem sua independência em relação ao líder. A sequência em que um operário declara "todos nós somos um Lula" é seguida pela assembleia na praça do Paço Municipal. Essa assembleia ocorre após a intervenção; Lula está ausente. A montagem transmite uma impressão de confusão e desespero. Fragmentos de discursos sem que possamos identificar os oradores, operários que gritam o nome de Lula, pessoas viradas em várias direções (em vez de orientadas para o palanque, como nas outras assembleias), a chuva e numerosos guarda-chuvas pretos. A voz *off* abre a sequência sintetizando a significação do que vemos e as intenções da montagem: "Mas, sem as lideranças, sem organização, o movimento se esfacela em mil palavras de ordem e chega ao desespero". Como se as imagens e a montagem representassem o nível da experiência, do vivido espontâneo e emocional, enquanto a locução serena, distanciada dessa vivência, extraísse a significação que não estaria ao alcance das pessoas tomadas pela emoção. A câmera, ao passar de uma pessoa a outra, de um grupo a outro, sem se fixar, ou, ao contrário, fixando-se sobre pessoas de gestos e falas que não são senão confusão e angústia, não fornece imagens de que possamos extrair uma significação clara e unívoca. Poderíamos nos deter sobre a chuva e seu eventual valor metafórico, sobre a gestualidade dessas figuras, nos envolver na sua emoção. O locutor elimina os elementos julgados não pertinentes, reduz a ambiguidade, domina a emoção: ele segura as rédeas. E, justamente por ser verbal, unívoca, redutora, a locução é fácil de reproduzir e de transmitir: é a sequência em que se vê o movimento esfacelado e desesperado. Eis o que ocorre quando o movimento fica sem o líder, eis a prova de que os metalúrgicos não são 80 mil Lulas. A conjunção adversativa que abre o comentário dessa sequência — "mas" — refere-se a toda a sequência anterior e particularmente à última afirmação: "tem 80 mil Lula aqui". É como se o locutor dialogasse com esses operários, opondo-lhes sua interpretação da situação. Há uma relação semelhante, embora não tão nítida, entre as duas últimas sequências: na penúltima, um operário afirma que a união dos operários independe da cassação do líder; na última, o movimento reencontrou sua organização e sua união, mas o líder voltou. No entanto, dizer que o locutor dialoga com esses operários, opondo-lhes sua posição, é um tanto exagerado. Pois os operários, no filme, não têm direito de resposta.

Embora Lula esteja visualmente pouco presente, o que o filme afirma é que o líder é necessário: eis a sua tese. Pouco presente na imagem, Lula é verbalmente muito presente, quer seja nomeado diretamente ("Lula"), quer indiretamente ("líder"). A ausência de Lula é trabalhada dramaticamente e se constrói um mecanismo progressivo que o leva do retraimento à volta na última sequência. As etapas desse mecanismo parecem ser as seguintes:

1ª etapa: Intervenção no sindicato e cassação do líder; este se retrai e operários afirmam que o movimento pode prosseguir sem ele; contradição dessa afirmação e desorganização do movimento.

2ª etapa: após contatos com políticos, Lula muda de atitude; é o início do trajeto de retorno, mas ele continua distante, pois é uma voz *off* que nos fornece essas informações. Aproximamo-nos um pouco mais de Lula, pois o rádio transmite uma entrevista em que ele anuncia que vai reassumir. O locutor consolida a informação e extrai a significação: "Com a volta da liderança à direção do movimento, a greve se afirma".

3ª etapa: Retorno de Lula ao estádio. Mas, antes de ele aparecer em pessoa, o filme constrói um efeito de retardamento: foto de Lula com a manchete "ELE VOLTOU" na primeira página de um jornal sindical que um participante ergue acima da multidão no início da assembleia. E só então a volta triunfal: Lula carregado por operários.

Esse mecanismo — ausência/volta progressiva — marca todo o filme. Longe de relegar Lula a um plano secundário, sua prolongada e marcada ausência o torna, ao contrário, extremamente presente. Em oposição a *Dia nublado*, afirmaria que em *Greve* ele se faz insistentemente presente pela ausência. Quanto mais ausente, tanto mais necessário. Essa construção dramática e as taxativas afirmações do locutor permitem ao filme desenvolver a tese de que não Lula, mas o líder, é indispensável.

Embora gire em torno de Lula, *Greve* não é propriamente um filme lulista, diferentemente de *Dia nublado*. *Greve* evita transformar Lula em herói. Como vimos, sua primeira aparição é a de um líder derrotado; a seguir, o líder se retrai e deixa a massa desamparada; finalmente, ele retorna à direção do movimento, mas é para encerrar a greve, após um entendimento que não é exatamente uma vitória. Há uma fragilidade no Lula desse filme, que convive com a força de um movimento que fez "assembleias de até 100 mil participantes".

Para entender melhor como *Greve* trata Lula, podemos compará-lo a *Dia nublado*. *Greve* acompanha os fatos de 23 (intervenção no sindicato) a 27 de março de 1979 (assembleia de retomada do trabalho). *Dia nublado* começa um dia antes, com a assembleia no estádio em que Lula faz um discurso vigoroso e rejeita as propostas dos patrões. A greve continua. Dia 22 à noite, Lula está no sindicato como presidente, enquanto a polícia cerca o prédio. A sequência da intervenção é mais ou menos a mesma nos dois filmes; as filmagens foram feitas no mesmo momento e do mesmo lugar, pois a polícia fechava a passagem. No entanto, ela parece ter um peso menor em *Dia nublado* por não ser a sequência de apresentação de Lula, diferentemente do que acontece em *Greve*. A diferença aprofunda-se com a assembleia do paço. Enquanto esta é tema de uma sequência-chave de *Greve*, ela é minimizada em *Dia nublado*, que a reduz a uma panorâmica em plano geral e câmera alta sobre uma multidão de guarda-chuvas (plano acompanhado de música); a seguir, Lula dá uma entrevista num plano confuso; mal se identificam a situação e o lugar, não se chega a entender muito bem o que ocorre. Em contrapartida, entende-se muito bem a operação dos dois filmes: enquanto *Greve* dá destaque ao efeito que teria provocado a ausência do líder, *Dia nublado* parece querer passar por cima, sem que seja possível dizer que omitiu o fato. Isso, com a finalidade eventual de construir uma imagem mais forte de Lula.[4]

Um outro momento permite uma comparação ainda melhor: a última assembleia, tema da derradeira sequência nos dois filmes. *Dia nublado* parece ter tido o cuidado de minimizar um ponto que era evidentemente delicado: o fim da greve. A retomada do trabalho é mais implícita do que dita abertamente; Lula insiste sobretudo (duas vezes) no fato de que se poderá retomar a greve, caso os entendimentos dos 45 dias não sejam satisfatórios (o que os operários aplaudem muito mais que a volta ao trabalho), que os dias parados devem ser pagos, que o retorno às fábricas se dará de cabeça erguida. Lula pede também um voto de confiança.[5] Vejamos o tratamento dado a um mesmo trecho do discurso por cada um dos filmes. Em *Dia nublado*, ouvimos Lula dizer: "Para não dizer que nós somos radicais, nós vamos aceitar o pedido do governo"; em seguida um corte na faixa sonora (perfeitamente perceptível na mesa de montagem, senão na projeção) indica que a frase do orador foi interrompida na montagem (consequência talvez de algum problema técnico); essa frase é uma proposta de interrupção da greve, a qual, no entanto, não fica explícita. *Greve* reproduz o mesmo trecho, que prossegue no mesmo fluxo de voz: "[...] o pedido do governo; nós vamos voltar a trabalhar". A exclusão dessa última parte da frase em *Dia nublado*, em oposição às duas referências à volta à greve (enquanto só há uma referência em *Greve*), pode ser interpretada como um esforço para proteger Lula contra o que poderia ser visto como uma fraqueza e preservar a imagem de um líder forte. É verdade também que a dificuldade da situação na qual foi feito esse discurso de 27 de março, a dificuldade de propor a volta ao trabalho e as dúvidas sobre como os operários reagiriam à proposta não deixam de ser sensíveis, porque *Dia nublado* permite que se comparem a tensão e as hesitações desse último discurso, a tática para chegar a convencer a assembleia sem perder pé, com a energia e a segurança com que fora pronunciado o discurso de 22 de março.

Salientemos ainda, no tratamento que *Greve* dá a esse discurso, a intervenção do locutor *off* (inexistente em *Dia nublado*). Em determinado momento, a voz de Lula passa para o segundo plano, continua audível mas não inteligível, e a do locutor entra em primeiro plano: "Com catorze dias de greve, quatro dias de intervenção, nesta assembleia, os metalúrgicos suspendem a greve". Assim, para condensar claramente a decisão dessa "assembleia", o locutor passa a predominar sobre o orador.

Podemos ver *Greve* como um filme em que dois projetos se articulam. Um relata e interpreta os fatos referentes à greve, enquanto o outro é uma discussão teórica sobre os temas que já comentamos. A linha teórica nos faculta um recuo em relação aos fatos, que, por sua vez, ancoram a discussão teórica. Inclusive quando *Greve* lembra o documentário sociológico dos anos 60, ele se diferencia nitidamente por não ter uma atitude científica, mas procurar inserir-se na ação tomando uma posição política. Isso desloca o caráter sociológico do filme de várias maneiras. A montagem não obedece à lógica de uma análise, mas à cronologia dos fatos. Os operários não são tratados como no documentário sociológico. Um detalhe secundário, mas eloquente, a respeito do jovem operário que mora na pensão: o locutor *off* vê a pensão, bem como as favelas e os bairros periféricos, como indícios das más condições de vida dos operários; o entrevistador pergunta a esse operário se mora numa pensão; ele responde afirmativamente e explica por quê: vem do interior, sua irmã é casada e tem uma casa em São Paulo, onde ele já morou, mas dá-se tão mal com a irmã que prefere morar em pensão. Essa declaração feriria os cânones do documentário sociológico, já que o rapaz diz morar em pensão por motivos familiares e não em consequência da precariedade da vida operária. Mais significativo ainda é que a noção de tipo desapareceu. O filme não procura estabelecer uma amostra de operários ou de categorias. O que importa é que os operários estão em greve. O que eles pensam não é usado para compor um panorama do pensamento operário, mas é tomado como pensamento político. O locutor não diz que há operários que pensam que o líder não é necessário, mas diz: pensar que o líder não é necessário, como fazem certos operários, é um erro.

A voz *off*, que encontramos aqui tão prolixa como foi em alguns filmes dos anos 60, deslocou-se. Embora conserve traços da voz *off* do documentário sociológico (generalização, saber além do dos agentes da ação, total ausência de informação do lugar donde fala etc.), deixou de ser sua função principal. Ela se quer política. Quando o locutor superpõe sua voz à de Lula, no último discurso, o que ele faz — e acrescento: o que ele quer fazer — é afirmar de maneira concisa e clara o que Lula diz tergiversando. Quando informa sobre o contexto sociopolítico, não se limita a fornecer dados que permitiriam uma melhor compreensão da greve: ele procura compreender o discurso operário. Se necessário, julga e condena orientações do movimento operário. O que sustenta o papel da voz *off* não é mais a questão do saber, mas uma questão de consciência. Se a ação operária — tal como os discursos e as entrevistas desse filme a revelam — se limita às relações de trabalho e ao salário, não escapa ao sindicalismo e não alcança um nível político, o que fazer? A voz *off* fornece elementos que permitiriam politizar o sindicalismo e enriquecer *com elementos que lhe sejam exteriores* a consciência operária que não consegue se politizar por si só. Dessa forma, a voz *off* — e por meio dela um setor da intelectualidade — pensa contribuir para a construção de uma consciência proletária que, sem essa intelectualidade, permaneceria uma consciência sindicalista. No limite, essa função da voz *off* nos leva a pensar que um partido é indispensável, sem o qual o movimento operário poderá se perder no desespero. O partido deverá ser orientado por um líder operário e receber a colaboração de um intelectual, que poderão completar-se ou experimentar momentos de tensão. A intervenção da voz *off* no meio do discurso do líder realiza formalmente, no âmbito da linguagem do filme, essa aliança.[6]

Porto de Santos: um filme envolvente, de grande beleza plástica e sonora. Certamente o filme mais difícil de comentar de toda a filmografia deste ensaio. O crítico quase não consegue apreendê-lo e deixa-se levar pela emoção. Iniciemos com uma descrição sucinta, para tentar compreendê-lo, já que seu tema não se deixa delimitar e escapa por todos os lados:

1) Alguns planos de monumentos históricos — duas estátuas e um prédio — com uma locução *off* bastante tradicional a respeito da chegada dos colonizadores. A fotografia, de um branco leitoso e que será a dominante do filme, a não ser nas tomadas noturnas, é diferente dos habituais documentários históricos.

2) Após os créditos, doze planos de navios imóveis no porto. Câmera imóvel, planos abertos. Às vezes, a passagem de um barco salienta mais ainda a imobilidade. Apitos de navios. Ambiente nostálgico.

3) Dezessete planos de doqueiros trabalhando num cais. O sol e as camisetas suadas dos doqueiros criam um clima sensual. Três últimos planos: dois doqueiros imóveis, navios ancorados em alto-mar.

4) Homens transportam sacas de café de um entreposto até um caminhão. Crianças e velhas catam grãos caídos no chão. Locutor: em 1909, o comércio do café propicia a Santos o apogeu de

sua riqueza. O segundo plano dessa sequência mostra a placa de bronze de um monumento, com a inscrição: "Labor".

5) Uma lancha transporta caiçaras. Locutor: do outro lado do canal que leva ao porto, moram os últimos caiçaras de Santos; viviam de pesca em toda a região. Num plano de mais um minuto, um pescador anda no mar até uma rede, levanta-a. Nada de peixe, gesto de desamparo, volta. A câmera contempla crianças. Um mulato dança com sensualidade, acompanhando a canção "Amante Latino"; a música *off* em primeiro plano é mixada com gargalhadas. A dança dura 1'45" num plano de 1'57". Homens jogam capoeira. A câmera focaliza um pequeno barco imóvel; gaivotas animam a imagem.

6) Paisagens noturnas e diurnas. Imobilidade dos navios no porto. De tempo em tempo, passa uma barca. A câmera traça lentos *travellings*. Bandeiras flamejam nas popas. Faixa sonora: ondas curtas, interferências, vozes em castelhano. O último plano dessa sequência retoma a placa "Labor". A não ser que seja o primeiro plano da sequência seguinte.

7) Noite. Zona de prostituição. Mulheres, não bonitas mas charmosas, se maquiam. Luminosos anunciam bares: Hamburgo, Scandinavia, Casablanca. A câmera descreve a rua, mulheres, algumas posam rindo, homossexuais. Faixa sonora: provavelmente fragmentos de entrevistas, mas não se entende claramente — é uma desordem de vozes —, e uma canção infantil. Último plano: cais, imóvel.

8) Dia. Cais, sem movimento. Navios parados, água tranquila. Um homem tatuado: "Santos Valparaíso Montevideo". Uma música latino-americana, com ritmo forte. Três planos de paisagem noturna e em seguida uma tela branca, sobre a qual, após algum tempo, entra o final dos créditos em letras pretas.

Omiti, intencionalmente, uma informação: no meio da terceira sequência, um plano reproduz um recorte de jornal: "Os doqueiros de Santos não aceitam o aumento de 40%". Essa informação transforma o filme. Sem ela, poderia ser a descrição nostálgica de um porto, ou uma doce lamentação sobre o desaparecimento dos caiçaras e a decadência de Santos após o apogeu do início do século. É também isso, mas a notícia de jornal inserida no meio da sequência do trabalho sugere que a imobilidade talvez provenha de uma greve. Uma greve sem sindicato, sem assembleia, bem diferente das dos filmes anteriores. Mas não se sabe ao certo se há greve. Se houver, algo de novo aparecerá. A sensualidade entrevista na sequência do trabalho — inexistente nos filmes anteriores e praticamente ausente de toda a minha filmografia — desenvolve-se no plano do mulato que dança quase nu num caminho de terra, junto a barracos miseráveis, com alegria. Ou na sensualidade das prostitutas baratas, mas sedutoras. A greve é também recuperação de si, do prazer de ter um corpo que não trabalha e gasta energia para nada, para o prazer.

Leio *Nem pátria, nem patrão!*, de Francisco Foot Hardman, sobre o movimento anarquista brasileiro no início do século. Fico surpreso pela transcrição de um artigo de março de 1980 sobre a greve dos doqueiros, publicado na *Folha de S.Paulo:* "No sindicato dos operários portuários, localizado na zona de meretrício da cidade, uma multidão de pelo menos dois mil homens se comprimiu num enorme salão de reunião, discutindo os rumos da greve ou fazendo algazarra com copos plásticos de água. Na rua, grupos se divertiam com as prostitutas, de rostos bizarros e roupas extravagantes". A proximidade espacial entre o sindicato e a zona de meretrício poderia justificar a sequência das prostitutas. Mas o filme omite essa informação. O artigo de jornal torna evidente o que se poderia cogitar: que o filme apresenta situações cujas causas não fornece; não deixa de dar algumas informações, mas tão lacunares que desnorteiam o espectador mais do que o orientam. A sequência de prostituição tem a ver com o fato de que os grevistas no sindicato vêm e vão, ou então passeiam enquanto outros estão reunidos? Ou é uma faceta da descrição impressionista do porto? *Porto de Santos*, pela lentidão de seu ritmo, pela precisão de suas enquadrações, pela duração de seus planos imóveis, nos dá uma impressão de tranquilidade e de força; por outro lado, é perturbador, instável, ambíguo. Pois é absolutamente impossível determinar a causa dessa imobilidade: interrupção do trabalho por causa de greve (mas não vemos as atividades próprias de uma greve), rarefação do trabalho por causa da decadência, por causa das atividades portuárias que acabaram com a pesca, valorização do não trabalho ou o olhar nostálgico do realizador sobre um porto internacional? (Lembremo-nos, sobre *Jardim Nova Bahia*, de que Raulino está bastante ligado a Santos.) O não trabalho é positivo ou negativo? Greve ou falta de trabalho? No caso dos caiçaras, parece que a exterminação dos peixes seja a causa. A dança do mulato é a revanche do corpo e do prazer contra um trabalho opressor interrompido pela greve, ou a ociosidade decadente de quem não tem mais nem os meios de trabalhar para si? O filme elimina causas e explicações possíveis que tornariam precisa a significação das imagens e das situações. O espectador não consegue se situar e o filme flutua.

Disso, personagens emergem, ou melhor, corpos expressivos, ou até mesmo a expressão de corpos: dos trabalhadores, de um dançarino, das prostitutas. As enquadrações, o tempo que a câmera leva contemplando-os, seja numa demorada imobilidade (o dançarino), seja em lentos *travellings* e planos sucessivos (as prostitutas), lhes conferem uma forte presença dramática que exerce uma espécie de fascinação sobre o espectador. Essas figuras sedutoras fazem os gestos do trabalho, dançam, sorriem, emergem de um mundo que tende a uma imobilidade branca, a uma negação do trabalho, qualquer que seja a causa. O filme é dominado por uma fotografia de um branco leitoso; abre com planos claríssimos de estátuas brancas de mármore (ou imitação) e se encerra com uma imagem branca que perdura algum tempo antes de entrar o final dos créditos. O primeiro plano noturno provoca um efeito de surpresa — é o 55º, após 4'35" de projeção que nos acostumaram à brancura da fotografia. Mas, como os planos dessa primeira sequência noturna obedecem no conjunto à mesma serenidade das sequências anteriores, não há tensão entre o branco e o preto, entre o dia e a noite, mas antes uma alternância suave, um ritmo tranquilo que deixa à imobilidade branca toda a sua força. Até os três planos escuros montados estrategicamente logo antes da tela branca do fim não constituem um elemento de tensão, mas de alternância. Essa alternância do dia e da noite é também a alternância do masculino e do feminino. Embora haja mulheres numa sequência diurna — são principalmente mulheres que estão na lancha da sequência 5, mas não são sedutoras —, a sensualidade feminina revela-se na sequência noturna da prostituição. Por outro lado, a sensualidade masculina — os doqueiros trabalhando, o dançarino — domina o dia. Nesse mundo, a vida, a alegria e a sensualidade dos corpos são como gestos puros, gratuitos, colocados em destaque pelo branco e pela imobilidade. Tudo para; sobram apenas a alegria e a vida como fins em si mesmas. A esses corpos e a esses rostos, que poderiam ser considerados feios conforme as convenções da beleza domesticada, desprovidos de qualquer sistema de explicação psicológica, sociológica ou outra, e sobre os quais nada sabemos de seguro, o filme de Raulino confere uma dignidade sensual. O encontro com essa pura existência sensual exerce sobre nós um indiscutível fascínio.

Conclusão

Num artigo de 1967, Gustavo Dahl, a respeito do subdesenvolvimento, fala em "tragédia existencial". Embora esse aspecto não esteja ausente de *A estética da fome*, de Glauber Rocha, dá um outro enfoque à questão. Poderia ter recorrido ao texto de Dahl para enriquecer a análise da palavra "tragédia" em *A opinião pública*, tanto mais que, com o texto de Glauber, já tinha usado um elemento exterior ao filme. Me sugeriram que usasse esse texto, o que me pareceu plenamente válido. No entanto, não o usei. O que me impediu? Eu diria: uma noção de equilíbrio, noção vaga que seria difícil transformar em método.

As análises de filme, tais como as desenvolvi, são praticamente sem fim. Até mesmo quando a análise se restringe a uns poucos aspectos do filme, é sempre possível acrescentar mais alguma coisa, há sempre elementos, detalhes, que podem ser vinculados à análise. Acrescente-se que o texto crítico adquire uma autonomia relativa diante do filme comentado, resultado das palavras que se usam, da maneira como se organiza o pensamento e se estruturam as frases, e assim tende a se tornar ele próprio produtor de novas ideias que vão se expressar em palavras, ou de palavras que sugerirão ideias. Se o encadeamento dessas ideias e palavras for lógico e obedecer a determinados princípios metodológicos, o texto conservará sua coerência interna. Numerosas ideias expostas nas análises que compõem este livro não nasceram do ato de ver esses filmes — inclusive aqueles a que assisti mais de vinte ou trinta vezes —, mas nasceram durante a produção do texto. É o caso da análise de um primeiro plano de *Jardim Nova Bahia*, a respeito do qual desenvolvo o tema da descontinuidade espacial entre a figura e o fundo. Poderia ter descartado essa ideia, como descartei outras. Se a guardei, foi que ela me agradava e me parecia aprofundar a compreensão do filme, que ela tentava ser a tradução e explicação de sentimentos ou sensações que o filme de Aloysio Raulino provoca mas são frequentemente difíceis de expressar verbalmente. Eu a guardei porque *senti* que, apesar de sua complexa elaboração, ela permanecia ligada ao filme e se integrava no seu sistema de significação. Senti, mas pode ocorrer que tenha me enganado. Poderíamos chamar esse processo de "semantização progressiva". À medida que a análise progride, elementos do filme vão se carregando de significação, quer não tenham sido retidos inicialmente, quer se enriqueçam de novas significações. E essa semantização progressiva, que necessariamente requer tempo para se desenvolver, dá uma verdadeira impressão de diálogo com a obra. Como se, a partir de um sentido ou de uma hipótese que se tenham estabelecido, lançássemos uma sonda que o filme devolve com ou sem resposta, confirmando ou negando, com clareza ou ambiguidade. Assim ocorreu com o tal plano de *Jardim Nova Bahia*: uma hipótese que o filme poderia não ter aceito; ele a aceitou e a hipótese torna-se uma significação adquirida que se integra ao conjunto do filme, e então essa operação sugere que se estenda o tema da descontinuidade da relação homem/espaço à relação homem/homem. Segue o mesmo procedimento a operação que consistiu em interrogar *A opinião pública* a respeito da palavra "tragédia" e da ausência de referência ao cinema de grande público. Pode ocorrer uma interrupção desse diálogo, sem que se percebam os motivos. A primeira análise deste livro oferece um exemplo flagrante de uma brusca interrupção. Após tê-la lido, Geraldo Sarno, o realizador, me faz observar que o último plano da sequência das religiões de *Viramundo* (a assembleia dos pentecostais na praça), coberto pelo ruído do mar, é precedido pelo primeiro plano de uma negra que fala. Ela está virada para o mar, onde se encontra a câmera; fala com uma força dramática perturbadora, seus lábios articulam as palavras com movimentos lentos e nítidos. Mas o ruído do mar cobre sua voz e não se ouve nada do que diz essa boca que fala com tanta evidência. Daí, corte para o plano geral. Geraldo Sarno atribui grande importância a esse plano e ao corte, que não comentei e que no entanto se integram perfeitamente na análise que vinha desenvolvendo. A junção dos dois planos cobertos pelo mesmo som condensa o mecanismo particular/geral; a voz inaudível reforça consideravelmente a retração do verbal tal como a analisei no filme e metaforiza, acrescenta Sarno, a voz popular abafada. E, entretanto, a evolução da minha análise não me levou a perceber esse corte. Não introduzi essa valiosa indicação de Sarno no meu texto porque as análises se compõem dos movimentos que de fato efetuei.

Mas, quando o diálogo não se interrompe, até onde pode ir a semantização progressiva? Aprofunda-se a compreensão do filme até o ponto em que se corre o risco de cair na pirotecnia. Nos exemplos que acabo de dar, como em muitos momentos deste livro, há uma fronteira dificilmente perceptível entre o que ainda é a análise do filme e o que já pode ser o malabarismo de um crítico algo embevecido pelas análises que consegue produzir, e isso sem prejuízo da coerência interna do texto e sem que os argumentos deixem de se apoiar em elementos concretos do filme.

Às vezes, ocorre o inverso: o texto se tranca, ou melhor, a relação crítico/filme se tranca e deixa de ser produtora de texto. O texto poderia sem dúvida continuar a se desenvolver, só que fica claro que seria o desenvolvimento autônomo de um texto que perderia o filme de vista. Foi o que se deu com o texto relativo a *Porto de Santos*, por exemplo, quando falo da masculinidade-dia/feminilidade-noite. Essa relação encontra-se seguramente no filme, mas é óbvio que não consegui entender o que produz esse binômio, nem o que ele produz. É certo que poderia ter desenvolvido a ideia sem pecar por falta de lógica ou coerência. Poderia, por exemplo, ter chamado a atenção sobre o fato de que o branco domina, de que o filme se abre e se fecha com o branco, e ter tirado conclusões quanto à relação masculino/feminino; ou ter notado que o feminino se dilui quando o masculino se afirma, e vice-versa; ou ainda que masculino e feminino se interpenetram, se se levar em conta a presença discreta de travestis na sequência da prostituição e o caráter eventualmente efeminado do dançarino. Se não prossegui nessa análise do masculino/feminino, não foi por falta de ideias, mas porque senti que estava perdendo pé e teria me distanciado do filme, embora pudesse dar ao leitor a impressão, no plano lógico e verbal, que o analisava e o respeitava. Penso que a maioria de minhas análises, senão todas, mantém um equilíbrio instável nesse limiar.

O que é analisar um filme, tal como o fiz neste livro? É descobrir *mecanismos* de composição, de organização, de significação, de ambiguidade, estabelecer a coerência ou as contradições entre tais mecanismos. Não há dúvida de que isso faz evoluir a compreensão do filme e pode inclusive enriquecer a emoção que temos ao vê-lo, pois a análise aumenta os circuitos pelos quais podemos percorrê-lo. Há, no entanto, a questão em que esbarramos constantemente: não são esses mecanismos que fazem a qualidade de uma obra nem a sua força. Remeto-me a Derrida: não é porque se terá demonstrado que *Polyeucte*, a peça de Corneille, é construída conforme uma espiral que se terá falado da força dessa peça. Não é porque terei demonstrado que determinado filme faz este ou aquele uso da voz *off* ou que sua montagem é fragmentária que terei falado da força desse filme. Nas minhas análises, não fui além desse limite, a não ser com alguns adjetivos e talvez com o tom e o ritmo de alguns momentos do texto. Se os métodos empregados permitem decompor a construção de um filme, eles permanecem mudos quanto à sua força, e então desponta no horizonte a tentativa impressionista: tenta dizer com uma linguagem aproximada, embebida de emoção, a força que se pensa reconhecer na obra. Esse problema não se coloca igualmente para todos os filmes da minha filmografia.

De fato, sem querer nem poder dividir os filmes escolhidos em duas categorias, seria possível assim mesmo falar em filmes "fortes" e filmes "fracos". Não se veja aí tanto uma qualidade intrínseca aos filmes, mas antes uma qualidade da relação que consegui estabelecer com eles. Alguns — *Viramundo*, *Maioria absoluta*, *Lavrador*, *Jardim Nova Bahia*, que cito apenas a título de exemplos — deveriam ser incluídos entre os filmes "fortes" e se situam em relação a meus textos da maneira seguinte: por um lado, são eles que motivaram os textos, que os enriqueceram pelas análises que deles faço; são filmes que me provocam, e as análises ficam sempre insuficientes; os filmes "fortes" permanecem sempre mais ricos que os textos, que nunca os esgotam. Com os filmes "fracos" — mais uma vez a título de exemplo: *Gilda*, *Destruição cerebral*, *Os queixadas* — penso que se dá o inverso: sou eu que os provoco, as minhas análises — modéstia à parte — os enriquecem, não o contrário. Por que então mantê-los na filmografia? Primeiro porque estão indiscutivelmente ligados às minhas reflexões sobre o cinema documentário da época, porque o que consegui que respondessem às perguntas que lhes formulava — e não às perguntas que eles me formulavam — fez evoluir a compreensão que tenho desse cinema. Em seguida, porque, embora não se realizem plenamente, nem por isso deixa de ser verdadeiro que seus projetos — conscientemente ou não por parte dos realizadores, isso é outro problema — fizeram evoluir o cinema documentário ou, pelo menos, assinalaram mudanças e articulações que sem eles nós (ou eu) não teríamos percebido ou só percebido mais tarde. Por exemplo, *Os queixadas*: que o filme não se "imponha" como se impõem *Indústria* ou *Migrantes*, é certo; que não resolva e até quase nem aborde um problema que lhe é no entanto essencial (a saber, a questão da produção da história) e que isso o prejudique sensivelmente, isso também é certo. Mas não é menos certo que *Os queixadas* indicava um novo rumo no documentário brasileiro da época, pelo tratamento que dava na tela aos operários e à voz do outro.

O limiar do equilíbrio instável de que falava desloca-se sensivelmente conforme se trate de filmes "fortes" ou "fracos". De fato, no caso dos filmes "fortes", guardo sempre a impressão de que os textos permanecem aquém da potencialidade dos filmes, enquanto, no caso dos outros, fico com a impressão de que os forço um pouco, que vou um pouco além. Digo "um pouco", isto é, sem me afastar dos elementos concretos presentes neles e a que a análise pode recorrer. Forçar os filmes a quase dizer aquilo que talvez não fazem senão insinuar possui uma função no meu trabalho, pois se obras-primas ou obras radicais podem gerar transformações, alterar a evolução de um gênero ou fazer perceber uma evolução que só pode ter causas múltiplas, não deixa de ser verdade que projetos, ideias ou obras que permanecem na metade do caminho também podem motivar e revelar.

Aí encontramos um perigo: que os filmes sejam esquecidos em si mesmos, em favor da compreensão do gênero a que pertencem. Quer dizer, que o gênero, a época ou os problemas estudados tomem a dianteira, em detrimento das obras que lhes ficariam então subordinadas; as análises não seriam mais condicionadas pelas obras, mas pelos problemas gerais estudados, reduzindo-se os filmes ao papel de baliza, de referência, de exemplo, de amostra (o que é, aliás, método frequente na história do cinema, e mesmo das artes, certamente defensável sob certos aspectos e ao qual talvez nunca se escape totalmente ao tratar de uma grande quantidade de obras, de uma época ou de um problema geral, mas que não corresponde à relação emocional que mantenho com os filmes). Esse perigo existe claramente para as obras "fracas", mas ameaça também as "fortes", que podem ser vítimas de uma redução que as esmague. Foi esse o problema que determinou a estrutura do meu livro, já que, por um lado, queria falar de um filão do cinema documentário, mas, por outro, não desejava perder a individualidade de cada um dos filmes, não usá-los como coisas a serviço da evolução que estudei durante cerca de vinte anos. Donde essa composição fragmentada em análises consagradas — quase todas — a um único filme e essa rede temática que circula por elas, em filigrana.

A preocupação que orientou este livro é que os cineastas tenham levantado a questão do outro, o que não significa demonstrar interesse pelos outros, em especial pelos indivíduos das outras classes sociais, nem amar o próximo. Mas implica que o outro seja suspeito, isto é, fonte de um discurso, centro do mundo ou centro de um mundo. A questão do outro gera obrigatoriamente a de um mundo policêntrico ou de um mundo que não tem mais centro.

Tal questão não problematiza apenas a temática ou o conteúdo ou o assunto dos filmes, mas problematiza necessariamente a linguagem. De fato, seria errôneo pensar que filmes ligados ao "modelo sociológico", um *Viramundo* ou um *Maioria absoluta*, não se interessavam pelos outros. Há nesses filmes não só um interesse social por aqueles que são praticamente excluídos da sociedade e vivem na miséria, mas há também uma ternura, uma emoção cheia de dignidade, uma compaixão sincera e comovente. Os primeiros planos de camponeses de *Maioria absoluta* não são nem menos belos nem menos perturbadores que os primeiros planos de operários dos filmes de Aloysio Raulino. E essa ternura é com certeza mais intensa nestes que em muitos filmes que não pertencem ao "modelo sociológico". Se os cineastas ligados a esse modelo não podiam fazer emergir o outro, não é que não quisessem, nem por falta de interesse pelo outro. É que não podiam: a linguagem impedia. Essa linguagem que pressupõe uma fonte única do discurso, uma avaliação do outro da qual este não participa, uma organização da montagem, das ideias, dos fatos que tende a excluir a ambiguidade, essa linguagem impede a emergência do outro. É preciso que essa linguagem se quebre, se dissolva, estoure, não para que o outro venha a emergir, mas para que pelo menos tenha essa possibilidade.

Quando Sarno confronta minha análise de *Viramundo* com o espírito com o qual fez o filme, evidentemente ele se choca e, lendo o que escrevo sobre a "voz do saber", ele me diz: "não entendo". Pois sua atitude era de humildade em relação àqueles de quem falava. Queria que compreendêssemos aquelas pessoas. Ele me explica que havia na época fortes divergências entre tendências comunistas — que davam do povo uma imagem abstrata — e sociólogos paulistas, que tinham uma perspectiva diferente. E ele queria mostrar uma realidade popular que não coincidia com a abstração fomentada por amplos setores de esquerda. Geraldo Sarno não tentava impor seu saber nem tinha nada de um jovem sociólogo impertinente espezinhando massas oprimidas. Aliás, acrescenta ele, o comentário *off* diz tão pouco, só aborda o essencial do problema e ocupa uma parte pequena do filme. A atitude do cineasta era humilde, não há como duvidar disso, mas sua linguagem não o era. Essa linguagem que, no quadro do documentário brasileiro da época, Sarno levou à perfeição, essa linguagem, ele a usou tanto quanto ela o usou. Usamos uma linguagem ao mesmo tempo em que somos usados por ela. Não é possível fazer dela um instrumento neutro, vazio de significação, adquirindo apenas as significações que queremos lhe atribuir. E a linguagem de *Viramundo* é dominadora, unicêntrica, unívoca, quer queira, quer não o realizador. Aliás, no Brasil de 1965, o gênero documentário não oferecia outras opções — elas precisavam ser inventadas e o momento não era provavelmente maduro para tanto.

Setores da esquerda não deixaram de acusar de formalistas filmes como *Lavrador*, *Indústria*, *Congo* ou numerosas obras de Aloysio Raulino. Talvez seja o formalismo brincadeira perdoável em tempo de lazer, mas essa acusação, num momento de urgência social, em plena ditadura, era pesada. Aliás, foi justamente um efeito da ditadura que se quis ver em filmes desse tipo. Já que ela proibia os temas mais urgentes, cineastas, tanto por receio da censura como em consequência da autocensura, os teriam contornado ou mascarado com ornamentações. É ainda difícil avaliar hoje o papel da censura e da autocensura na evolução do cinema brasileiro dos anos 60 e 70. Mas se a censura — que sem dúvida alguma marcou a produção — teve efeito sobre a linguagem cinematográfica, em especial a do documentário, nem por isso deixa de ser verdadeiro que não é apenas a censura, mais ainda, não é principalmente em função dela que o documentário da época se transformou. O que foi qualificado de formalismo não era uma fuga. O trabalho sobre a linguagem e sobre a forma era (é) necessário, já que essa linguagem está repleta de ideologia, já que ela é ideologia. Opor-se ao "modelo sociológico" e fazer experiências formais radicais, que podiam parecer herméticas na época, implicava um trabalho sobre o social.

Qual seria a fronteira entre o "modelo sociológico" e o que lhe sucede? O que se transforma? Os primeiros filmes da filmografia centram a realidade em torno da produção e das condições proletárias de trabalho; o instrumento para compreender a realidade é a sociologia e, consequentemente, a exterioridade do sociólogo em relação ao objeto de sua ciência. Que não se entenda com excessivo rigor essa noção de sociologia, é antes um espírito sociológico. Daí desliza-se progressivamente, sem que por isso desapareçam por completo os vestígios da atitude sociológica, em direção a uma realidade que não mais se define pela produção material, mas se caracteriza pelo imaginário e pela produção simbólica. A maneira como Geraldo Sarno trata o candomblé e a umbanda nos dois filmes aqui comentados é tão expressiva dessa reviravolta quanto o modo pelo qual Aloysio Raulino aborda seus personagens operários relegando a um segundo plano sua produção material. Diz-se às vezes que se trataria de um deslocamento da sociologia para a antropologia. Penso que não, se se entender por antropologia uma outra ciência que privilegiaria outros temas além dos da sociologia, mantendo porém a exterioridade do cientista. Penso antes que se trata de um abandono da produção material como critério único ou predominante na imagem que se constrói da sociedade e do indivíduo. As causas de tal transformação só podem ser numerosas, complexas e profundas, e não estou em condições de estabelecê-las. Em parte, mas não só, por incompetência. De fato, a atitude radical de alguns artistas permite que comecemos a nos dar conta e a nos questionar acerca das novas realidades que ainda não conscientizamos. Em todo caso, poderíamos sugerir como hipóteses parciais de explicação a evolução das sociedades industriais em que a produção não material, as mercadorias abstratas, como as comunicações e os serviços, ganham cada vez mais importância, o que não pode deixar de se refletir nos países ditos subdesenvolvidos; a transformação de um certo nacionalismo e de um certo comportamento político que, numa época, levavam as pessoas a se negarem como totalidade, restringindo-se à tarefa política, à missão que se atribuíam na história do país, a que se sucedeu uma série de fracassos nacionais e internacionais de que foram pródigos os anos 60 e 70, bem como a percepção do caráter voluntarista dessa atitude. Talvez seja o caso de acrescentar elementos muito difíceis de situar, tais como o efeito do que chamamos de "capitalismo selvagem", ou a expansão de cidades esmagadoras que pode levar as pessoas a privilegiar relações interindividuais em pequenos grupos. E tudo isso imerso em grandes movimentos sociais ainda obscuros, que provavelmente sofremos, adivinhamos, mas que com total certeza ainda compreendemos pouco, tais como as "revoluções moleculares", a evolução dos movimentos operários e o deslocamento social (indiscutível no Brasil, embora confuso) da classe média, as contradições das esquerdas em nível internacional, as inquietações poéticas e os estudos referentes à linguagem, efeito e causa da decadência da racionalidade clássica etc. Tais fatores podem ajudar a entender o distanciamento da produção material como critério exclusivo para a compreensão da sociedade e das pessoas, a rejeição dos critérios coletivos e gerais que esmagam e neutralizam as individualidades, a recusa da posição exterior/superior diante do outro, a valorização da esfera individual, do imaginário e do simbólico. Esse último aspecto toca tanto as pessoas ou os grupos filmados quanto aqueles que filmam, e por isso os cineastas não podiam deixar de trabalhar sobre a forma.

No nível da linguagem, o que assinala a ruptura entre o "modelo sociológico" e as diversas tendências posteriores? Acredito que três elementos principais: deixar de acreditar no cinema documentário como reprodução do real, tomá-lo como discurso e exacerbá-lo enquanto tal; quebrar o fluxo da montagem audiovisual e desenvolver uma linguagem baseada no fragmento e na justaposição; opor-se à univocidade e trabalhar sobre a ambiguidade. Essas transformações destruíram o saber unívoco centralizado e impediam que o tomássemos pelo real. Permitiam que o pluricentrismo se expressasse. Derrubaram o pedestal do documentarista. Faziam, portanto, surgir o outro? Respondo: não.

A possibilidade de o outro de classe expressar-se está em relação direta com a propriedade dos meios de produção. Pelos filmes e textos que conheço da história do cinema brasileiro, nunca se levantou esse problema antes dos anos 50, e depois só muito raramente. Falou-se sempre em colocar o povo na tela, mas não se tratava tanto de questionar a dominação dos meios de produção pelos cineastas. Estes prefeririam resolver a questão imaginando--se os porta-vozes ou os representantes do povo ou até mesmo a expressão da "consciência nacional". No cinema, me parece que só Aloysio Raulino tratou desse problema. *Dia nublado*, de Renato Tapajós, assim como outros de seus filmes, aborda também esse problema num outro nível, já que foi produzido pelo Sindicato dos Metalúrgicos de São Bernardo e assumido, após a intervenção, por uma associação cultural ligada aos sindicalistas em greve. Mas isso só introduz a questão dos meios de produção; que um sindicato operário se torne produtor de cinema é novo e é importante, mas não resolve todos os problemas. Em particular, é longe de ser evidente que um sindicato resolva a questão do outro.

Portanto, os cineastas da minha filmografia encontraram-se presos entre o "modelo sociológico" e um sistema de produção que não se modificava, devendo fazer aparecer o outro nesses limites. A rigor, o oûtro nunca toma a palavra, a qual só lhe pode ser emprestada.

É provavelmente o motivo pelo qual, se o problema do outro se coloca com intensidade, a outra vertente da questão — o dos cineastas, dos intelectuais — é tratada com uma intensidade possivelmente mais aguda. Isso se dá no seio da crise vivida pela intelectualidade após o golpe de 64. Não é possível detalhar essa crise aqui. Digamos apenas que setores nacionalistas e as esquerdas em geral veem desmoronar o que nos pareceu mais tarde uma ilusão: a transformação revolucionária e popular da sociedade que pensávamos então estar próxima. A esse fracasso político, soma-se um outro, ideológico: essa intelectualidade percebe que as interpretações elaboradas sobre a sociedade brasileira eram falsas. Em especial a burguesia que se qualificava de nacional não tinha a força que se lhe atribuía, embora fosse muito presente e forte nas análises sociais e nos prognósticos; quanto ao povo, operário e camponês, tampouco ele tinha a força e o nível de organização que se supunha. Além disso, essa intelectualidade é deslocada: durante o governo Goulart, numerosos intelectuais e artistas trabalhavam nos CPC (Centros Populares de Cultura), procurando alcançar proletariado e campesinato, e uma sensível aproximação criara-se entre esses centros e o governo. Roçava-se o poder. A ditadura interrompe bruscamente a produção dos centros, rompe os contatos com o Ministério da Educação e Cultura, limita a circulação da produção artística. A intelectualidade fica encurralada. Encontraremos reações de diversos tipos a essa complexa situação, sendo que uma delas consistirá num retrair da intelectualidade sobre si mesma para uma espécie de exame de consciência. Essa reação se fará nítida num setor da produção cinematográfica, dando origem a filmes desesperados que abordarão a situação do intelectual, suas relações com o poder e com o povo e a revolução. Entre eles, obras-primas como *Terra em transe* e *Os inconfidentes*.

O intelectual, sua crise, suas angústias tornam-se também temas de filmes documentários, como vimos. Mas penso que é sobretudo na linguagem que as interrogações desses intelectuais se manifestam. Esse movimento apresenta dois efeitos, pois, por um lado, contribui para relativizar o discurso do documentarista e, por outro, o coloca em primeiro plano. Esse primeiro plano, que pode passar por vontade de narcisismo e que é narcisismo em muitos casos (acredito que se possa dizer, tanto de *Indústria* ou de *Congo* como de *Migrantes*, que são filmes narcisistas), é ao mesmo tempo a indicação dos limites desse discurso. Trabalhando sobre seu discurso, o documentarista coloca-se no palco, sob os refletores, em vez de puxar os barbantes nos bastidores, e por isso mesmo nos convida a perceber e a refletir sobre sua posição de classe. Penso que essa atitude de documentaristas brasileiros foi mais profícua do que se tivessem apenas tomado a intelectualidade como referente, analisando-a e questionando-a, mas sem intervir na sua linguagem. Aliás, na onda dos documentários que se preocupam com a "memória nacional", não faltam os que tratam de escritores, pintores, artistas, e que, na sua rotina naturalista, não colocam rigorosamente problema nenhum. Na filmografia que escolhi, a voz do outro desponta tanto pela força dessa voz que obriga o documentarista a deixar seu tom absoluto quanto pela crise pela qual ele passa; a valorização do discurso do documentarista é tanto reflexão sobre si e até narcisismo quanto a expressão de um relativismo que propicia o aparecimento das relações de classe que atuam nos filmes.

Nada disso é uma solução, evidentemente. Primeiro, porque não se toca nos meios de produção, e, depois, porque essa linguagem — fragmentada, ambígua, reflexiva — torna-se por sua vez uma rotina. E, na segunda metade dos anos 70, não faltaram filmes fragmentados e ambíguos desprovidos do caráter radical, do espírito de pesquisa e de busca que marcaram alguns dos filmes que analisei neste trabalho. Essa linguagem tende também a se tornar uma fórmula que não revela mais nada e que usa os cineastas mais do que eles a usam.

Para encerrar esta conclusão, queria aproximar dois filmes extremamente importantes para o período estudado e de que ainda não falei. Essa aproximação não sintetizará provavelmente todas as forças subjacentes à minha filmografia, mas assim mesmo pode ser apresentada como um condensado: *Aruanda*, realizado em 1959-60 por Linduarte Noronha, na Paraíba, e *A pedra da riqueza*, produção carioca filmada — também na Paraíba — por Vladimir de Carvalho, que fora assistente de direção de *Aruanda*.

Aruanda é um estudo socioeconômico sobre a evolução de um quilombo. O filme sugere inicialmente a longa marcha dos escravos fugitivos e depois descreve a economia atual desse quilombo: conforme a época, os homens cultivam um algodão magro; o resto do ano as mulheres fazem cerâmica; essa produção é trocada numa feira longínqua, perfazendo um ciclo no qual não há circulação de dinheiro. Um locutor *off* conta o que acabo de resumir, e a faixa sonora completa-se com duas músicas gravadas no local. Em 1960, Linduarte Noronha vai ao Rio e a São Paulo apresentar seu filme: desculpa-se pela má qualidade, o próximo será melhor. De fato, *Aruanda* é tecnicamente precário; a montagem, elementar; a fotografia, por vezes superexposta, outras, insuficientemente; a luz muda bruscamente no meio de um plano. E esse filme explode, a ponto de ter-se tornado um dos primeiros documentários do início do Cinema Novo. O que tornou *Aruanda* um filme explosivo? Seu tema: a miséria do campesinato exposta nacionalmente (pelo menos para os espectadores que podiam ver o filme). Sua produção: feito num estado extremamente pobre (a Paraíba) com os meios possíveis, ele confirma uma lição que cineastas brasileiros já tinham recolhido do neorrealismo italiano, a saber, que a produção de um cinema socialmente significativo não depende da riqueza dos meios. E, surpresa, sua forma: não se aceitam as desculpas de Linduarte; a expressão precária motivada pela pobreza dos recursos e por uma técnica insuficiente não é um defeito, mas, ao contrário, a expressão eloquente de um cinema que triunfa do subdesenvolvimento. A precariedade dos meios é tomada como a expressão de um cinema que se afasta do modelo hollywoodiano tanto quanto do "padrão de qualidade" da Vera Cruz, e que se assume sem vergonha como aquilo que é. Essa "pobreza" da forma deixa de ser a consequência do subdesenvolvimento para se tornar sua expressão, e é também a expressão da pobreza da sociedade mostrada na tela. Essa sociedade não é expressa apenas pelo referente, mas pela própria forma do filme, que assimila sua pobreza. Nossos filmes feios... dirá Glauber Rocha.

Posteriormente, essa "expressão do subdesenvolvimento" se tornou uma panaceia que justifica qualquer defeito de qualquer filme.

Em 1974, Vladimir de Carvalho acaba *A pedra da riqueza*. O filme descreve uma mina de xelita, bastante artesanal. A voz *off* de um operário que trabalhou nela fala das lamentáveis condições de trabalho: uma vida de escravo sem valor para o patrão. Tal como o descrevo sucintamente, o filme não é senão um documentário naturalista que, como tantos outros, mostra a miséria do povo. Filmado com negativo vencido, o filme apresenta uma fotografia em preto e branco muito contrastada, em que os matizes desapareceram. Na tradição da "expressão do subdesenvolvimento". Mas percebe-se que essa fotografia não é apenas defeituosa; ela foi puxada para tornar-se quase abstrata em alguns momentos. Há planos gerais em que demoramos um breve instante até deixar de ver manchas e perceber uma paisagem. Numa oportunidade, uma panorâmica vertical leva a câmera a focalizar o céu: é uma tela branca. Percebe-se que o filme foi feito com parcos recursos, mas trabalhados. Por ocasião de um debate, Artur Omar declarou a Vladimir de Carvalho que ele gostava, nesse filme, justo das imagens abstratas. Era uma provocação (premeditada), pois Omar considerava Vladimir um documentarista naturalista que só poderia ficar chocado com o fato de que se tomava o filme "social" por um filme abstrato, que a forma do filme prevalecesse sobre a urgência do assunto. Vladimir, inesperadamente, respondeu que a observação era correta e que não só a fotografia tinha um caráter abstrato, como o som também. Os ruídos — martelos, quebradores de pedras etc. — são artificiais e intencionalmente dessincronizados. Ficou claro que defeitos tradicionais de filmes brasileiros, em particular os que afetam o sincronismo, tinham sido encampados para ressaltar o caráter de discurso do filme, de tal modo que se estabelece um equilíbrio entre a descrição e o referente, e o discurso revelado como tal. Além disso, o filme não se inicia com a descrição da mina, mas com um plano numa sala escura onde um homem vê um copião numa mesa de montagem; a voz *off* que se lhe atribui o apresenta; ele diz que vive agora em Brasília e começa a falar da mina; a câmera aproxima-se da tela da mesa; vemos a mina, cuja imagem acaba preenchendo quase toda a tela da sala de projeção; um corte nos leva para essa mesma imagem: passamos para a descrição direta. Portanto, trata-se de um filme, não de um efeito de ilusão. Essa sala de montagem voltará três vezes, lembrando-nos de que assistimos a um filme. Na terceira vez, um outro homem, próximo daquele que vê o copião, pergunta: "Sabe para que serve a xelita?". Volta à mina: o homem responde que não sabe, e faz uma expressiva confusão geográfica. Após ter dito que "eles" deviam levá-la para Campina Grande, ele corrige: eles a trazem "aqui pro estrangeiro", sendo que o "aqui" donde e de que fala é a capital do Brasil. Mas o espectador vê-se também envolvido na armadilha, pois tampouco sabe para que serve a xelita (pelo menos os espectadores pouco informados em mineralogia). A distância que havia entre o espectador, de um lado, e, de outro, a mina e a voz *off* deixa de existir: no tocante à xelita, sabemos todos tanto quanto. Aqui se encerra a parte imagem do filme, que é sucedida por um longo letreiro que resolve o enigma: "O tungstênio retirado da xelita é usado, sobretudo, na indústria de guerra, na requintada tecnologia das grandes potências. Foguetes e naves espaciais são revestidos dessa poderosa liga de aço, de têmpera resistente ao fogo e ao choque mais violentos". Esse texto não só responde à pergunta, como abre o filme sobre o capitalismo internacional: total disparidade entre a extração rudimentar desse minério, quase manual, entre esse garimpeiro explorado pelo patrão, e o imenso sistema que se aproveita dessa extração. Mais ainda: com esse texto final, o filme opera uma volta espetacular sobre si mesmo. O segundo letreiro dos créditos apresentava um desenho acima do qual lia-se o título, enquanto embaixo aparecia o subtítulo: "Ou a peleja do sertanejo para desencantar a pedra que foi parar na lua com a nave dos astronautas". Esse subtítulo é uma imitação (ou reprodução?) dos títulos da literatura de cordel e nos encaminha para uma pista falsa: de fato, a descrição não tem o estilo da literatura de cordel e não apresenta nenhuma interpretação mítica da xelita. É só com o texto final que voltaremos à pedra encantada e que poderemos dar uma nova significação à panorâmica sobre o céu. Os dois textos completam-se, e é tarefa dos espectadores articulá-los: a descrição da mina fica imprensada entre textos que abrem perspectivas antagônicas, a interpretação mítica do trabalho confrontada com sua realidade capitalista. O foguete tecnológico das grandes potências não é mais próximo nem mais concreto para o garimpeiro que a lua mítica da poesia de cordel.

APÊNDICES

Vitória sobre a lata de lixo da história

Graças a Deus, hoje estou aqui contando a história.
Elisabeth Teixeira

Nada mais distante do projeto de Eduardo Coutinho em *Cabra marcado para morrer* do que historiar os últimos vinte anos. Nada de enfileirar fatos no espeto da cronologia e amarrá-los entre si com os barbantinhos das causas e efeitos. Que filmes históricos, no Brasil, escaparam às ilusões do historicismo? Bem poucos, se tantos. Mas, com certeza, *Cabra marcado para morrer*.

Que história nos propõe esse filme? Talvez devido à idade — aproximadamente a mesma de Coutinho —, vejo um projeto histórico preocupado em lançar uma ponte entre o agora e o antes, para que o antes não fique sem futuro e o agora não fique sem passado. Entre o antes e o agora, uma ruptura: 1964. Com a ruptura, o projeto ideológico e cultural anterior a 64 corre o risco de ficar "parado no ar", sem sentido, jogado na "lata de lixo da história".[1] Assim como o presente corre o risco de não ter sentido se não se enraizar numa anterioridade significativa. *Cabra* resgata os detritos de uma história rompida, de uma história derrotada. Mais do que isso: *Cabra* é o duplo resgate de uma dupla derrota. O primeiro *Cabra*, o de 64 e de que sobraram apenas vestígios, já era o resgate de um fracasso: o assassinato de um líder das Ligas Camponesas, João Pedro. Dele vivo, não sobrou nem uma fotografia; o filme de então, sob a forma de um espetáculo, o fazia reviver e o fixava na história. O *Cabra* de hoje resgata o filme interrompido — e, dessa forma, também João Pedro — e resgata a viúva do líder e sua família.

A ideia de ruptura e o consequente trabalho histórico como resgate são muito fortes no filme, donde, a meu ver, a insistência sobre a ideia de "último". É apresentado um plano (aliás, por duas vezes), e o comentário indica ser esse o último plano que se filmou em 64. Em outro momento, uma imagem é apresentada como a derradeira participação de Elisabeth em comício. É justamente essa ideia de "último" que se precisa ultrapassar, destruir: criar algo após o último. É 64 que deslancha os mecanismos de resgate e do "último", mas eles não se referem exclusivamente a 64 e caracterizam uma concepção de história. Sobre planos atuais de São Rafael vazia, cidade onde Elisabeth se recolheu, o comentário informa que esse município, destinado a se tornar uma represa, será brevemente inundado, e os camponeses lutam por indenizações justas, que lhes são negadas. Tudo é sempre último, e a história derrotada deve ser constantemente resgatada: me parece que não há outra maneira de entender o fim do filme. Decorrido algum tempo após a projeção, os espectadores tendem a ter a impressão de que o filme se encerra com as despedidas de Elisabeth e Coutinho. Seria um final perfeito. A câmera está dentro do carro; temos em quadro os dois protagonistas: o diretor do filme, no carro, e Elisabeth, que fala como nunca falou. Elisabeth diz: "A luta continua". Essa frase cria uma continuidade entre o antes-golpe e o agora, e projeta o filme para o futuro. Seria perfeito, mas esse não é o fim. Após as despedidas, vem uma sequência breve — esta, sim, final —, que apresenta José Virgínio e seu filho, e o comentário informa que Virgínio faleceu um mês depois. Essa imagem é bem menos forte e conclusiva que as imagens finais das despedidas. Ela dá uma informação de fato importante para o próprio Virgínio, evidentemente, e para o filme, que rastreava os camponeses encontrados em 64. Mas, a meu ver, não uma informação tão decisiva que impedisse de colocá-la na sequência em que Virgínio e seus filhos dão seus depoimentos e justificasse sua posição no extremo fim do filme. A não ser num aspecto: essa é a última filmagem de Virgínio. Terminando dessa forma, o filme reafirma sua concepção de trabalho histórico.

Esse processo de resgate da história provoca uma construção "em abismo", em que a obra se encaixa dentro da obra, o filme dentro do filme. É de fato a existência das sobras do *Cabra*/64 que deslancha o *Cabra*/84; a busca dos atores não profissionais que participaram do primeiro filme, de Elisabeth e seus filhos, motiva o segundo filme. Esse movimento de resgate da história adquire a feição de um vórtice com a releitura do prefácio de *Kaputt*, livro reencontrado por acaso entre os pertences dos cineastas. Dentro de *Cabra* ecoa o romance de Malaparte — ele também, para escapar à repressão, escondido em fragmentos por vários amigos do romancista italiano, em particular por um camponês polonês, como são camponeses os que esconderam a câmera do *Cabra*/64, como é camponês aquele que mais uma vez escondeu *Kaputt*, dessa vez na sua versão brasileira. O filme dá grande destaque a esse episódio ao apresentar por duas vezes a cena em que o filho de José Virgínio extrai o livro da maleta-esconderijo, o que é reforçado pela pergunta de Coutinho após a leitura de trecho do prefácio: "Você fez relação com o filme?".

O redemoinho do resgate: o que resgata a história? É o espetáculo. A cada instante a elaboração está presente, com datas das várias filmagens, deslocamentos da equipe, presença do diretor etc., confirmando a colocação feita pelo plano magistral da abertura: uma paisagem num fim de tarde, morros ao fundo, a parte inferior da imagem escura contrastando com a luz natural acima dos morros; acendem-se as luzes — artificiais — e essa paisagem transforma-se inesperadamente numa imensa sala de cinema do tamanho da natureza: o espetáculo vai começar, e será ele que, até o final, guiará todo o trabalho de resgate da história. A história revive, adquire coerência e significação graças ao espetáculo. Esse trabalho do espetáculo resgatando a história atinge, além do plano inicial, outros momentos brilhantes e comovedores. Por exemplo: Coutinho entrevista um dos participantes do *Cabra*/64, agora instalado na cidade paulista de Limeira; pergunta-lhe se se lembra dos seus diálogos no filme. Lembra. Ouvimos a resposta: "O charque está muito caro...". Essa frase é retomada uma segunda vez, não mais sobre a imagem atual do camponês, e sim sobre sua imagem — muda — pronunciando essa frase em 64. A fala de 84 dubla a imagem dezessete anos mais jovem, sendo que a dublagem, ainda frequente no cinema de ficção, teria sido a forma inevitável de sonorizar o *Cabra*/64, quando ainda não se usavam no Brasil equipamentos que permitissem as tomadas de som direto.

O trabalho de resgate pode encontrar obstáculos, pode ser brecado. É o que ocorre com os camponeses que se negam a superar a ruptura, que não querem ouvir falar do passado (por exemplo, aquele que progrediu e quer vender o sítio). Que sensação de castração! Esse bloqueio atinge um momento de grande beleza dramática na entrevista com Mariano. Ele não quer mais saber de "reingressar na revolução". É algo tão violento, vai tanto contra o processo do filme, que até o próprio espetáculo parece estremecer: o entrevistador interrompe momentaneamente a fala do entrevistado em função de um defeito técnico que pode estar ocorrendo com o som; consultado o técnico de som, a entrevista prossegue, encontrando Mariano dificuldade em reatar sua fala.

Sendo sua fala difícil, Mariano apela para o próprio visual do espetáculo para atestar sua sinceridade: diz que é possível ver na sua expressão que ele não está mais tão dedicado a esse movimento. Isso tudo — montado num plano único — torna-se ainda mais dramático se se pensar que Mariano era o ator que interpretava justamente o papel de João Pedro no *Cabra*/64. Ironia: de João Pedro — não sobra nem uma fotografia dele vivo — só permanece uma imagem ao vivo na interpretação, justamente, de Mariano — no espetáculo.

Como opera o espetáculo? Ele é a articulação entre o autor do filme e seu projeto, por um lado, e, por outro, Elisabeth Teixeira e sua família. Não é provavelmente correto dizer que Elisabeth seja o personagem principal de *Cabra*. Os personagens principais dispõem-se em duas linhas de força: os camponeses que participaram de *Cabra*/64 e a família Teixeira, com Elisabeth liderando essa linha, sendo a outra constituída pelo próprio Coutinho e pelo filme que vai se fazendo. Essas duas linhas são oprimidas, quer como camponeses, quer como intelectuais: resgate da história oprimida. Das classes dominantes, constantemente presentes no filme como estrutura agrária, terrorismo contra os camponeses, ação militar no golpe, só aparecem imagens do estritamente necessário para o relato dos fatos. E isso é uma decisão clara: não mostrar personalidades políticas das classes dominantes. As oportunidades não faltaram: teria sido possível mais de uma vez introduzir documentos referentes a atores da cena política durante a ditadura, ou mesmo anterior a 64, quando, por exemplo, Elisabeth diz que foi ao Rio de Janeiro e a Brasília para depor numa comissão parlamentar de inquérito. Essa decisão clara e nítida diferencia fundamentalmente um projeto como *Cabra marcado para morrer* daquele de *Os anos JK* ou *Jango* (Sílvio Tendler), ou mesmo, em menor medida, *Jânio a 24 Quadros*

(Luís Alberto Pereira). No entanto, essa decisão não é mecânica nem dogmática: foram deixadas as falas de Elisabeth elogiando a anistia de Figueiredo.

Uma articulação dessa ordem — autor/personagem, ambos oprimidos e mediados pela obra — já apresentavam *O Homem que virou suco*, de João Batista de Andrade, e *Memórias do cárcere*, de Nelson Pereira dos Santos. Neste último, o livro de Gracialino Ramos articula a relação entre o escritor e os presidiários-povo; no outro, é por meio de seu poema que o poeta-operário Deraldo se articula com o operário-assassino. Em ambos os casos, o título do filme é o mesmo que o da obra do personagem escritor. *Cabra* radicaliza esse processo: a obra articuladora não é um dos elementos da ficção, mas é o próprio filme em si. Nesse processo, é a partir de sua produção artística que o intelectual articula-se com o povo, o que é explicitamente tematizado por esses filmes. Donde a força sintética do plano final, já comentado, da sequência de despedidas: a câmera dentro do carro focalizando o diretor do filme (ele também dentro do carro) e Elisabeth — quadro dentro do quadro — pela janela. As duas linhas organizadoras estão presentes nessa imagem fortemente estruturada, o que deixaria supor que esse plano poderia ter sido naturalmente a imagem final do filme, e o que valoriza ainda mais — pela estranheza — o fato de os montadores terem escolhido uma outra conclusão.

Qual é o material desse espetáculo? Na história derrotada, a realidade se estilhaça em mil fragmentos. São pedaços de realidade, vestígios, ruínas de história quase soterradas. *Cabra*/84 faz emergir *Cabra*/64, faz emergir Elisabeth debaixo de Marta (o pseudônimo escolhido na clandestinidade). A tarefa do espetáculo consistirá em trabalhar com esses vestígios, desenterrá-los, organizá-los para construir uma coerência — a ponte — sem que, no entanto, se perca a noção de fragmento. O fragmento não é uma arbitrariedade estilística, mas é a própria forma da história derrotada, motivo pelo qual, mesmo na busca da coerência e da significação, o caráter fragmentário não pode nunca ser abandonado. *Cabra* realiza isso de forma admirável. A montagem fragmentária provém naturalmente da diversidade dos materiais que compõem o filme, mas não só. Certas cenas que poderiam ter sido apresentadas de uma vez foram distribuídas em vários momentos do filme — por exemplo, os camponeses assistindo às sobras de 64, as entrevistas com Elisabeth no interior de sua casa ou no quintal. O material montado também não oferece homogeneidade estilística. O *Cabra*/64 tem algo de neorrealismo temperado com didatismo: seu hieratismo lembra o episódio *Pedreira de São Diogo* (Leon Hirzman) do *Cinco vezes favela* que a UNE coproduziu no início dos anos 60. As entrevistas com Elisabeth são bastante próximas do modo de filmar encontrado em documentários de meados dos anos 60, algo do tipo *Opinião pública* (Arnaldo Jabor). Já as entrevistas feitas na Baixada Fluminense com filhos e filhas de Elisabeth revelam certo sensacionalismo emocional que as aproxima de um estilo de reportagem televisivo atual. Nessa variedade de estilos, a própria passagem do tempo se reflete. E a menor dessas diferenças não é a acintosa presença do diretor: o autor expondo-se em primeiro plano, com tanta importância quanto seu personagem, era impensável na época do *Cabra*/64. O autor existia, sim, mas sempre oculto, transparente veículo da realidade e da mensagem. O autor tornar-se a mediação explícita entre o real e o espectador, o autor expor-se com sua própria temática de realizador de cinema, isso indica uma personalização do espetáculo e das relações com o público, a qual contradiz a postura ideológica e estética do *Cabra*/64. Outra atitude que diferencia violentamente o comportamento de 64 e o de 84: *Cabra*/64 tinha um roteiro escrito — e como! —, do qual vemos uma página na tela, enquanto o comentário informa que o *Cabra*/84 foi feito sem roteiro. Aliás, diga-se de passagem, que o montador do *Cabra*/84, Eduardo Escorel, só pode ter tido um papel tão autoral quanto o próprio diretor, considerando a complexidade e a inteligência dessa montagem.

Fragmentado é o *Cabra*/64, que não constitui um filme, nem um pedaço de filme, mas um conjunto de planos; o comentário elucida logo que não houve montagem. Como fragmentada é a família de Elisabeth após 64, espalhada que ficou pelo Brasil. Como espalhados também ficaram os camponeses que atuaram no filme de 64. Diante desse estilhaçamento, a tarefa é juntar e reatar pedaços — sem perder a noção de fragmento. Reunir os camponeses em Galileia diante do conjunto de planos. Reunir a família. Aqui me parece que as linhas que estruturam o filme desenvolvem esforços quase competitivos: Elisabeth quer reencontrar os filhos (ela expressa esse desejo; mandou uma carta a uma das filhas), e o filme quer reencontrar os filhos de Elisabeth. Quase no final, somos informados de que no momento em que se redigia o comentário do filme, bastante tempo após o fim das filmagens, Elisabeth só tinha reencontrado dois de seus filhos, enquanto o filme já reencontrara todos os filhos vivos. O espetáculo precedeu a própria Elisabeth, ao mesmo tempo em que, de certa forma, lhe deu as condições de começar a desenvolver esse trabalho, uma vez que é o filme que a tira da clandestinidade. Competição, a não ser que... A não ser que esse reencontro venha a se dar só no filme, que os fragmentos espalhados pela realidade venham a se reencontrar apenas no espetáculo; que este seja a realização imaginária de potencialidades que não ocorreram. Só o espetáculo possibilita que Elisabeth se reencontre consigo mesma, no plano do *Cabra*/84 em que a vemos de costas olhando para sua própria imagem de frente num plano do *Cabra*/64; aqui todos os níveis de Elisabeth se articulam: a pessoa Elisabeth, já despojada de seu nome falso Marta e personagem de *Cabra*/84, diante da atriz Elisabeth interpretando Elisabeth Teixeira. Só em função do espetáculo os camponeses reagruparam-se em Galileia. Só nesse espetáculo de 84, e em nenhuma outra situação, o personagem de 64 pode dizer: "O charque está caro". São potencialidades que só são passíveis de se concretizar no espetáculo, o qual adquire então sua real função.

Já fiz várias alusões neste texto a repetições de planos ou de cenas em *Cabra marcado para morrer.* Há muitas outras. Só para citar alguns exemplos com caráter quase obsessivo: três tomadas montadas consecutivamente de um plano de *Cabra*/64 que apresentam um jagunço saindo a cavalo de uma casa e quebrando um pote aos pés de um camponês; ou a frase correspondente ao último plano rodado em 64 e que não foi gravada em 64 — "tem gente lá fora" —, repetida quatro ou cinco vezes pelos camponeses de 84. Tanto quanto pelo movimento de resgate ou pela noção de "último", *Cabra* está marcado pela repetição. Repetição aplicada principalmente ao material ou a situações relativas a 64, mas não só: a cena em que por duas vezes o filho de José Virgínio procura os livros na maleta é atual. Cada uma dessas repetições tem uma motivação própria: a primeira vez em que vemos Elisabeth no comício é inserida no trecho que se refere à sua biografia após o assassinato de João Pedro; a segunda reforça a ideia de "último"; a repetição da cena de *Kaputt* enfatiza a relação do filme com o romance — a ideia da obra escondida para escapar à repressão — e o trabalho histórico como resgate; três planos de fotografias do cadáver de João Pedro asseguram a presença daquele de quem não existe nenhuma fotografia de quando vivo. O procedimento é tão insistente que, além das explicações caso por caso, só pode haver uma motivação mais forte. A repetição reafirma o caráter fragmentário em detrimento da continuidade. Mas tenho a impressão de que ela possui como função principal marcar a vitória sobre a lata de lixo da história. Isso foi resgatado, isso foi salvo, e então se diz e se rediz que esse fragmento foi desenterrado, foi reconquistado, foi integrado à história, que não se tenha dúvida; e repete-se de novo para agarrar-se a ele, para que não torne a desaparecer, para conjurar uma eventual nova perda.

O projeto de *Cabra marcado para morrer* — jogar uma ponte por cima da ruptura para dar sentido ao passado e vivificar o presente — não saiu todo pronto da cabeça de Coutinho. Vejo aí, ao contrário, um projeto coletivo que se já manifestava claramente, havia cerca de dez anos, em *A queda*, de Ruy Guerra e Nelson Xavier. Os personagens são operários do metrô do Rio de Janeiro. Perguntando-se qual seria o passado desses personagens, as autores imaginaram que dez anos antes da ação de *A queda* eles prestavam serviço militar no Nordeste e reprimiam camponeses esfomeados. Ou, inversamente, questionando-se sobre o futuro desses soldadinhos de 64, encontraram operários do metrô. Para criar esse passado, foram enxertados em *A queda* fragmentos do filme que Ruy Guerra finalizara no início de 64: *Os fuzis*. Os enxertos de *Os fuzis* asseguravam um passado aos personagens de *A queda* e um futuro aos soldadinhos, mas asseguravam igualmente um passado à obra *A queda* como filme e um futuro a *Os fuzis*, bem como àquela fase do Cinema Novo que sofreu um corte em 64. *A queda* manifestava claramente a vontade de encontrar, ou melhor, de construir uma coerência entre o pré e o pós-ruptura, de transformar numa trajetória aquilo que ameaçava se tornar estilhaços de história.

Mas não só *A queda*. Sem dúvida, esse mesmo projeto está também presente em *Eles não usam black-tie*, de Leon Hirzman, que retoma a peça de Guarnieri, passado um quarto de século, afirmando que o projeto que informava a peça de 1955 e o seminário de dramaturgia do Teatro de Arena prossegue, na sua identidade e nas suas mudanças (por exemplo, a mudança no enfoque dado à greve e na passagem de Guarnieri do papel do filho no espetáculo teatral para o do pai no filme). E *Memórias do cárcere* me parece também ter vínculos com esse mesmo projeto: a metáfora do intelectual ligado ao povo, que expressa o povo sem voz, o qual se encontra na obra do intelectual, é a reafirmação de um ideal alimentado por boa parte da intelectualidade de esquerda nos anos 50 e 60 e pelo Cinema Novo.

Mas, diferentemente de *Cabra*, e também, em certa medida, de *A queda*, tanto *Black-tie* como *Memórias* não oferecem um caráter fragmentário e apresentam uma narrativa em continuidade. Isso não é, em si, vantagem nem desvantagem, mas é revelador de uma outra postura: longe de se prender ao resgate da história, ao trabalho sobre a derrota e a ruptura, esses dois filmes estão preocupados com suas mensagens. O que lhes dá homogeneidade, unidade, continuidade é o projeto ideológico que os domina. O caráter fragmentário não se manifesta porque a história está moldada pela mensagem a transmitir, pelo caráter didático e dogmático. São obras que têm antes como função ilustrar uma concepção que lhes é anterior. Talvez me explique melhor fazendo uma comparação. Há um momento de *Cabra* que me lembrou uma sequência de *Memórias*, durante a primeira entrevista com Elisabeth, na sala da casa. Sobraram oito fotos de cena de *Cabra*/64, oito fragmentos; são vistas por Elisabeth e seu filho Carlos; posteriormente elas passam de mão em mão, e uns jovens vão apontando uma ou outra coisa que chama a sua atenção. Apesar de uma situação totalmente diversa, vejo uma relação entre esses planos de *Cabra* e a sequência quase final de *Memórias*, em que os guardas ameaçam apreender os manuscritos de Graciliano Ramos: os folhetos são distribuídos entre os presos, que os escondem em suas roupas. Essa cena sintetiza o ideal expresso no filme: o povo — simbolizado pela comunidade dos presos — assume a obra do intelectual e, no mesmo movimento, o escritor entrega sua obra ao povo; diante da repressão a obra espalha-se e se atomiza em mil pedacinhos e, no mesmo movimento, encontra sua unidade ao fundir-se com o povo. Assim como as oito fotos são assumidas pelos presentes. A grande diferença, a meu ver, é que em *Memórias* a significação da cena existe antes da cena, a cena já nasce portadora da significação e tem como função exibir a metáfora, a cena é dominada pelo sentido metafórico; enquanto em *Cabra* a cena é antes descrita e a metáfora brota dela; em vez de se impor, ela brota frágil sem assumir o caráter de mensagem fechada.

> *O cronista que narra os acontecimentos, sem distinguir entre os grandes e os pequenos, leva em conta a verdade de que nada do que um dia aconteceu pode ser considerado perdido para a história. Sem dúvida, somente a humanidade redimida poderá apropriar-se totalmente de seu passado. Isso quer dizer: somente para a humanidade redimida o passado é citável, em cada um de seus momentos. Cada momento vivido transforma-se numa* citation à l'ordre du jour *— e esse dia é justamente o último, o do juízo final.*
>
> Walter Benjamin[2]

Folha de S.Paulo, 24 de março de 1985

NOTA 2003*

Se...

A "ponte" — metáfora que continuo achando aplicável aos filmes *A queda* e *Cabra marcado para morrer* — não elimina a ruptura. O trabalho de resgate não repõe a perda.

Adentrando o portal mágico do "se" em história, perguntemo-nos: nós que, graças a Deus, estamos aqui contando a história, iríamos contá-la da mesma forma SE Eduardo Coutinho tivesse concluído *Cabra marcado para morrer* antes do golpe militar de 1964?

Os planos de *Cabra*/64 mostrados em *Cabra*/84 indicam uma linguagem distante da estilística dominante nos longas-metragens do Cinema Novo dos anos 1963-64. *Deus e o diabo na terra do sol*, *Vidas secas*, *Os fuzis* apresentam planos de longa duração, uma insistente continuidade espacial, uma câmera que evolui em função dos atores, estejam eles caminhando (planos famosos de *Vidas secas*) ou parados (o Corisco de *Deus e o diabo*) etc. Possivelmente a estilística de *Cabra*/64, mais próxima da câmera e da montagem de um *Pedreira de São Diogo*, de Leon Hirzman, não teria repercutido muito sobre o processo de transformação pelo qual passava a linguagem do cinema brasileiro naquele período.

Mas *Cabra*/64 propunha uma dramaturgia inovadora naquele momento. Não só porque recorria a atores não profissionais, mas principalmente porque esses atores estavam diretamente implicados nos fatos reais que o filme transpunha para a ficção. Nunca antes aparecera uma proposta dramatúrgica em que uma pessoa representasse seu próprio papel numa ficção, como era o caso de Elisabeth Teixeira (o que Jean Rouch já fizera no final dos anos 50). O trabalho de *Cabra*/64 sobre as complexas fronteiras entre

* Neste artigo e no seguinte, NOTA 2003 designa comentário adicionado pelo autor ao texto original. (N. E.)

documentário e ficção abria perspectivas de linguagem tanto para a ficção como para o documentário que poderiam ter sido aproveitadas e transformadas por cineastas brasileiros já em meados dos anos 60. Ou não? Acredito que a interrupção das filmagens provocou uma perda, sobre a qual se pode trabalhar (é o que faz o plano comentado anteriormente, em que Elisabeth/Marta olha a foto de Elisabeth/atriz interpretando Elisabeth Teixeira), mas que não pode ser reposta.

Acredito também que a história ideológica do Cinema Novo dos anos 1963-64 seria contada diferentemente se *Cabra marcado para morrer* tivesse sido concluído.

A hegemonia estilística e ideológica ficou com os três filmes de Glauber Rocha, Nelson Pereira dos Santos e Ruy Guerra, aqui citados. Eles enquadravam-se numa postura humanista que teve repercussão internacional. O humanismo destacava a miséria de uma massa camponesa sofredora e apática, não só do Nordeste brasileiro, como do campesinato latino-americano e do Terceiro Mundo em geral — a permanência opressora da estrutura agrária apoiada no latifúndio —, e apontava, principalmente no caso de Glauber e Nelson, para uma vaga esperança utópica. Mas esses filmes ignoraram situações que se desenvolviam no Nordeste no exato momento em que vinham sendo filmados. Prudentemente *Deus e o diabo* e *Vidas secas* evocam os anos 30 para ambientar suas ações. Os filmes revestem-se assim de um caráter um tanto abstrato, que contribuiu para sua repercussão e que se encaixava adequadamente num pacto ideológico existente na época (as desavenças entre Carlos Lacerda e *Deus e o diabo* não me parecem alterar fundamentalmente esse quadro). O pacto, de caráter desenvolvimentista, consistia em atacar a miséria de um campesinato marginalizado e a sua causa, o latifúndio, mas também em não tocar em temas atuais que poderiam sensibilizar uma burguesia que, por mais nacional e nacionalista que se pretendesse, não entendia que se abordassem questões delicadas relativas ao proletariado e à organização popular. E esse é provavelmente um dos motivos pelos quais o cinema hegemônico do Cinema Novo nos anos 1963-64 foi tão rural e tão pouco urbano. Os numerosos movimentos operários desses anos, ocorridos em vários centros industriais, passaram despercebidos.

Trabalhando com as mesmas massas camponesas, o Leon Hirzman de *Maioria absoluta*, ainda dentro da linha desenvolvimentista, adota uma postura diferenciada da dos filmes anteriormente citados. No quadro do pacto Partido Comunista/governo João Goulart, confronta um campesinato indefeso e apático, com exceção de algumas vozes individuais (o notável monólogo do "é uma vergonha pra minha cara"), com uma elite irresponsável. Propugna pela alfabetização, que daria direito de voto aos camponeses, e chama as classes abastecidas e os poderes públicos à sua responsabilidade. O comentário final ("O filme acaba aqui. Lá fora, a tua vida, como a destes homens, continua") conclama à ação, incidindo sobre um plano de camponeses caminhando por uma estrada, afastando-se da câmera, ou seja, um final visualmente não muito diferente do de *Vidas secas*.

A proposta de *Cabra marcado para morrer* é totalmente diferente das duas anteriores. O filme não procura um humanismo utópico, nem se dirige aos poderes públicos. Os camponeses não são apáticos, mas organizados; formam as Ligas Camponesas e enfrentam concretamente a estrutura agrária e os latifundiários — o que levou ao assassinato de João Pedro. Dá para perceber quão distante estaria esse filme tanto da proposta humanista quanto da linha de Hirzman.

Se *Cabra marcado para morrer* tivesse sido concluído, contaríamos de forma diferente a história do cinema desses anos 1963-64, porque esse filme se colocaria como um contraponto a relativizar a postura político-ideológica dos filmes do mesmo período.

Ele relativizaria também outro parâmetro, fundamental no quadro ideológico e cinematográfico da época: o da conscientização. A vulgata entendia que a tomada de consciência é anterior à ação. As massas estão, na linguagem da época, "alienadas"; devemos então fazer um trabalho de conscientização (trabalho próprio das lideranças e dos artistas "engajados"), para que, conscientes, elas se tornem politicamente ativas. Essa tese, amplamente difundida na época — da consciência como necessária à ação e como necessariamente anterior a ela e, portanto, da ação como decorrente da consciência —, convinha ao pacto humanista-desenvolvimentista. De fato, ela permitia que se insistisse sobre a conscientização, e não sobre a ação. Daí tanto os filmes de Glauber Rocha, Nelson Pereira dos Santos, Ruy Guerra como o de Leon Hirzman não enfrentarem a questão da ação, mas, ao contrário, postergarem-na. Não por acaso, em *Deus e o diabo*, Glauber não filmou "a grande guerra do sertão", e sim o que seria sua preparação.

Ora, pelo que se pode depreender do filme interrompido de Coutinho, *Cabra marcado para morrer* não se apresentava como um filme de conscientização (no sentido da vulgata), nem postergava a ação. Ele propunha filmar a ação e filmar seus personagens em ação. Dá para intuir — e penso não estar cometendo um contrassenso ao fazer tal afirmação — que, no quadro desse filme, a ação não depende de um trabalho conscientizador prévio e que a ação é construidora de consciência. Possivelmente a finalização de *Cabra marcado para morrer* nos teria permitido uma compreensão mais crítica do trinômio consciência/conscientização/ação.

E Eduardo Coutinho poderia ter tido nesse momento um papel diferente do que teve, SE...

Os anos JK: como fala a história?

A história não fala por si só.

Para que fale, é preciso que a façamos falar.

Os anos JK, uma trajetória política, de Sílvio Tendler, segue o percurso de JK, a partir do qual desponta um período recente da vida política brasileira. Quais os mecanismos que Sílvio Tendler aciona para fazer falar esse período da história do Brasil? Apontarei para alguns deles, que me parecem básicos para a construção da história nesse filme.

O filme parte da premissa de que o regime político atualmente vigente no Brasil é ruim, o que ele não precisa demonstrar, pois se dirige implicitamente a um público que pensa dessa forma. Bastarão algumas imagens grotescas e sinistras de presidentes militares (por exemplo, aquela de Costa e Silva com Castello Branco) para confirmar esse dado.

Em oposição ao atual regime dado como negativo, propõe-se o governo e a figura de JK como positivos. De que forma isso se dá?

Um bloco de sequências parece desenhar a imagem que *Os anos JK* pretende transmitir do presidente. Começa com a revolta de Aragarça, a primeira crise militar de seu governo, e vai até a primeira sequência de Brasília. No caso de Aragarça, JK defronta-se com a extrema direita: ele opta pela anistia; sua prudência e habilidade evitam crise maior, a revolta é neutralizada e absorvida. (A seguir, o então presidente da UNE conta seu encontro com JK: este sabe demover o estudante do movimento que a UNE estava desenvolvendo, esvazia a crise estudantil em nome da nação.) Um líder sindical conta que JK fez promessas aos operários de São Paulo e as cumpriu, mas os operários perderam na Justiça; falando serenamente, JK evitou que o movimento operário se radicalizasse. (O advogado de Luís Carlos Prestes explica como o líder comunista saiu da cadeia e ficou em liberdade durante todo o governo JK, que ele qualifica de liberal.) Mário Martins, ex-deputado da UDN, conta como JK pediu ao Congresso autorização para processar Lacerda; foi derrotado e respeitou o Congresso.

Essa série de situações e relatos selecionados pelo filme valoriza a imagem de um presidente liberal que sabia lidar com os vários setores da sociedade e as várias forças em presença no jogo político. Ele absorve e neutraliza os conflitos dentro da legalidade, inclusive quando é hostilizado; fica acima dos interesses particulares, sabe harmonizar contradições e antagonismos; funciona como um regente da nação. Essa a imagem positiva que o filme constrói de JK.

Seria ingênuo construir uma imagem totalmente positiva; a positividade total de JK faria dele um herói, o que acabaria tendo um efeito contraproducente, e o filme deve integrar, no mínimo, as críticas que seu provável público já faz a JK, que será, portanto, alvo de críticas: ele abre o país ao capital estrangeiro, não altera a estrutura agrária etc. Mas o filme toma o cuidado de fazer e absorver essas críticas de modo a não prejudicar a positividade da imagem. Elas são formuladas com uma ironia graciosa. Comentando a implantação da indústria automobilística no Brasil, diz-se, por exemplo, que ele confunde a Volkswagen do Brasil com a Volkswagen no Brasil. Um tom de amável irreverência já tinha sido usado quando se comentavam as qualidades mundanas de JK: dançava bem e era apelidado "pé de valsa". Na hora em que o locutor faz esse comentário, a imagem mostra JK dançando, mas, justamente, ele esbarra no casal atrás dele, brincadeirinha que cria uma relação descontraída com JK e prepara o clima para que sejam feitas críticas amáveis a que não se dará maior peso.

Como se inscreve essa imagem positiva do regente da nação dentro da história? Tenho a impressão de que o filme monta dois mecanismos básicos para organizar a história e situar JK dentro dela. Um deles consiste em criar uma continuidade histórica de que JK é um elo, em se referir a uma tradição histórica positiva para a nação de que JK é continuador. Getúlio Vargas é a pedra de toque dessa tradição. Inicialmente qualificado de caudilho e ditador, Vargas sai da vida e do filme como elemento positivo. O filme faz então uma associação entre GV e JK. A carreira de JK nasce nos anos GV e se desenvolve a partir daí, como um prosseguimento. Não só no início a trajetória de JK encontra-se com a de GV. Também no final: o caixão de JK é carregado pelo povo como fora o de GV. E mais: o suicídio de GV ecoa na eventualidade do suicídio de JK, que seus amigos souberam evitar "porque a nação não suportaria mais um cadáver". O locutor do filme não encampa a tese do suicídio, porém a montagem deixa ao depoente Mário Martins todo o tempo para desenvolvê-la. Mas a linha de continuidade começa bem antes, com os bandeirantes: JK retoma o desbravamento iniciado três séculos antes, comenta o locutor, não sem alguma ironia, mas ironia que não chega a desmentir a informação. Essa continuidade positiva bandeirantes-GV-JK prossegue com João Goulart, que tem a coragem de tocar em problemas que JK não ousara abordar. Essa linha positiva (o "sistema de Vargas", "os de dentro", para retomar expressões de T. Skidmore, que deve ter inspirado em parte os autores do filme) sofre interrupções: o filme tratará negativamente "os de fora", quando chegam ao poder: o largo sorriso de Café Filho, quase um primeiro plano, logo após o suicídio de Vargas, e a comoção nacional dão dele a imagem de um oportunista maquiavélico. O "entreato" JQ é apresentado de forma quase (?) grotesca.

Ao lado da linha de continuidade histórica, encontramos outra: a individual. Biografias de homens políticos não raro apresentam a vida política do biografado como a realização de uma vocação pessoal: o filme de Jorge Ileli detecta na criança Getúlio Vargas os sinais do que viria a ser o chefe de Estado. *Os anos JK* não segue essa linha. Mecanismos extrapessoais são levados em consideração, quando se diz, por exemplo, que é a máquina política mineira que o leva à presidência. De qualquer modo, aspectos psicológicos de JK são ressaltados: ele é dinâmico, entusiasta, próximo ao povo, cordial etc. E há nele algo como uma vocação, uma linha de força individual: essa trajetória que vai sem pausa do adolescente telegrafista ao presidente. As suposições que faz o locutor: em Diamantina talvez já sonhasse com Pampulha, e em Belo Horizonte, com Brasília. O gesto político apareceria então como a concretização de um sonho anterior. Trajetória individual e trajetória nacional não se contradizem. O locutor, sempre pronto a nos indicar como devemos entender as coisas, dá-nos a moral da história, ao citar uma frase atribuída a JK: "Os indivíduos, como as nações, fazem destino." Com JK, destino individual e destino nacional fundem-se harmoniosamente.

Outro mecanismo a que recorre o filme é o que se poderia chamar de sistema de ecos. Já vimos ecos: o suicídio e o caixão de GV ecoam no hipotético suicídio e no caixão de JK. São ecos positivos. Em 1964, a linha de continuidade é interrompida; entra-se na fase negativa. O filme dispõe elementos em ecos positivos (JK) e ecos negativos (ditadura militar). Um primeiro elemento é evidentemente o militar, positivo na figura legalista e nacionalista do general Lott, negativo nas figuras dos ditadores pós-64. Outras situações se organizam em forma de paralelismo. Por exemplo: JK pede ao Congresso autorização para processar um deputado, autorização negada, governo derrotado, JK respeita a decisão. O governo militar quer processar um deputado, é derrotado, o Congresso é fechado. Ao diálogo de JK com o presidente da UNE responde o estudante morto na ditadura militar. À anistia concedida aos rebeldes de Aragarça correspondem a não aceitação pelos militares da anistia concedida por Goulart aos marinheiros e as "punições" infligidas pelos governos militares, inclusive ao próprio JK. Não é necessário que cada sequência tenha o seu eco para que esse mecanismo de paralelismo comparativo funcione como princípio de organização da história; bastam algumas.

A estrutura de algumas frases da locução também nos propõe uma compreensão da história pelo paralelismo, quando, por exemplo, o locutor fala de "um 11 de novembro às avessas": a metáfora se refere ao 11 de novembro de Lott, que assegura a legalidade e a posse de JK — ato positivo — para designar o ato negativo de impedir a tomada de posse de Goulart; ou quando diz que os tanques substituiriam os palanques na Central: o golpe — ato negativo — é designado por meio de uma referência ao comício de 13 de março — ato positivo; ou, ainda, ao afirmar que JK personificou o "oposto" do que JQ expressou, a "inviabilidade da democracia". A história organiza-se em ecos, positivos e negativos.

O que me parece sustentar a construção do filme — tal como a descrevo — é que a história fornece lições e devemos aprender com elas. E a história, de fato, fornece lições, modelos políticos etc., mas ela só fornece as lições e os modelos que se puserem previamente nela. Na medida em que os autores de *Os anos JK* elegeram JK como modelo, mesmo com ressalvas, eles constroem a história de modo a que ela lhes forneça, e a seu público, o modelo que puseram. A história devolve o que foi investido nela. (Aliás, poderíamos estender a questão: seriam o mecanismo de paralelismo, a construção em ecos, uma forma de elaborar a história do Brasil no cinema, pois encontramos procedimentos muito parecidos em filmes como *Rebelião em Vila Rica*, dos irmãos Santos Pereira, *Terra em transe*, de Glauber Rocha, ou *Os herdeiros*, de Carlos Diegues?)

Nesse processo as imagens, catadas no acervo das imagens cinematográficas do passado, têm uma função legitimadora, dão chancela de autenticidade ao modelo escolhido. Toda uma mitologia cerca as imagens cinematográficas como documentos, reflexo, expressão etc. do real, ainda mais no caso brasileiro, em que poucas imagens sobreviveram à destruição do acervo cinematográfico e em que se julga que não conhecemos a história, que a história é surrupiada pela educação, propaganda e ideologia oficiais. O simples resgate de imagens-documento do passado parece ser o próprio reerguimento da história soterrada, que falaria por si só. As imagens, de fato, falam muito pouco, ou melhor, a potencialidade de fala que elas têm é enorme, mas sempre tão dispersa e tão ambígua, que elas nunca apresentariam o discurso da história, caso não fossem rigorosamente domadas e enquadradas por uma série de mecanismos (seleção, montagem, música, locução) que as levassem a dizer o que se quer que digam. *Os anos JK*, como muitos outros filmes históricos, é loquaz. O texto (depoimentos e locução) tem como função dirigir a imagem para a significação pretendida, limpá-la de outras possíveis, tirá-la de sua ambiguidade. O texto, nessa concepção de filme, é a muleta da imagem. *Os anos JK* oferece inúmeros exemplos para comprovar essa afirmação. Peguemos o caso de Aragarça: uma série de fatos e sua significação nos são comunicados — revolta, anistia, chegada ao aeroporto, significação da anistia. Toda a amplitude dos fatos e sua significação nos são transmitidas pela locução, sem a qual não teríamos ideia do que "aconteceu". As imagens ilustram as afirmações da locução e nos dão uma ambiência, uns rostos, umas roupas, uns olhares, que em si não significam nem X nem Y. Mesmo nessa ambiência, a locução sente necessidade de intervir para canalizar-lhe a significação e expulsar outras não pertinentes à "lição" da história. Quando vemos homens, num aeroporto, com bandeiras brasileiras nas costas, a locução nos informa que estamos vendo revoltosos de volta ao Rio, "retoricamente" envoltos em bandeiras. A rigor, que estavam envoltos em bandeiras, não precisaria dizê-lo, já que o estaríamos vendo. A redundância imagem/locução tem a finalidade de isolar determinado elemento, canalizar o olhar e a atenção do espectador sobre ele e desviá-lo de outros possíveis elementos. Não só isolar o elemento, qualificá-lo também: o locutor especifica: "retoricamente". Há como que o temor, por parte da locução, que se estabeleça entre o espectador e as imagens uma relação não prevista. E a nossa tendência é aceitar essas significações quase que como expressões espontâneas das imagens. Às vezes pode ocorrer que o espectador alcance um relacionamento mais rico com essas imagens, subvertendo o filme, isto é, escapando às significações, especificações, seleções etc., que criam a locução e a montagem. Tal olhar, que os mecanismos de significação do filme rejeitam, ou não destacam, poderá ser valorizado por um espectador que o terá detectado por conta própria, ou seja, o espectador, por cima da construção do filme, poderá encontrar outras leituras, ou mesmo entrar no campo da ambiguidade da imagem.

Outro caso: Getúlio Vargas discursa, o microfone é alto, ou dá a impressão de ser tão ou mais alto que o orador, o qual quase desaparece atrás dele; GV está circundado por pessoas que se comprimem entre si, formando em volta dele uma espécie de parede compacta de roupas e gente. Em determinado momento, GV desvia o olho do texto que vinha lendo e dirige um olhar tenso em direção à câmera, como que por baixo do microfone. A imagem acaba com esse olhar. Não lembro exatamente, agora, o momento em que incide essa imagem; em todo caso, é numa sequência referente a 1945 ou 1954, quando a situação de GV é periclitante —

prestes a perder o poder, é o que nos informa a locução. O locutor não faz nenhuma referência a esse olhar; assim mesmo, a sua significação está quase totalmente determinada pela significação global da sequência em que foi montada. De fato, nessa posição, o que lemos é um GV cercado, encurralado no palanque, engolido pela situação, e seu olhar é interpretado como o de uma pessoa que se sente acuada, o que também pode ter sido reforçado pelo corte. A imagem original talvez se prolongasse após o olhar, diluindo-o no conjunto do plano; o corte logo após o olhar poderá lhe ter dado um realce maior. Aqui a montagem atribui à imagem uma função metafórica. Esse olhar, que pode ter tido mil causas, desde a tensão provocada pela situação política até um ruído ou movimentação inesperada perto do palanque, recebe uma significação à qual o espectador não pode escapar: GV acuado, em perigo político; o espremido no palanque vale por espremido pela situação. O sorriso já citado de Café Filho recebeu um tratamento semelhante.

O material de base de *Os anos JK* era provavelmente tedioso. São os Primo Carbonari, os Canal 100 da época. No entanto, o filme não é nem um pouco tedioso. É que o material fornecido pelos velhos cinejornais que nos apresentavam discursos intermináveis, banquetes, assinaturas de documentos, mundanidades, retrabalhados por mecanismos como os que apontei, adquire novas significações. Filmes como *Os anos JK* são como que a redenção dos aborrecidos cinejornais.

Mas eis um novo problema: qual o material de base que os cinejornais oferecem a um filme como *Os anos JK*? Um historiador cunhou uma expressão feliz para designar o cinejornal brasileiro e toda uma modalidade de filmes documentários: a "crônica dos vencedores". Esse cinema só mostra autoridades, políticos, militares, atos oficiais, alta sociedade se exibindo etc. Pela sua forma, ele não tem como escapar: ou produção estatal (no caso dos jornais do DIP ou da Agência Nacional), ou algo muito próximo da matéria paga. É de perguntar que marcas deixa o cinejornal nos filmes de montagem históricos, já que os autores não têm outro material documentário a que recorrer. Dificilmente se poderá mostrar imagens que não sejam as das elites e/ou que não sejam as do ponto de vista das elites. Em que medida as características desse material já não operam uma seleção temática: o que mostrar da vida operária nesses anos JK, se os operários nunca foram tema do material cinematográfico usado pelo filme? Que fatos eventualmente importantes tiveram que ser eliminados ou rapidamente aludidos, se não há filmes que os tenham documentado? Como escapar às implicações ideológicas das imagens originais que são imagens tomadas na ótica do poder? A quase totalidade dos filmes de montagem históricos feitos no Brasil gira em torno de chefes de Estado: os três sobre Getúlio Vargas, o JK, em breve JQ, filme ainda inconcluso. Por fazerem biografias de homens políticos, por abordarem a política no plano da cúpula, por aderirem bastante ou totalmente às figuras abordadas, os filmes sobre GV e JK circulam na mesma esfera do seu material de base, mesmo que elaborem significações diferentes deste: a política profissional, a cúpula do poder. Por esse motivo — e, acredito, só por esse motivo — tais filmes são realizáveis. Outros temas, como sejam o movimento operário, a repressão e o medo durante o Estado Novo ou o governo Medici, a vida cotidiana etc., não poderiam ser tratados a partir desse sistema: filmes de montagem com material de arquivo. A recuperação, revalorização, ressignificação das imagens cinematográficas ligadas à história do Brasil acabam operando predominantemente, se não totalmente, no âmbito do poder. Quando se louva tão insistentemente tal recuperação das imagens históricas brasileiras, o que de fato se elogia é a recuperação das imagens do poder, mesmo se tratadas com ironia.

(*Novos estudos*, Cebrap, 1981)

NOTA 2003

Filme de montagem: material de base e locutor

Brasília segundo Feldman, de Vladimir Carvalho, nos possibilita ampliar a questão do poder e do material de base em filmes históricos de montagem, levantada a respeito de *Os anos JK*. Esse filme permite afirmar que a escolha do arquivo, em si, já constitui uma opção ideológica e política. Não há dúvida: se o projeto de Vladimir Carvalho tivesse sido fazer um documentário sobre a construção de Brasília, os acervos brasileiros, por mais depauperados que estivessem, lhe teriam fornecido amplo material. A opção primeira de Vladimir não foi o tema — a construção de Brasília —, mas o acervo de Feldman, o qual se refere à construção de Brasília. A nuance é fundamental. Isso porque Vladimir não teria encontrado em outros acervos o olhar que Feldman propunha.

A locução (na voz do realizador) nos informa logo de início que o artista plástico norte-americano Eugene Feldman, tendo passado algum tempo no Brasil, com sua "câmera de amador", "fixou de forma até agora inédita a figura do candango, gravando também sua voz e os sons ambientes. Recuperadas depois de quase vinte anos, as suas imagens e gravações serviram de base a este testemunho sobre os primeiros tempos de Brasília".

Quero salientar a expressão *até agora*, ou seja, não apenas até a época em que Feldman filmou, mas até o momento da produção do presente filme. Evidentemente, depois de construída a cidade, não havia mais como filmar sua construção. Mas acredito que essa estranha expressão implica que os operários da construção não foram na época filmados da forma como Feldman os filmou, assim como essa *forma* continua ainda hoje, no mínimo, rara. O que entender por essa *forma*? Feldman está totalmente desvinculado de qualquer esquema de poder, o qual, a julgar por seu material ou pelo material selecionado por Vladimir, não o interessa. O filme contém poucas imagens de Juscelino Kubitschek e outras autoridades. Vladimir filma candangos e também prédios, muitos. O que encontrávamos na época em que Feldman realizou sua obra eram filmagens oficiais que davam mais importância às autoridades e aos prédios do que aos pedreiros. Estamos de fato em 1959, conforme informação dada pela locução inicial do filme. É só a partir desse final de década, com filmes como *Arraial do Cabo* e *Aruanda*, que o documentário brasileiro começa a abordar temas sociais de um ponto de vista crítico.

O texto de abertura contém outra afirmação interessante: é que Feldman, de modo até então inédito, teria filmado *a figura do candango*. Ora, ele não filmou *a figura do candango*, pelo simples fato de que tal figura é infilmável. *Figura do candango* é um conceito genérico que o cinema não pode filmar, embora possa significá-lo. Feldman filmou candangos. Tal expressão revela a tensão ainda presente em documentários brasileiros entre uma postura de caráter sociológico que, por meio do particular, no caso, por meio da pessoa dos operários, visa ao geral, isto é, ao abstrato. Essa *figura do candango* vai contra o material de Feldman e até mesmo contra o projeto de Vladimir Carvalho e o próprio filme. O filme não se interessa pela *figura do candango*, mas pelos candangos, por sua vida, suas condições de trabalho.

As imagens do filme são acompanhadas por dois depoimentos em *off*. Um deles é do candango Luiz Perseghini, que, num momento, usa um genérico parecido com a linguagem verbal presente nos documentários de caráter sociológico: *o cearense*. Na fala de Luiz, *o cearense* não remete ao conjunto dos nordestinos que foram a Brasília para a construção, nem mesmo ao conjunto dos cearenses, mas designa UM cearense em particular, que ele conheceu, que escreveu uma carta a seu pai, que tinha permanecido no Ceará. Voltarei à história desse cearense.

A expressão *a figura do candango* é a linguagem do poder que se infiltra num filme que justamente se opõe a esse poder.

* * *

O primeiro depoimento é de Athos Bulcão. De sua fala, deduzimos logo que Vladimir Carvalho projetou o material de Feldman para Athos e lhe pediu que comentasse as imagens, que nesse momento inicial são planos gerais filmados de avião mostrando um imenso descampado e algumas edificações. Athos diz "Isso é a chegada, pelo jeito é a chegada a Brasília, é um pouco... agora o foco tá melhor". Esse *pelo jeito* sugere que a significação da imagem não está clara e imediatamente determinada; há um momento de hesitação, há um deciframento.

O outro depoente faz um comentário da mesma ordem. Diante de imagens que mostram uma aglomeração de candangos diante de pequenas lojas, ele diz "Isso é um domingo, talvez". Há uma grande diferença entre essa frase e a de um locutor tradicional que dissesse: "Esse é o domingo dos candangos", ou coisa que o valha. O *talvez* não fecha a significação da imagem; tal significação não nos é imposta, mas proposta. E o depoente encadeia diretamente: "Quase não havia mulheres em Brasília, quase que só homens". De fato, nas imagens só há homens. O depoente destaca um aspecto dessas imagens que mostram homens fazendo compras em pequenas lojas improvisadas, e emenda com a presença de prostíbulos nas imediações de Brasília, enquanto as imagens do *domingo* prosseguem.

Os depoentes de Vladimir Carvalho não viram essas imagens com as falas que as acompanham na montagem atual. Athos e Luiz comportam-se como espectadores que não recebem uma informação verbal que determine a significação das imagens. A significação flutua um pouco, e a imaginação ou a memória são mobilizadas por um elemento das imagens valorizado, em detrimento de outros, pelo espectador-depoente. Luiz, em vez de comentar essa forma de comércio na Brasília nascente, fala de prostíbulos.

Há outro momento delicioso do filme que vai nessa mesma direção. De repente aparece um elefante. Athos comenta tratar-se de Detefon, elefante que sofria de reumatismo, doado a Juscelino por um amigo, e acrescenta "fundador do jardim zoológico", sem que fique muito claro se o fundador é o amigo ou o Detefon reumático. O trecho do elefante termina com um zoom em direção ao olho do animal, e o plano seguinte, aberto, apresenta máquinas de terraplanagem. Um plano próximo destaca uma delas, que evoca, para mim, uma espécie de inseto gigantesco, algum monstro pré-histórico, que relaciono imediatamente com o elefante. É que não havia nenhum locutor a me segurar. Sobre essas imagens entram comentários, inicialmente na voz, me parece, do próprio Vladimir, a seguir do depoente Athos Bulcão: "umas coisas de guerra, não?... parecia, tinha aspecto de bombardeio, essa buracaria...". As significações da imagem flutuam.

Ora, pensemos um pouco. Essas mesmas máquinas, ou suas semelhantes, com absoluta certeza, estão presentes em filmes sobre a construção realizados por Jean Manzon e financiados pelos poderes públicos. Diante das imagens de terraplanagem, Manzon, cujo pensamento era eminentemente quantitativo, assinalaria a enorme quantidade de metros cúbicos de terra revolvida. E não falaria em *buracaria*. Não tomo essa *buracaria* como uma piadinha, mas como um detalhe que nos remete à própria construção do filme e a suas opções ideológicas.

Em matéria de pensamento quantitativo (tão importante nos filmes de Manzon e no ideário da época), *Brasília segundo Feldman* faz um comentário irônico. O tal cearense de que falei aqui escreveu ao pai que estava se dando bem em Brasília e tinha construído um barraco com duzentos sacos de cimento. Impressionado pelo sucesso do filho, o pai, sem prévio aviso, ruma a Brasília e se decepciona ao encontrar, não uma edificação de alvenaria levantada com uma grande quantidade de cimento, mas um simples barraco recoberto com duzentos sacos à guisa de telhado.

Esse relato de Luiz Perseghini, de grande efeito crítico sobre o pensamento da época, nos faz pensar nos limites do cinema documentário e na ótica do poder. Mesmo um Feldman, que não tinha nenhum compromisso com tal ótica, não filmou uma situação como a desse barraco, mas se limitou a filmar prédios e candangos em situação pública: trabalhando, indo ao trabalho, o *domingo*. O barraco de duzentos sacos só apareceria numa imagem-documento se o cearense em questão tivesse tido uma câmera; se, em vez de mandar uma carta, tivesse mandado um filminho.

Aliás, essa questão está presente na concretude do material empregado em *Brasília segundo Feldman*. Numa determinada altura do filme, Vladimir Carvalho resolve apresentar visualmente seus dois depoentes. Athos Bulcão aparece no que deve ser uma exposição de obras suas. Não sei de onde vem esse material. Não me parece ser de Feldman, a julgar pela textura da imagem; tampouco uma filmagem recente, por causa da idade que Athos aparenta ter. Acredito serem imagens que pertencem a outro arquivo, embora os créditos do filme não deem nenhuma indicação nesse sentido. Posso estar enganado (o que se resolveria rapidamente falando com o realizador do filme), mas continuo a desenvolver o raciocínio assim mesmo, porque o problema é teoricamente pertinente. Minha intuição é que Vladimir Carvalho encontrou imagens de Athos anteriores à data de realização de seu filme. Quando ele apresenta o segundo depoente, Luiz Perseghini, aí não há dúvida de que se trata de imagens feitas especialmente para esse filme (os créditos mencionam "imagens adicionais de Alberto Cavalcanti, Walter Carvalho"). Ou seja, de Athos, que pertencia à equipe de Oscar Niemeyer embora não fizesse parte da cúpula do poder, imagens foram encontradas. Do pedreiro, não.[1] Em determinado momento, o filme aborda a questão dos acidentes de trabalho durante a construção da cidade, a partir da pergunta feita por Vladimir: "Acidentes aconteciam, Athos?". Athos responde: "Parece que foram em muito menor número do que era previsto por cálculo nesse tipo de construção, porque o pessoal não obedecia à segurança recomendada, não se amarravam em cintos nem usavam capacetes às vezes, essa maneira brasileira um pouco de improvisar. Mas mesmo assim houve bastante menos acidentes do que era de esperar". Perseghini responde: "Porém não havia assistente social, não havia remédio, não havia médico, só o hospital velho do IAPI (Instituto de Aposentadoria e Pensões dos Industriários). Acontecia muito desastre, de cair de cima do andaime dessa construção... dessa estrutura metálica. Quase dois por três tava caindo um operário, morrendo. E aquele desaparecia mesmo, imediato, não é?, porque vinham prestar socorro, mas aquele cadáver dia seguinte tinha desaparecido. Então havia comentário para pedir aos operários que prosseguissem na obra. Que se houvesse comentário morreu sicrano, morreu beltrano, havia um desânimo na obra, então aquilo era desaparecido imediatamente. Se caía uma pessoa, se era morto, era carregar o cadáver e prosseguir o serviço em ritmo acelerado". O que quero destacar aqui (pelo menos teoricamente, feitas as ressalvas anteriores) é que o ponto de vista sobre acidentes de trabalho da pessoa de quem havia imagens de arquivo e o daquela de quem não havia são bem diferentes, não é? E isso não é um acaso, mas uma questão estrutural aos acervos que podemos usar em filmes históricos de montagem.

Brasília segundo Feldman me parece deixar claro, por sua oposição ao modelo do filme comentado no artigo acima, quanto o material de base não é neutro, mas sua escolha representa uma opção. E também quanto a presença de um locutor determina significações e exerce poder sobre o espectador. De tal forma que podemos considerar que há como que uma aliança entre o material de base constituído por imagens tomadas na ótica do poder e o recurso ao locutor que especifica significações, por mais crítico que seja o filme. Aqui, Vladimir Carvalho foi fiel ao material de Feldman ao não recorrer a um locutor (a não ser na introdução em que ele expõe o projeto), mas sim a depoentes que comentam as imagens como se fossem espectadores.

Filmar operários

1. INTERVENÇÃO OU TRANSPARÊNCIA

A função do narrador dentro da estrutura de *Greve*, tal como a analisamos em *Cineastas e imagens do povo*, encontra embasamento no conhecido modelo, exposto por Lenin em *Que fazer?*, do relacionamento entre um certo tipo de intelectual (o intelectual revolucionário) e o operariado. Como se sabe, Lenin luta, nesse livro, contra o espontaneísmo, sindicalismo e economismo da classe operária, e contra líderes e intelectuais que se limitam a seguir o movimento dessa classe. De fato, para Lenin, a consciência revolucionária, a compreensão global da sociedade e as perspectivas políticas não nascem espontaneamente na classe operária. Numa frase célebre, ele afirma que a consciência revolucionária só pode chegar aos operários de fora. Ele aprova Kautski quando escreve que "a consciência socialista de hoje não pode surgir senão à base de um profundo conhecimento científico [...]. Ora, o portador da ciência não é o proletariado, mas os intelectuais burgueses". Mas a consciência teórica do intelectual revolucionário se complementa ao encontrar o proletariado, sem o qual ele fica girando no vazio; por sua vez, o proletariado não consegue escapar ao espontaneísmo, aos movimentos reivindicatórios e à ideologia burguesa se não for como que fecundado pela consciência teórica do intelectual. Esse me parece ser um dos modelos sobre os quais se apoia, de modo geral, o documentário sociológico que se desenvolve no Brasil a partir da década de 1960 e, de modo mais particular, um filme como *Greve*, em que o papel da narração se torna sensível. No caso desse filme, a narração não tem uma função descritiva, ou apenas descritiva, mas sim a de fornecer informações de que o discurso operário carece, e um diálogo se estabelece, pelo menos num sentido, entre refutar o que o narrador julga incorreto no discurso operário e contribuir, com o saber de que ele dispõe, para o enriquecimento e a transformação da consciência operária, que é do tipo sindical e reivindicatória. Acho que é nesse sentido que se deve entender a referência feita por João Batista de Andrade à universidade, quando diz que os que tiveram a oportunidade de adquirir, na universidade, um saber que não está ao alcance do conjunto da sociedade, têm o dever de colocar esse saber a serviço do povo. Como Batista não teve a oportunidade de desenvolver os seus conceitos de *universidade* e de *saber*, essa afirmação permanece um tanto abstrata.

É uma postura totalmente diferente que encontramos em *Braços cruzados, máquinas paradas* e seus autores. A tendência deles é de deixar o discurso operário se expressar, sem diálogo, sem refutar. Eles praticam o que, em *Que fazer?*, é qualificado de *caudismo* (mais ou menos: reboquismo). Roberto Gervitz e Sérgio Segall deixam patente sua postura quando afirmam que, embora discordando de como a greve vinha sendo encaminhada, eles não colocaram suas objeções. Aqui o intelectual-cineasta se omite, tenta se tornar transparente, sendo apenas veículo que permite ao discurso operário manifestar-se. O que também pode ser entendido como: nada temos a ensinar aos operários, e, se alguém tem algo a ensinar a alguém, são os operários que têm a nos a ensinar, e não nós a eles.

Em realidade, podemos nos perguntar se a transparência é tanta. O intelectual-cineasta se manifesta ao selecionar uma determinada corrente do movimento operário e apoiá-la em detrimento de outras. E mais. Ao relembrar a minha reação na primeira vez em que vi o filme, tenho a impressão de ter sentido uma espécie de satisfação pessoal ao ouvir as posições externadas pela chapa 3. Uma proposta de descentralização de poder, de valorização das bases, de atomização da estrutura burocrática, de autonomia do movimento sindical em relação ao Estado etc., o que, independentemente de maiores análises, me estimulava pessoalmente. Daí a hipótese: a presença do intelectual poderia se dar como uma projeção sobre o operário, com o intelectual vendo no discurso operário a expressão de suas aspirações ideológicas. Mas isso, se for o caso, permanece latente no filme, nunca se explicita, nunca é objeto do discurso.

Os filmes de Renato Tapajós não me parecem colocar essa problemática, nem num sentido, nem noutro, porque são mediados por entidades que orientam a sua mensagem e assumem a produção. Aqui a forma da produção aparece como divisor de águas. Os filmes de Batista e de Gervitz-Segall são produções independentes em que os autores, manifestando-se ou tentando se tornar transparentes, não podem senão assumir a orientação ideológica de seus filmes. A subordinação dos filmes de Tapajós às entidades o torna porta-voz da orientação e das palavras de ordem das entidades produtoras. Chegam ecos de divergências ocorridas entre Tapajós e entidades para as quais realizou os filmes, mas tais divergências não aparecem nos filmes. É provável ou possível que o resultado final tenha sido, em alguns casos, um compromisso entre o cineasta e as entidades, mas essa tensão não aparece explicitamente nos filmes e, se ela é presente, não sabemos detectá-la.

As posições antagônicas que verificamos nas relações do intelectual-cineasta com o operariado em *Greve* e *Braços cruzados* devem ser colocadas no quadro da revisão da posição do intelectual que se verificou no cinema brasileiro nos anos 70, revisão essa que é a expressão cinematográfica de uma revisão mais ampla. Em certos filmes da primeira metade dos anos 60, não raro o cineasta fazia uma análise da situação popular em que se mostrava a inadequação do comportamento do povo para a solução dos problemas sociais; o povo tem um comportamento alienado; e um personagem mais ou menos porta-voz do autor indicava os rumos adequados que a ação devia tomar. *Barravento* (1961), de Glauber Rocha, pode ser entendido dessa forma, pelo menos numa de suas interpretações possíveis. A esse intelectual que assume uma posição superior e que dita regras de ação provenientes antes de seus conhecimentos livrescos e de suas próprias aspirações do que de sua experiência, filmes dos anos 70 opuseram a imagem de um cineasta que, longe de querer ensinar, se elimina diante do comportamento popular, que seu filme apresenta, e, se algo há de ser ensinado, é ele, cineasta, que quer ser ensinado pelo povo.

Essa tendência entra em confronto polêmico com uma postura intelectual dos anos 60 e, ao querer inverter mecanicamente a postura ideológica a que se opõe, pode se revestir de idealismo. Tal tendência é manifestada particularmente em filmes como *Iaô* (1976), de Geraldo Sarno, e *O amuleto de Ogum* (1974) e *A estrada da vida* (1980), de Nelson Pereira dos Santos. Pode-se dizer que a questão da intervenção/transparência do intelectual--cineasta diante do povo-proletariado coloca-se hoje no cinema brasileiro numa tensão cujos polos mais significativos são Nelson Pereira dos Santos e João Batista de Andrade.

(*Filme Cultura*, nº 46, Embrafilme, abril de 1986)

2. PORTÃO DE FÁBRICA

"E finalmente o guarda fechando o portão da fábrica." Lendo essa frase no texto sobre *Braços cruzados, máquinas paradas*, me lembro dessa imagem de que gosto tanto e que me marcou. Sem dúvida, pela sua beleza plástica. Revendo mentalmente esse plano, me pergunto se ele se fixou em mim só pela beleza plástica que lhe atribuo. E me vem a palavra *fronteira*. E, escrevendo, me volta o aviso "*No trespassing*" ("entrada proibida") nas grades do palácio do *Cidadão Kane* (*Citizen Kane*, Orson Welles, 1940).

O portão da fábrica como fronteira que não deve ser ultrapassada. Esses filmes que estudamos não ultrapassam a fronteira. Ou melhor, a câmera não ultrapassa. Em *Greve*, os operários são entrevistados no portão da Mercedes, no portão da Volkswagen que vemos ao longe. Um entrevistado pode afirmar que há pouca gente lá dentro, que uns entraram e depois saíram, que não há produção. Mas a câmera não entra para verificar e filmar as máquinas paradas. Em *Luta do povo* (Renato Tapajós, 1980), Osvaldo é filmado e entrevistado próximo à fábrica, a câmera faz uma panorâmica para acompanhá-lo quando vai pegar no batente. Logo adiante, a câmera o espera quando sai da fábrica e continua a entrevistá-lo. A câmera entra na casa de Osvaldo, mas não na fábrica.

Não é que não se possa filmar dentro de uma fábrica. Os filmes patronais de Jean Manzon mostram o trabalho industrial em imagens glamorizadas. *Viramundo* (Geraldo Sarno, 1965) ou *São Paulo sociedade anônima* (Luís Sergio Person, 1965), e muitos outros, também entraram em fábricas. E também os cineastas de *Braços cruzados* e *A luta do povo*. Dois ou três planos desse último filme mostram máquinas trabalhando, escuras, enormes, automatizadas, sem operários; um outro mostra um operário ao trabalho, inteiramente envolto num enorme macacão contra acidentes, a cabeça totalmente escondida num elmo, ele não parece um homem, antes um escafandrista ou um astronauta deslocado. Em *Braços cruzados*, uma sequência relativamente longa mostra o trabalho dentro de uma fábrica, sequência que acaba estranhamente: dois operários adolescentes trepados numa máquina ficam olhando para a câmera, meio fascinados, com um olhar terno e solitário; e depois, último plano, um operário só, de meia-idade, equilibrando uma peça sobre a cabeça, não num gesto necessário ao trabalho, mas uma espécie de piada triste na melancolia desse fim de sequência — solidão, ternura, melancolia tão características dos filmes de Aloysio Raulino (fotógrafo de *Braços cruzados*) e que contrastam com o tom geral do filme.

Nesses dois filmes, a câmera está dentro das fábricas funcionando. É possível e provável que não sejam das indústrias mais importantes, a Volkswagen, a Mercedes, a Philco, onde as greves foram intensas. Deve-se dizer também que essas sequências não revelam grande intimidade com o trabalho. Totalmente diferente da filmagem do operário trabalhando numa prensa em *Acidente de trabalho* (Renato Tapajós, 1977), por exemplo. Aqui, uma visão distanciada, pela tristeza, pela penumbra, pela monstruosidade das máquinas. Talvez o olhar de quem entra mais ou menos pela primeira vez num fábrica, leva um susto e as imagens acabam tendo algo de pesadelo, como nessa visita à tecelagem de que sai atordoada pela hediondez do trabalho industrial a burguesinha de *O desafio* (Paulo Cezar Saraceni, 1965).

Mas de uma forma ou outra são cenas de trabalho. Só que são cenas tomadas num momento em que as fábricas funcionam, não são cenas tomadas num momento de crise, na greve. Nem são cenas que mostrem vários aspectos da vida do cotidiano dos operários na fábrica. Muito menos operários que estejam se organizando para defender seus direitos. Em tempo "normal", isto é, quando a exploração funciona "normalmente", a câmera pode entrar. Quando o sistema de exploração emperra, a câmera não mais pode ultrapassar a fronteira. As indústrias impedem, dentro da fábrica, que se documente a desarticulação do sistema, que se documente a ação dos operários em seu benefício. O portão — que o guarda fecha — delimita o espaço em que a câmera pode atuar e acaba funcionando como o símbolo, no espaço, do choque entre duas classes sociais. É insistente em *Braços cruzados*, poderia até se falar numa rima poética na primeira parte do filme (a segunda, voltada para a eleição sindical, não apresenta essa característica). Em diversos momentos, a câmera focaliza quase em primeiro plano operários falando, mas ao se deslocar permite que se veja, no fundo, o muro ou o portão fronteiriço entre o dentro e o fora. E se os operários estiverem dentro da fábrica, não dentro das oficinas, mas no pátio, em assembleia, a câmera poderá se aproximar deles, filmá-los e até entrevistar um ou outro, mas atrás de uma cerca de arame que fica em primeiro plano entre a câmera e o homem. A câmera de *Braços cruzados* trabalha muito com essa fronteira que nos impede maior aproximação com o trabalho operário — fronteira que, para nós, talvez não exista apenas em momentos de crise. E essa fronteira é reforçada pela guarita elevada onde um guarda armado vigia.

O que acontece dentro da fábrica — além do funcionamento "normal" do operário em cima da máquina — para nós vira *verbal*. É o operário de *Greve* que nos *diz* que lá dentro é quase o nazismo, que há supervisores de capa amarela. Ou a operária de *Braços cruzados*, que nos *diz* que não há tempo nem para ir ao banheiro se não houver substituta. A isso não temos acesso, nem, naturalmente, às formas de organização dentro da fábrica a que se referem diversos operários.

Essa tensão dentro-fora, que existe em todos esses filmes (vide final da sequência 1, de *ABC da greve*, quando o diretor do filme, Leon Hirzman, tem um diálogo com um "relações industriais" da fábrica que quer impedi-lo de filmar), fica particularmente acentuada em *Braços cruzados*, não apenas porque a câmera insiste sobre a fronteira, mas pelas posições da chapa 3 que o filme defende. Hélio

Bombardi afirma que o único sindicalismo válido é o das comissões de fábricas, o que se pratica nas fábricas. E é justamente isso que é vedado à câmera.

Pode-se dizer que essa tensão chega um ponto de ruptura em *Braços cruzados*? Acho que, estilisticamente, pode se dizer que sim. Essa ruptura é a passagem para a ficção. O texto descreve a encenação do momento em que param as máquinas. A encenação, com toda uma elaboração de montagem (montagem curta fazendo alternar planos de trabalho, do relógio cujos ponteiros se aproximam progressivamente da hora marcada para parar, de olhares tensos e coniventes) e de faixa sonora, diferencia-se do estilo do resto do filme. A passagem para a ficção foi a maneira, imaginária, de furar o bloqueio da fronteira. A parada das máquinas é também o momento do espetáculo. Antes e depois (durante a preparação da greve e no seu desenrolar), as situações nunca são nítidas, a mobilização é complexa e pode-se ter dúvida quanto a seu resultado; no decorrer da greve, todo o jogo de forças em ação, as negociações, as pressões, a repressão, a alimentação etc. criam situações cujas significação e delimitação raramente são muito claras. Diante disso, o ato de interromper o trabalho é um gesto claro, definido, que não pode ser desfeito. Mesmo que se volte para trás, que a greve fracasse, o momento da parada terá existido. É o momento em que a greve se vê. Por mais que seja de tensão, é um momento de força e de alegria. A encenação do momento inicial da greve é a resposta ao "entrada proibida".

(*Filme Cultura*, nº 46, Embrafilme, abril de 1986)

3. A CASA DO OPERÁRIO

Portão de fábrica, quando o sistema de exploração entra em crise, não se transpõe. Em contrapartida, a câmera tem acesso a um outro interior: a casa do operário, sua moradia. Nem sempre. A câmera de *Greve* não penetra na pensão onde mora um operário entrevistado. Mas não penetra porque é também um lugar de exploração, e o dono da pensão oferece resistência. Depois disso, um longo *travelling* por um corredor escuro, como que descida por catacumbas, nos leva ao lugar onde mora uma família operária.

Olga Futemma, realizadora de *Trabalhadoras metalúrgicas* (1978), comentava que a entrevista feita na casa de uma operária poderia ter sido feita em outro lugar, no próprio recinto onde se realizava o congresso de que trata o filme. A rigor, ter filmado a entrevista numa casa não acrescentava nada. No entanto, foi nessa casa que sentiu necessidade de filmar.

Nesse filme, como em alguns outros, a penetração na casa pode expressar uma busca de intimidade com o operário. Nesses filmes, a intimidade com o trabalho dos operários é muito pouca. Em compensação, o encontro que se dá na casa, que não é um encontro fora do sistema de opressão, já que as condições de moradia são parte integrante do sistema, possibilita ver um operário mais distanciado do sistema de opressão. A casa lhe permite um espaço um tanto mais pessoal.

A casa é também o lugar onde não costumamos ver o operário. Na fábrica, sabemos que estão. Podemos cruzar com operários nas ruas, até mesmo em ônibus. Podemos participar, de alguma forma, de assembleias. Mas, na casa, não. As repetidas cenas em casas que encontramos nesses filmes podem estar ligadas a uma certa atração, a uma certa busca de intimidade que iria além das relações de trabalho que os filmes podem apreender e dos momentos de luta.

Por outro lado, os filmes politizam a casa, a vida cotidiana da família. A criança que não come em *Um caso comum* (Renato Tapajós, 1980) ou os pratos vistos de cima em câmera alta não são apenas momentos de um cotidiano, mas a expressão da opressão que se manifesta até dentro da intimidade. Na casa, são abordadas relações marido-mulher, mãe-filhos, que mostram como o sistema penetra até no íntimo das pessoas.

A seu modo, *Eles não usam black-tie* (Leon Hirzman, 1981) realiza o sonho da casa. No seu filme, Hirzman e Guarnieri adotaram um comportamento inverso àqueles dos documentários: rejeitaram na periferia do filme os aspectos mais públicos e menos íntimos do movimento grevista. Tomamos conhecimento da assembleia que decreta a greve pelos diálogos. Os planos de trabalho na fábrica são poucos e fechados. *Eles não usam black-tie* realiza o que é possível para a ficção e vedado ao documentário (pelo menos ao documentário nas condições em que é praticado), que é acompanhar a greve no cotidiano da vida familiar, a repercussão das greves e das relações de classe aguçadas sobre as relações familiares. A casa é o centro do filme, daí se parte para outros lugares e a ela se volta, enquanto no documentário, mesmo quando o interior da casa aparece, ela nunca é central.

(*Filme Cultura*, nº 46, Embrafilme, abril de 1986)

4. O FOLHETO DENTRO DO FILME[1]

Em *O homem que virou suco*, há quatro planos que não pertencem ao universo ficcional do filme. São planos muito abertos e, embora consecutivos, mal dá para entender o que significam, pois, além de serem de curta duração, são imagens soltas que não se referem a nenhum outro momento do filme. No entanto, representam sua pedra de toque; a realidade em função da qual o filme quer existir.

Quem conhece *Greve*, filme anterior de João Batista de Andrade, perceberá que esses planos são trechos ou sobras da montagem desse documentário de curta-metragem sobre a greve dos metalúrgicos de São Bernardo em 1979, pois apresentam uma multidão de operários concentrada no estádio de São Bernardo, por ocasião da assembleia que encerrou a greve. Em um ou dois desses planos, aparece no fundo o palanque de onde Lula fala. A câmera situa-se pouco acima da cabeça das pessoas, de forma que se tem a impressão de um mar de gente invadindo a tela.

Como esses planos não se ligam a nenhuma situação específica do filme, penso que havia inúmeros momentos em que poderiam ter sido inseridos. O fato de terem sido colocados numa determinada sequência e não em outra resulta, a meu ver, de uma escolha que acrescenta significação não apenas ao filme como um todo, como a essa determinada sequência em particular. Há duas sequências em que Deraldo, o personagem principal (José Dumont), vende seus folhetos em praça pública, cercado por uma roda de curiosos, ouvintes e eventuais compradores. Em ambas as sequências, a ação é interrompida por um fiscal que, na primeira, proíbe a venda porque Deraldo não tem os "devidos" documentos, e, na segunda, quando Deraldo vende um poema que tem o título do filme, permite que a venda prossiga, pois os documentos estão em ordem. Os quatro planos em questão estão inseridos nessa segunda sequência, logo após a intervenção do fiscal; em seguida, a ação continua como se não tivesse havido nenhuma alteração na montagem.

A inserção dos planos nessa sequência não me pareceu casual. Tive, de repente, a impressão-relâmpago de uma imensa ampliação da roda de pessoas que cercava o poeta. Enquanto acompanhava o desenrolar da ação, estabeleci com as imagens dos operários de São Bernardo uma espécie de diálogo em segundo plano, mais ou menos nos seguintes termos: eles são o público leitor/ouvinte possível do folheto "O homem que virou suco"; a literatura que Deraldo escreve fala desses operários; eles são o público espectador desejado do filme *O homem que virou suco*. Esse "diálogo" ocorria num domingo à tarde, na sala quase vazia do cinema "popular" Art Palácio de São Paulo.

Estabelecendo-se assim uma relação entre o filme e o folheto homônimo, podemos falar não do filme dentro do filme [...], mas, num mesmo sentido, do folheto dentro do filme. Com isso, o personagem de Deraldo ganha uma nova dimensão. João Batista fez um filme que fala intencionalmente de um público popular e que intencionalmente se dirige a esse público. Para isso, criou um personagem popular. Entre todas as profissões ou não profissões que esse personagem podia exercer, João Batista escolheu a de poeta. E de um poeta que, por sua vez, escreve sobre e para o povo, e, mais especificamente, sobre um operário duplamente modelo: modelo na ficção do filme e, enquanto tal, homenageado por seus patrões; modelo também por ser usado pelo folheto e pelo filme como representante, como metáfora do operariado oprimido. A partir do momento em que o poeta resolve escrever sobre o operário, ele parte em sua busca fazendo *um trabalho semelhante ao do cineasta quando prepara um filme documentário*. Essa busca resulta numa obra literária e, paradoxalmente, num desencontro com o operário, assunto do folheto: ele enlouqueceu, não poderá haver contato com ele. É sobre esse fracasso que o enredo do filme se encerra: na segunda tentativa de Deraldo de se aproximar do operário, este é levado, tragado, por uma ambulância do sistema. O contato entre o poeta e seu personagem foi impossível — a não ser literariamente. Entre os dois, proximidade literária e distância infinita. Mas, apesar dessa distância, poeta e operário são a mesma pessoa, é particularmente importante que *O homem que virou suco* seja um filme de sósias. A máxima identidade e a distância radical, a exterioridade. A busca e o desencontro final. Exterioridade e luta contra a exterioridade. Realidade e desejo, desejo e realidade.

É significativo que o poeta não inicie a busca tão logo a semelhança física entre os dois começa a perturbar sua vida. Ele percorre um longo trajeto solitário, uma espécie de fuga agoniada, provocada pela semelhança, que só se interrompe quando resolve enfrentar a situação, o momento da verdade: encontrar o duplo de si próprio, encontrar a sua outra face, sobre a qual escreverá, mas com a qual não conseguirá manter contato, a não ser artisticamente.

É interessante que esse sósia não seja um admirável operário. Ele é um fura-greve, um delator, um traidor odiado pelos operários lutadores, um solitário na sua traição. De todos, é o mais oprimido e leva sua opressão até a loucura. Ele interioriza a ideologia do patrão, tal qual o trabalhador a que João Batista deu grande destaque em um de seus primeiros filmes — *Liberdade de imprensa*. Talvez, na obra de João Batista, esse seja o símbolo máximo da opressão. E é justamente esse traidor — o oposto dos operários que vemos nos quatro breves planos — que Deraldo tem que carregar como uma cruz. Entre os dois, encontramos afinidades e oposições. Deraldo é um artista da palavra, enquanto seu sósia não fala nunca (se estou bem lembrado). Os gestos do sósia louco ameaçando com sua peixeira inimigos imaginários lembram os gestos de Deraldo vestido de cangaceiro, no sonho, investindo a peixeira contra a roda de curiosos na rua.

Como poeta e intelectual, Deraldo está integrado no meio social de que e para que fala. É um intelectual do povo, o que o diferencia dos intelectuais que se encontravam nos filmes do Cinema Novo na década de 60. A harmonia é perfeita na sequência do dormitório: ele é o letrado que lê e escreve cartas familiares para os operários analfabetos e essa é uma das poucas sequências em que não é agredido e não agride.

Por outro lado, Deraldo não está inserido na produção, como os outros operários do filme. Não para em lugar algum. Além da de poeta, não tem capacitação específica. É solitário e solto. Essa sua mobilidade permite ao filme fazer um corte vertical na sociedade: favela, burguesia construção civil, metalúrgicos, mendigos etc. Isso é uma afinidade que Deraldo, apesar da sua diferença, tem com muitos personagens do Cinema Novo; sua diferença em relação aos operários lembra a posição ambígua que ocupava o personagem principal de *A queda* (Nelson Xavier, Ruy Guerra).

Esse fenômeno de identificação/não identificação faz Deraldo cristalizar sobre si a dor, a opressão e a revolta do operário, no plano individual. O que se manifesta na agressividade constante de Deraldo e, em particular, numa belíssima metáfora: ele está sozinho numa espécie de corredor feito de tábuas que leva os operários do metrô ao refeitório. José Dumont tem gestos lentos e interiorizados que criam expectativa: algo parece estar por acontecer, mas o espectador não sabe o quê. Lentamente, Dumont esfrega o ombro contra uma tábua e vai repetindo o gesto obsessivamente, com força cada vez maior. Ele virou boi. De fato, esse corredor do canteiro do metrô lembra, inequivocamente, os corredores das fazendas por onde passa o gado que se encaminha para a morte. Os bois batem e se esfregam nas tábuas. Uma maneira densa de expressar a solidão, a revolta e a impotência, de sintetizar a origem rural do operariado oprimido na cidade, de renovar a tradicional metáfora que, de *Greve* (Eisenstein) a *A queda*, associa o operariado ao gado exterminado.

Essa ambiguidade — Deraldo está ao mesmo tempo dentro e fora do operariado — possibilita uma projeção do intelectual realizador do filme sobre o personagem. Devido a essa construção, Deraldo é a mediação entre o cineasta e o operariado. Como não ver entre esses dois personagens, Deraldo e seu sósia, ou entre as duas faces desse personagem, a angústia do cineasta em busca do operário como tema, como público e como identificação?

A relação artista-intelectual/operário passará necessariamente pela análise e consciência da posição do artista e de sua produção na sociedade. Através da trajetória de Deraldo, o filme esboça uma reflexão sobre a produção intelectual. Na sequência do dormitório, o intelectual é harmoniosamente integrado ao seu meio, o que é uma aspiração. Mas integração não significa necessariamente que as relações entre o poeta e seu público serão pacíficas. Num momento da sequência do sonho em que Deraldo se vê como cangaceiro, ele encontra-se numa roda semelhante àquelas em que está quando vende seus folhetos;[2] e nessa roda ele ameaça as pessoas com uma peixeira, o que não deixa de indicar uma possível agressividade contra esse mesmo público. O que é fundamental é que a produção intelectual é reivindicada como um trabalho efetivo e não como diletantismo. Deraldo, apontando para o folheto: "E isto, dona Mariazinha, na sua concepção, não é trabalho?" (citação aproximada). Mariazinha e o vendeiro duvidam que poesia seja trabalho. É sintomático também que o encontro amoroso entre Deraldo e Mariazinha ocorra somente após ela ter sido abandonada pelo marido, que ela apresenta como modelo de trabalhador. Sobre o trabalho intelectual, o filme se refere ainda à distribuição das obras através de uma empresa (o que, no filme, não dá certo) ou através do contato direto entre o poeta e seu público.

Retomando e desenvolvendo um tema que já se encontrava em *A queda*, *O homem que virou suco* é um poema crispado que vive a angústia do intelectual na sua luta entre a aproximação/identificação com o operariado e o abismo que os separa — é essa a leitura que faço do filme. Os quatro planinhos escondidos no meio do filme são o que não foi atingido; são a meta e o inatingido, a realidade e o desejo.

(*Filme Cultura*, n°s 38-39, Embrafilme, agosto-novembro de 1981)

5. CHAPELEIROS, BELEZA E ANOMIA

Chapeleiros é um documentário de curta metragem filmado na fábrica de chapéus Vicente Cury, em Campinas, e trata de... Bem, mostra a fabricação dos chapéus, os operários, as máquinas.

O material é ordenado em sequências nitidamente delimitadas, apresentando a entrada dos operários na fábrica, o trabalho, o almoço e o descanso, o trabalho novamente, a saída dos operários. E, à guisa de conclusão, alguns planos exteriores da fábrica. Ou seja, um dia de trabalho na fábrica Cury, como outros filmes descrevem a vida de um dia na cidade, da aurora ao anoitecer. O filme vem assim enriquecer a não tão extensa filmografia brasileira em torno do proletariado urbano, dedicando-se mais que a maioria dos outros filmes a descrever o trabalho.

No entanto, os públicos que têm assistido a *Chapeleiros* nem sempre acham que o filme dá uma informação válida sobre os operários e seu trabalho. Onde está o problema?

Primeiro, a montagem do material a que me referi acima não corresponde à evolução do dia. As várias sequências estão presentes, mas numa ordem que escapa à cronologia do dia. O filme começa com o repouso na fábrica; depois, trabalho, saída dos operários da fábrica; novamente trabalho; almoço e descanso; uma tomada do regulamento interno da fábrica introduz a sequência de entrada dos operários na fábrica; e finalmente os planos exteriores. De forma que o esquema descritivo de um dia de trabalho fica totalmente desarticulado, e o espectador, desorientado, se vê na necessidade de encontrar um outro modo de circulação nesse filme: que discurso vem sendo produzido sobre os operários, o trabalho, os chapéus-produtos do trabalho, as máquinas, a fábrica etc.?

Para nos reequilibrarmos, nada mais fácil do que seguir o guia, quero dizer, acompanhar a locução *off* que, como no documentário sonoro tradicional, cobre as imagens com sua fala e orienta a nossa compreensão, delimitando as significações potenciais do que vemos na tela.

Mais um problema: *Chapeleiros* não tem locutor *off*. E não tem locução alguma; nem dessa "voz do dono", nem dos operários, que, entrevistados ou depoentes, nos diriam o que pensam, e talvez até mesmo o que devemos pensar, das suas condições de trabalho, de vida etc.

Parece-me que é aí que muitos espectadores se dão conta de que o filme não serve, pois não fornece uma interpretação verbal do trabalho. Esse verbo interpretativo — que nos explica o trabalho, o sistema de produção, as relações de trabalho, estabelece nexos entre trabalho e não trabalho etc. — costuma ser a mediação entre nós enquanto espectadores e o outro de classe visto na tela. É uma ponte que atenua a alteridade entre a sala e a tela. O tom sociológico da locução *off* ou a hábil montagem das entrevistas com operários e especialistas na questão preenchem essa função de articular os dois mundos. A ausência dessa mediação em *Chapeleiros* nos devolve a alteridade. E, se essa alteridade fosse gritante, acintosa, talvez recuperássemos o filme. Mas não é: *Chapeleiros* seduz e nos envolve por uma montagem fluente, uma bela fotografia de tons quentes, uma rica e pouco óbvia faixa sonora. Então é isso? A compreensão do trabalho foi substituída por um aproveitamento gráfico, ornamental das imagens do trabalho? Voltamos a pisar no chão, sabemos em que categoria encaixar *Chapeleiros*, o filme se explicita, a alteridade se abranda, a inquietação acalma-se. Ou não.

Ou não, porque podemos fazer outra opção — aliás, a única interessante, prazerosa e fecunda que consigo fazer —, a que consiste em aceitar a sedução e daí passar a investigar as imagens, explorar a multiplicidade de impressões, sensações, ideias, metáforas com que nos defrontamos ou que construímos. A isso o filme nos convida por não nos dizer claramente como ele quer ser lido; por deixar esse vão entre nós e a tela; pela faixa sonora não realista que introduz ruídos das máquinas, mas ruídos outros também, música barroca, cantos populares, vento, solicitando a investigação e criando uma espessura de movimentação para o espectador; pela fotografia; pela montagem que se demora sobre este ou aquele operário dormindo ou trabalhando, que pode demorar muitíssimo, infinitamente no interminável plano da entrada dos operários.

Posso pensar numa reflexão sobre o trabalho. É só comparar as duas sequências centradas sobre esse tema. O eixo da primeira, mais curta que a outra e de montagem mais rápida, é o objeto fabricado: vamos da matéria-prima ao armazenamento do produto, passando rapidamente pelas principais fases necessárias à feitura dos chapéus. Já a segunda não obedece a nenhuma ordem relativa ao objeto e se detém nos operários, seus gestos e sua repetição, seus corpos parcialmente nus, sua relação com as máquinas e com o barulho e o fantástico vapor que elas produzem. A dureza, a monotonia, o embrutecimento do trabalho, a opressão. O regulamento informa que os operários devem trabalhar sem interrupção até tocar o sinal.

A longa duração de um plano pode me levar a sentir a mecânica repetição de um mesmo gesto entrosado com o ritmo da máquina, mas também pode me conduzir a uma relação de fascinação com esse corpo, que pode ser belo ou mais provavelmente deformado, desgastado pelo trabalho. Esses corpos parcialmente desnudos trabalhando, corpos em poses relaxadas no descanso, apresentados em tons quentes, apontam para uma dimensão erótica do filme. Alguns dos planos, pelas cores ou pela pose das figuras, sugerem quadros barrocos. A perspectiva aqui aberta é provocadora: numa sociedade que estampa um erotismo vinculado ao corpo belo e sadio, e rejeita como perversão outras possibilidades eróticas, ou numa sociedade que quer ver no trabalho seja honradez, seja opressão, e portanto só pode encarar como deletério o desejo do corpo estragado pelo trabalho, tanto mais que o trabalho de fazer chapéus ainda não se encontra indexado nos repertórios das várias seitas sexuais — o que fazer com esse desejo?

É de outra ordem a fascinação exercida pelo plano de longa duração da entrada dos operários que tiram de painéis apostos nas paredes fichas que devem depositar numa caixa (assinalando dessa forma que entraram). A câmera aí não para de se mexer, o quadro enche-se ou se esvazia conforme aumenta ou diminui a onda do pessoal entrando, e é esse ritmo que me cativa, ritmo esse que tanto pode ser monótono se me fixar na eterna repetição do mesmo gesto, na provável repetição cotidiana desse mesmo gesto pelas mesmas pessoas, ou que, ao contrário, pode ser diversificado se me deixar levar pela onda que diminui ou se encorpa irregularmente. Ou então posso deixar que minha atenção fique atraída pelos rostos, todos diferentes — oh! sim, como diferentes todos esses gestos de que acabo de dizer que são todos iguais, porque todos têm a mesma finalidade de tirar a ficha do painel e botá-la na caixa, mas todos diferentes pela elevação maior ou menor do braço, a rapidez ou a lentidão da mão que encontra imediatamente a ficha ou ao contrário a procura e hesita, e aí percebo que tinha substituído o gesto que estava vendo pela interpretação (repetição mecânica) que dava ao gesto, que eu dava ou que já estava depositada em mim por mil discursos anteriores e que simplesmente atualizei, e então percebo que não posso mais dizer "o gesto que estava vendo" porque não estava vendo *um* gesto e sim *gestos* — ... atraída pelos rostos, todos diferentes, sugerindo pessoas diferentes fazendo todas os mesmos gestos, todos diferentes. Quanto trabalho posso fazer diante desse plano questionando minha observação e como interpreto o que observo. Se aceitar de me deixar seduzir pelos rostos, posso procurar os operários já vistos nas sequências anteriores do filme — como estão vestidos antes do trabalho? Poderei me interessar pela cor das pessoas e notar a grande presença de mulatos, mas o nariz aquilino de um operário diante de uma máquina me chamará atenção para a presença italiana. Poderei ficar surpreso, diante dessa onda entrando na fábrica, pela grande quantidade de mulheres que integram esse infindável cortejo. E então é possível que pergunte: as sequências de trabalho quase não apresentam mulheres, uns poucos planos na primeira, nenhum na segunda. Nessas sequências houve uma nítida seleção do trabalho masculino. Quanto ao descanso: só homens. Onde estão todas as mulheres que vimos entrar na fábrica, e também sair? Indiscutivelmente, o documentário não é reflexo da realidade, mas interpretação, seleção, discurso, o próprio filme me fornece dados para uma reflexão sobre esse aspecto da metodologia do cinema documentário. O título do filme perde seu caráter genérico (o masculino plural significando homens e mulheres), ganhando uma tonalidade mais masculina. Por que essa opção? Quando ela apareceu, na filmagem, na montagem? Talvez porque — entre outras possibilidades interpretativas — o trabalho masculino, mais ligado às máquinas, mais envolto pelo ritmo impositivo das máquinas e pela fumaça, fosse mais propício a uma representação do inferno. Que posso tomar metaforicamente: representação infernal do trabalho, o trabalho como inferno. Ou não: uma visão poética e ingênua do inferno cheio de fumaça onde se alternam tortura e tranquilidade. A caveira, que no plano da entrada dos operários e operárias adverte da presença de alta-tensão, poderá ser tomada como simples sinalização do perigo ou ser metaforicamente referida a essa visão do inferno.

Tortura, ou dança. Num plano vemos um operário tirar da máquina o feltro formado, depositá-lo muito quente, botar outro feltro na máquina, pegar o que já começou a esfriar, levantá-lo acima da cabeça, desatarraxar o molde com a boca e colocá-lo novamente na máquina. Tudo isso com gestos rápidos e precisos. O homem escravizado pela máquina que ele precisa alimentar sem cessar? Ou uma dança expressando ludicamente o prazer do trabalho complexo, preciso, exigente, bem-feito?

Este texto, que estou produzindo, virtualmente não tem fim. Ou encontra seu fim no esgotamento da minha imaginação, da minha capacidade de metaforizar, de estabelecer relações entre os elementos que o filme me apresenta, mas não costura para mim. Posso pensar na história do parque industrial brasileiro — pelo visto essa fábrica não se atualizou muito desde os anos 20 ou 30, produzindo um objeto que quase caiu em desuso, apesar de Caetano ter revalorizado o uso do chapéu alguns anos atrás, o que o filme ironiza ao mostrar, na sequência da saída dos operários, um chapéu que desliza sobre o teto de um carro por encimar a cabeça de um homem pequeno. Ou até pensar na história do cinema, se quiser referir essa saída dos operários da fábrica Cury a uma outra célebre saída de operários, filmada no século XIX. Ou, na sequência de abertura do filme, deixar de lado a veia barroca ou erótica, e inserir nela uma outra reflexão sobre o repouso como momento não oposto ao trabalho, mas dependente dele: o momento de reposição das energias para que o trabalho possa continuar, ou exatamente o contrário: escolher o repouso como oposto ao trabalho e pensar no "direito à preguiça" sobre que escrevia Paul Lafargue, genro de Marx, para quem o trabalho não opunha proletariado e burguesia, mas, ao contrário, fazia do operário o aliado do burguês, e pensar que, talvez, contra Marx, Lafargue podia ter as suas razões merecedoras ainda hoje de considerações, apresentando o proletariado como uma classe que essencialmente não é revolucionária. Ou então...

Longe de serem direcionadas num sentido sociológico ou político — principais orientações do documentário brasileiro referente ao proletariado —, as imagens de *Chapeleiros* estão soltas — no mundo? Não. Mas soltas no meu mundo. Soltas. Aí o escândalo. Sinto um enorme prazer ao navegar nesse filme? Ou, ao contrário, sinto-me culpado por não respeitar nenhuma das místicas do trabalho que as várias correntes ideológicas da sociedade me oferecem, nenhuma convenção a respeito do proletariado? Consigo estabelecer uma relação — rica e fluente — com as imagens do filme. Mas qual a minha relação com os operários? O que sou no mundo deles? O que são no meu? Pertencemos a um mesmo mundo? Devo suar chapéu?[3] Ou estamos numa radical relação de alteridade? É provavelmente sobre uma indagação desse teor que se encerra *Chapeleiros*, cujo tom muda completamente na última sequência: acabado o longo plano da *entrada* dos operários, a câmera fica do lado de *fora* da fábrica, a montagem brinca com a chaminé como se fosse um desenho animado. Além disso, foi montado nessa sequência material com defeito fotográfico, o que perturba numa obra tão cuidadosamente trabalhada. Essa ruptura de tom é brincalhona — ou não: como ficamos nós, como fica o filme, e também os operários e operárias no meio disso tudo? Não tenho dúvida de que *Chapeleiros* afirma o prazer da relação com o cinema e o prazer de fazer cinema, afirma a beleza plástica visual e auditiva como momento ideológico. Mas afirma igualmente que não tenho ideologia para me relacionar com o tema do filme. Todos os valores estão suspensos. Sobra a beleza do filme. E o meu prazer na relação com ele. Que rumo tomar? Tenho para mim que *Chapeleiros* expressa um momento ideológico crucial, uma crise ideológica na filmografia brasileira sobre o tema do operário, na recusa de aceitar qualquer forma de interpretação convencionada. E a partir daí: aceitar qualquer interpretação aceita sobre qualquer assunto. É evidente que ficamos desamparados, só nos seguram a beleza, a sedução, a investigação do filme. E, se está tão presente nesse texto o uso da primeira pessoa do singular, é porque essa ausência de referência a um sistema de valor explícito me/nos deixa a só(s) com o filme.

(*Caderno de Crítica*, nº 6, Embrafilme, maio de 1989)

A entrevista*

Até os anos 50, os documentaristas só dispunham de som de estúdio: a voz do locutor e a musiquinha de fundo.

Quando apareceram equipamentos possibilitando a captação de som em sincronia com a captação de imagem, a linguagem do cinema documentário se transformou. O locutor de estúdio tornou-se um recurso entre outros, que podia ou não ser usado. Um outro universo sonoro foi criado com a captação de ruídos ambientes e de falas. Expressões novas apareceram — "cinema direto", "cinema verdade" — para designar formas de cinema documentário em que a faixa sonora deixara de ser um apêndice da faixa visual para se tornar tão importante quanto ela.

Podemos dizer que o som direto criou duas grandes categorias de falas: as que o documentarista captava no ambiente em que filmava e as que ele provocava. No primeiro caso, encontramos desde o discurso oficial, isto é, a fala programada para determinado evento independentemente do filme, até espontâneas conversas

* Texto inédito, redigido em 2003.

de rua. A dramaturgia-documentário de Frederick Wiseman, em filmes como *Titicut Follies* ou *High school* (1963 e 1968, respectivamente), está justamente baseada na captação de cenas em delegacias de polícia, hospitais, escolas, cadeias etc., em que a relação verbal entre os personagens é fundamental.

A segunda categoria é constituída principalmente por entrevistas, depoimentos e também, mais raramente, por diálogos, debates entre diversas pessoas. Em matéria de diálogo, ficou famosa a cena dc almoço de *Crônica de um verão* (1960), em que Jean Rouch e Edgar Morin reuniram diversas pessoas que não se conheciam e filmaram e gravaram os contatos que se estabeleceram entre elas.

Além de abrir para o documentário perspectivas sonoras e, portanto, de dramaturgia até então desconhecidas, o cinema direto teve, em algumas situações, importância política — no Canadá, por exemplo, onde o francês é uma língua oprimida. Cineastas como Pierre Perrault (*Pour la suite du monde*, 1963) põem na tela o falar quebequense, consolidando sua posição no espaço linguístico canadense. O cinema direto canadense foi uma forma de resistência da língua.

No Brasil, o cinema direto trouxe à tona um universo verbal até então desconhecido na tela. À fala controlada dos locutores, aos diálogos escritos dos personagens de ficção, vinha se contrapor um português múltiplo falado fora do domínio da norma culta. Basta assistir a *Viramundo* ou *A opinião pública* para perceber a riqueza, a diversidade de sotaques, de prosódias, de sintaxes, de vocabulários que, conforme a origem das pessoas, a idade, a situação em que se encontravam, esse cinema descobria.

Há filmes em que sentimos uma tensão entre o universo sonoro em vigor nos anos 50 e o que vinha se construindo a partir do final da década. *Aruanda*, por exemplo, recorre ao locutor clássico, que recita um texto escrito, com clara articulação silábica e as devidas ênfases, como mandava o figurino da época. Sua voz teria o mesmo empenho e a mesma indiferença se, em vez de falar de camponeses nordestinos, falasse da reprodução das baleias. Há uma tensão entre essa recitação convencional por um lado e, por outro, o tema do filme, então inovador no quadro do documentário brasileiro, e a precária qualidade das imagens. E há também uma tensão na própria faixa sonora em que, ao lado do locutor tradicional, ouvimos músicas gravadas *in loco* pelos realizadores especialmente para o filme, resultado de pesquisa que apresentava no cinema sons que até então lhe eram vedados. O próprio filme chama atenção para a pesquisa musical. Essas músicas são usadas para a criação do ambiente musical do filme. No entanto, elas são de natureza totalmente diferente das músicas gravadas em discos que se aproveitavam simplesmente para forrar o espaço sonoro. Do ponto de vista do som, *Aruanda* é um filme de transição — e isso é um aspecto de sua beleza — em que convivem de forma tensa um sistema sonoro ainda dominante e um outro que o contesta e começa a se instalar. Para perceber mais nitidamente esse momento de transição, pode-se relacionar *Aruanda* com *Maioria absoluta*, e não apenas porque este último já recorre a entrevistas gravadas em sincronia com a imagem. Mas também por causa do locutor. Ferreira Gullar já não tem mais as entonações dos locutores dos anos 50, e o calor de sua voz nos transmite um envolvimento com o assunto de que fala.

Outro filme de transição é *Garrincha, alegria do povo* (1963), de Joaquim Pedro de Andrade. O filme contém dois depoimentos (não são propriamente entrevistas) em sincronia com a imagem: um de Garrincha, outro de um diretor do Botafogo. Diversas sequências fingem um som ambiente: Garrincha em casa dançando *twist* com as filhas, cenas em vestiários, na fábrica de tecelagem. Mesmo que esses sons tenham sido captados nas locações, eles não estão em sincronia com a imagem. Os ruídos de água no chuveiro e na piscina parecem ruidagem (o que na época se chamava "ruídos de sala"). A percepção de que esse filme é de transição advém quando se relacionam os depoimentos acima citados com a seguinte sequência: após uma pelada, Garrincha encontra-se com amigos num bar, há planos próximos em que vemos claramente que Garrincha e seus companheiros estão falando. Ora, a trilha dessa sequência compõe-se de uma narração e de um chorinho de fundo; nenhum som, por vago que seja, de conversa ou de ambiência. Na época, esses planos com movimentos labiais evidentes sem som correspondente foram aceitos; meses depois, após *Maioria absoluta*, teriam chocado. Essa postura dúbia em relação ao som direto, aliada a uma estrutura narrativa discutível, talvez tenha feito com que o filme de Joaquim Pedro não conquistasse um papel mais relevante na trajetória *Aruanda*/*Maioria absoluta*/*Viramundo*/*A opinião pública*. Resta que, do ponto de vista do som direto, *Garrincha, alegria do povo* contém uns planos deliciosos. O locutor anuncia a existência, na casa de Garrincha, de um "passarinho muito estranho, porque, ao invés de cantar, fala com voz de homem". A seguir, temos detalhes do pássaro, ouvimos a sua "fala", a qual está em sincro. Pergunta: a tomada de som foi feita em sincro com a captação da imagem, ou foram feitas separadamente e a perícia do montador Nello Melli realizou a sincronização? Os planos do pássaro já são cinema verdade, ou ainda não?

O som direto abriu para o cinema um leque extraordinariamente rico de entrevistas e falas. Num polo, temos falas, entrevistas ou outras modalidades, cuja finalidade é transmitir uma informação verbal, tendo o conteúdo uma importância predominante. No outro, encontramos uma fala cujo conteúdo se torna secundário, e o ato de fala passa a predominar. Nenhum desses polos concretiza-se com exclusividade: trata-se de tendências, podendo uma ou outra prevalecer nesta ou naquela entrevista. Em *Viramundo*, por exemplo, o conteúdo da fala é fundamental; já em *A opinião pública* é frequentemente o ato de fala que tem a primazia. Na virada para a década de 1960, esse ato de fala, em detrimento do conteúdo, nos fascinava (ou fascinava alguns). Uma frase (?) como a de Nadine em *La punition* (1962), de Jean Rouch — "Pois bem, agora lhe digo! É... e agora... é... queria saber se... é... o dinheiro traz... algo... às pessoas que têm"[1] — nos encantava. O que nos encantava?

Provavelmente duas coisas. Por um lado, essa área limítrofe da fala, da comunicação verbal, esses balbucios, palavras hesitantes, fracassadas, elipses, tiques verbais, reticências à beira do gaguejo, essa fala esgarçada nos dava a impressão de uma intimidade com o falante, o qual se apresentava desarmado, aquém dos mecanismos e das defesas da representação social. Outro aspecto de nosso encantamento era o caráter de documento bruto de tais planos, como se um fragmento da realidade tivesse sido transportado sem elaboração do mundo para a tela. Edgar Morin: "Eu posso ter um espasmo diante de um documento bruto". A noção de documento bruto é discutível, talvez seja preferível dizer que um fragmento de cotidianidade, pouco elaborado, de uma cotidianidade pouco aprontada, se transformava em espetáculo. O que surpreendia e perturbava era que uma espécie de franja da fala, do comportamento que, normalmente, desprezaríamos ou nem notaríamos, de repente tornava-se o espetáculo.

Após esse momento criador de um então novo cinema falado, a entrevista se generalizou e tornou-se o feijão com arroz do documentário cinematográfico e televisivo. Perderam-se as justificativas iniciais, quaisquer fossem elas — descoberta da fala, dar voz a quem não tem, objetividade do documentarista etc. —, e a entrevista virou cacoete.

Um amigo me dizia recentemente que queria fazer um documentário, *mas um documentário verdadeiro, não um filme que você liga a câmera e coloca um entrevistado na frente.* Essa é uma maneira rude, mas precisa e certeira, de caracterizar a quase totalidade do documentário brasileiro na atual conjuntura. Não se pensa mais documentário sem entrevista, e o mais das vezes dirigir uma pergunta ao entrevistado é como ligar o piloto automático. Faz-se a pergunta, o entrevistado vai falando, e está tudo bem; quando esmorecer, nova pergunta. Nos últimos anos, a produção de documentários cinematográficos recrudesceu sensivelmente no Brasil, o que não me parece ter sido acompanhado por um enriquecimento da dramaturgia e das estratégias narrativas.

Se, nos primórdios do cinema direto, a entrevista era uma tentativa de encontrar o outro, após a fase de criação dessa linguagem que se tornou um automatismo, ela hoje remete mais ao cineasta do que ao entrevistado. Existe um espaço da entrevista: o entrevistado fica no campo da câmera, geralmente de frente (de costas apenas quando o depoente não quer ser identificado); seu olhar passa rente à objetiva, à direita ou à esquerda, em direção ao entrevistador, que costuma ser o próprio realizador e que faz a pergunta à qual o entrevistado responde (é o tal $^3/_4$ frente). Que este seja um sem-teto ou um sociólogo que fala dos sem-teto, seja o cego ou a vidente, o dispositivo espacial é o mesmo. Tal dispositivo tem um centro imantado que é o lugar ao lado da câmera onde se encontra o diretor (ou atrás da câmera, se ele mesmo estiver operando). A repetição *ad nauseam* desse dispositivo, em detrimento de outras formas dramáticas e narrativas, gerou um espaço narcísico de que o cineasta é o centro, pois é para esse centro que se dirige o olhar do entrevistado. A câmera filma um olhar que se dirige para sua fronteira, porque aí se encontra o ponto de interesse do entrevistado, isto é, a pessoa a quem ele se dirige. Não é apenas o olhar que se dirige para esse ponto, mas também a fala. Ou seja, tanto a direção do olhar quanto o direcionamento da fala remete ao próprio cineasta.

A predominância da entrevista como método tem outra consequência: ela implica predominância do verbal. O documentarista só obtém informações cuja emissão sua pergunta pode motivar, informações verbalizáveis; apenas informações que o entrevistado aceita e consegue verbalizar. A quase exclusividade da entrevista estreita consideravelmente o campo de observação do documentarista: as atitudes, o andar, os gestos, a roupa, os objetos, os ambientes, os sons que não sejam verbais etc. Os atuais documentários brasileiros revelam uma fraca capacidade de observação. De modo que as informações que recebemos são as fornecidas verbalmente pelo entrevistado em resposta ao estímulo da pergunta, mas não as que poderiam provir de outros campos de observação e não as que o entrevistado não percebe, mas que o documentarista poderia perceber. É verdade que para sanar essa lacuna usa-se frequentemente uma segunda câmera, que filma outros elementos — enquanto o diretor e a primeira câmera consagram-se ao entrevistado e à entrevista —, por exemplo, registrando aspectos do ambiente, gestos de mão etc. Mas esse material em geral não resulta de uma observação mais profunda e fornece planos de cobertura para a montagem das entrevistas.

Outra consequência dessa situação é que passam também para um segundo plano as relações entre as pessoas de que trata o filme. Já que esse método privilegia a relação entrevistado/cineasta, as interações entre as pessoas filmadas quase desaparecem, e nisso se baseava em grande parte a dramaturgia de um Wiseman, de um Rouch. Entrevista-se e filma-se a esposa, entrevista-se e filma-se o marido, mas não se trabalha a relação, verbal ou não, que poderia ser apreendida entre a esposa e o marido.

Acrescentemos que, de modo geral, o sistema de entrevistas simplifica a produção e baixa seus custos.

* * *

Os documentários que me parecem mais motivadores atualmente são aqueles em que, de uma forma ou de outra, a entrevista encontra-se problematizada. Por exemplo, *Vida de cachorro* (2001, Thiago Villas Boas). O filme aborda um homem e sua família que, instalados à beira de uma marginal em São Paulo, constroem casinhas para cachorros. É um documentário de corte tradicional, realizado com cuidado e muita sensibilidade. Além das habituais entrevistas, planos descrevem as atividades da família (mulher lavando louça), em particular aquelas necessárias à confecção das casinhas (homem serrando madeira etc.), e uma negociação para venda. Gostaríamos de saber um pouco mais sobre a situação: onde o homem compra sua "madeira de primeira qualidade", como se organiza o que parece ser uma microempresa familial etc.?

Um plano me parece escapar ao sistema montado para descrever a situação de que trata o filme: a esposa do dono da microempresa familiar espia escondida o que acontece no caminhão de um comprador. Com certeza, o plano articula-se com o contexto, já que, na metade esquerda do campo, mostra o que acontece no caminhão. No entanto, para registrar esse dado, a mulher não é necessária, e muito menos que ela se esconda. Esse plano sugere que, além dos fatos registrados — avenida marginal, família sem-teto, construção de casinhas —, outra coisa acontece, que existe outro nível de realidade. A mulher é tímida? Há uma hierarquia na família, na microempresa, que não permite à mulher entrar em contato com os compradores, participar das vendas? Não sei. Esse plano funciona como uma fissura no sistema de exposição. Sugere que a situação descrita contém mais elementos que os expostos no filme, como se o mecanismo descritivo-narrativo tivesse achatado a situação; sugere que outra abordagem menos óbvia teria sido possível e talvez mais estimulante. Na fissura desse plano esconde-se um outro documentário.

Vida de cachorro contém uma sequência que transforma o filme. Trata-se de uma entrevista com um homem que se diz empreiteiro e constrói casinhas, sem que entendamos bem qual a relação que ele mantém com o entrevistado principal, dono da microempresa. Vários planos compõem a entrevista com Joelson — seu nome aparece na tela no momento em que ele diz qual é a "sua graça" (os nomes dos outros entrevistados aparecem igualmente na tela no momento oportuno). Num dos planos, ele recebe do diretor/entrevistador oculto a pergunta *off*: "Cê queria ir aonde, se você fosse sair daqui?". Joelson reage estranhamente: olha para cima, mexendo a cabeça para direita e para esquerda durante um bom tempo; a seguir, abaixa a cabeça e volta a olhar para o ponto fora de campo onde está o entrevistador, e pergunta duas vezes: "Respondeu?". Algo de inesperado aconteceu: o entrevistado não respondeu verbal, mas gestualmente (a resposta verbal implícita é: "para o céu"). O gesto me parece reforçado pela pergunta. De fato, Joelson não pergunta "Respondi?", mas "Respondeu?". Entendo que o sujeito implícito desse verbo é: meu gesto, o que eu fiz. O filme aceita bem essa interpretação, mas pode haver outras. Pensei na possibilidade de Joelson ter simplesmente cometido um erro gramatical, mas isso não me convence. Talvez "Respondeu?" seja a contração de duas perguntas: "Respondi? Entendeu?", o que me parece mais provável. De qualquer forma, Joelson, passando para o gestual, altera o *status* verbal da entrevista e tira o entrevistador do patamar em que estava convencionalmente instalado.

Joelson não para aí. Após o "Respondeu?", vem um corte. No plano seguinte, ele anuncia: "Agora eu vou fazer uma pergunta para você". O *status* da entrevista, que já vinha se desestabilizando, está agora prestes a desmoronar. Não só o entrevistado inverte os papéis, como anuncia que está procedendo a essa operação, e faz isso sem pedir licença, passando assim do registro afirmativo ou negativo, no qual costumam ser mantidos os entrevistados, para o interrogativo, prerrogativa dos entrevistadores. O ex-entrevistador oculto recebe o baque, e *off* ouvimos "Faz". O entrevistador não costuma anunciar que vai fazer uma pergunta (ou melhor, sim, anuncia, mas isso é parte dos preparativos da filmagem) e muito menos espera que se lhe dê licença para tal. De fato, o que o entrevistador destronado faz é dar licença, assim ele entra no jogo do ex-entrevistado, sem perder de todo as estribeiras ao conceder uma licença que não lhe foi solicitada (Joelson não perguntou: "Posso lhe fazer uma pergunta?", e a entonação de sua afirmação não é implicitamente interrogativa). E lá vai a primeira de uma série de perguntas: "Que porra você é?". E o entrevistado dirá seu nome, Thiago, o que ele fazia aos catorze, aos dezesseis anos etc. Após a primeira pergunta, ouvimos *off* um "Hein?" que expressa antes a surpresa do novo entrevistado do que o simples fato de ele não ter ouvido bem a pergunta, mas que obriga Joelson a repeti-la. A surpresa do diretor, que talvez seja mesmo uma estupefação, é compreensível. Pois Joelson, além de ter-se afirmado como entrevistador, quebra outro princípio da entrevista: a relação verbal do entrevistador com o entrevistado pobre, sem-teto, favelado etc., é sempre correta, para não dizer cerimoniosa. Não se imagina um documentarista perguntar: "Que porra de favelado o senhor é?". Joelson, com toda simpatia, quebrou a relação fetichista.

Ter bagunçado o plano do verbal e invertido os papéis ainda não satisfaz Joelson. No último plano, ele estica o braço em direção ao diretor. Entendemos, pelo tônus muscular de seu braço, que, fora de campo, Thiago lhe aperta a mão. Joelson não o larga, tenta puxá-lo para dentro do campo; Thiago resiste, mas acaba cedendo e entra no campo, se encosta no torso nu do entrevistado e os dois se abraçam ternamente. Essa ternura é importante porque estabelece *uma relação de pessoa a pessoa*. Nessa operação, Joelson desarticula o espaço da entrevista, dissolvendo o centro imantado ao puxar Thiago para dentro do campo.

Essa série de planos é um duelo. Um duelo que Joelson provocou e liderou maravilhosamente, mas não venceu. Ele só podia agir ao nível da filmagem, e não da montagem. Embora esta tenha valorizado ao máximo a atuação de Joelson, resta um pequeno detalhe significativo. Como já assinalei, aparece na tela o nome dos entrevistados. O de Joelson entra no momento em que ele diz seu nome. O de Thiago não aparece, nem quando ele diz o nome, nem quando entra no campo. Ao se excluir do sistema de nomeação (o que pode se justificar pela modéstia), o diretor mantém a relação sujeito-objeto. As pessoas de que o filme trata têm o nome mencionado por escrito na tela, são os objetos da investigação do documentário; o diretor, mesmo que seu papel tenha sido abalado durante a filmagem, preserva sua posição de sujeito ao não se incluir no rol dos nomeados. Assim como ele nomeou o diretor oralmente, Joelson, se tivesse participado da montagem, teria exigido que o nome de Thiago também aparecesse na tela?

Os realizadores do filme se deram conta da importância dessa sequência — uma das mais instigantes do documentário brasileiro recente do ponto de vista que adotei neste texto. O plano que a precede fecha com um longo escurecimento. É a primeira vez que ocorre esse recurso de pontuação; ele será retomado adiante para indicar uma passagem de tempo, isto é, com uma função convencional. Mas aqui o escurecimento não parece ter tal função, e sim a de destacar a sequência de Joelson, de isolá-la do que vinha antes como se ela tivesse um *status* diferente do resto do filme — o que de fato ela tem.

Em *À margem da imagem* (2002), Evaldo Mocarzel opera basicamente com um método tradicional para entrevistar sem-teto. Se as condições de vida dos moradores de rua são um tema do filme, sua preocupação dominante é referente ao uso da imagem dos outros e também à significação da entrevista.

Mocarzel entrevistou uma freira que ajuda sem-teto. A fala dessa mulher traz muitas informações relevantes. Cito um trecho:

> [...] na cidade tem a questão do anonimato. O anonimato para a população de rua é um grande parceiro, o anonimato, porque você pode suar [*sic*]... você pode ser versátil, hoje você pode estar chegando, amanhã você pode ser roubado, você cada dia conta uma história para um, que ninguém te conhece, o que não pode acontecer numa cidade pequena. Então a cidade dá essa liberdade através do anonimato. Então hoje sou Ivete, amanhã sou Dalva, amanhã sou Maria, ninguém se importa com isso; hoje eu fui casada, amanhã fui largada, depois de amanhã eu tenho filho, depois já não tenho mais, então eu posso inventar, a questão do acharque [*sic*], que acharcar [*sic*] na rua é o seguinte, você ganhar dinheiro contando uma história que comova o transeunte.

No meu entender, esse discurso repercute sobre todas as entrevistas do filme. A freira não se refere a entrevistas cinematográficas, mas joga uma desconfiança sobre a veracidade da fala. A estratégia da fala, no *acharque*, não tem a finalidade de transmitir uma verdade. O entrevistado cinematográfico pode perfeitamente emitir um discurso, que não seja portador de uma verdade, mas com o fim de contar uma história que comova, se não o transeunte, o cineasta ou o espectador. Esse é um ponto forte do filme: praticar a entrevista convencional, mas fornecer informações que a solapam. *À margem da imagem* parece revelar uma crise: pratica o sistema, mas o próprio sistema dá sinais de duvidar de si.

Outro sintoma que sugere a existência de rachaduras no sistema é que Mocarzel entrevista os entrevistados sobre as entrevistas, numa espécie de metaentrevista.

Um entrevistado acha que a entrevista não muda nada para ele e que o cineasta pode fazer o que quiser com as imagens. Outro é favorável ao sistema, mas claramente a questão não é cinematográfica. Ele espera que o filme seja um instrumento que tenha consequências sociais: a câmera "provoca coisas boas para mim, estou sendo filmado, estou sendo entrevistado, estou dando minhas opiniões como morador de rua, não é?, isso aí vai levar, isso aí vai cair na mão de alguém, que vai ver, que vai reparar, que tem condição de pensar, repensar, falar com outras pessoas também no caso de ajuda, que pode ajudar, sei lá, enfim, então na minha frente [?], isso aí, para mim é uma coisa superlegal... pelo contrário tem pessoas que se escondem [...] não, que é isso? Vamos aparecer, vamos mostrar a realidade, não inclua [?], vamos mostrar o acontecimento, não vamos omitir, esconder atrás da capa". Outros não são tão otimistas: "Há muitas coisas que às vezes podem ser em vão, porque você pode [tar exibindo] esse filme aí, mas na sociedade existe muita barreira, entendeu, pro pobre, pro rico, então fica muito difícil".

A sequência final é dedicada a uma projeção feita para os sem-teto que participaram do filme, e em seguida o cineasta solicita que comentem o que viram. Mocarzel recolheu depoimentos estupendos. Vou citar longamente um deles, que a montagem dividiu em duas partes. Na primeira, o homem declara: "A única coisa que eu achava que deveria ser mudado no filme é um fundo musical, que não teve, eu não escutei nenhum fundo musical. Terminou sem graça, sem um fim, né, então acho que podia colocar um final não tão [convencedor], tão pálido, tão escuro". A segunda é realmente impressionante: "Faltou mostrar quando ele pede, que ele bate numa casa, que ele se expressa com uma pessoa, a pessoa naturalmente agora tá me vendo, né, mas geralmente essas pessoas, amanhã, não vai me ver, não vai me conhecer. Se eu apertar a campainha de uma casa, ela vai dizer pro porteiro, não atende, não conheço. Então é isso, tem que mostrar isso no filme, tem que mostrar a pessoa apertando numa casa, pedindo um prato de comida, pedindo isso, pedindo aquilo, tal, pra poder ser um filme verdadeiro. Isso o diretor esqueceu". É uma crítica ao filme, a situação de entrevista não é suficiente, o filme precisa mostrar outras coisas, precisa ter outro nível de observação e de informação. Nesse momento do depoimento, o diretor faz uma breve intervenção *off*, que comentarei a seguir. Depois disso, o depoimento se encerra de forma ainda mais surpreendente: "Entendeu, porque se eu chegar na sua casa e bater na sua campainha, eu tenho certeza que você não vai me receber, só hoje, amanhã você não me recebe mais". O surpreendente é que o diretor, que "esqueceu", é agora identificado com essas pessoas que dizem "pro porteiro, não atende, não conheço". A montagem valorizou ao máximo esse depoimento, deixando-o para o final: após as palavras "amanhã você não me recebe mais", corte e sobem os créditos de fim. É forte.

A reação *off* de Mocarzel, após as palavras "isso o diretor esqueceu", é: *tá bom, valeu, obrigado.* Essa reação não está à altura da crítica devastadora do depoente, que não é apenas uma crítica ao filme, mas ao próprio sistema cinematográfico, na medida em que o diretor é assimilado a "essas pessoas". Esse veemente depoimento e a reação do diretor me parecem expor a crise desse tipo de cinema documentário: se faz o filme, mas este inclui uma crítica que afirma não ser ele "um filme verdadeiro", a montagem realça a crítica (pela posição de fim), e o diretor tem a profunda honestidade de deixar na trilha sua reação pífia, que me dá uma impressão de desamparo (ou, pela apatia da voz, de desinteresse).

A reação de Mocarzel ao depoente me sugere outro comentário. Por que o diretor não enfrentou o entrevistado, por que não lhe respondeu que o filme a que ele aludia seria diferente do que estava sendo feito, que este era sobre as imagens, ou então que talvez ele tinha razão e que o projeto deveria ter sido outro etc.? Porque, simplesmente, *não se dialoga com entrevistado pobre.* Há como que uma dupla atitude em relação a esse tipo de entrevistado. Por um lado, uma relação fetichista: tudo o que diz o pobre vale; não vamos contradizer o pobre, que isso implicaria uma colaboração com os mecanismos de opressão — entrevistado pobre é um tanto sacralizado. Por outro, não passa de matéria-prima para os filmes. Num plano que descreve preparativos para filmagens de entrevistas, o diretor grita mais ou menos: "Andréa, vou ver se faço um de cada vez, senão vai dar confusão... Faço ele primeiro". Essa cena me soa mal. Pergunto-me que tipo de relacionamento com os entrevistados pressupõe o uso, reiterado, do verbo "fazer"? É chocante, total falta de respeito.

O entrevistado não é verdadeiramente um interlocutor. Num trecho do filme em que entrevistados abordam temas políticos, uma mulher declara: "Pitta sujou, saiu antes do tempo dele". Por que o diretor ou qualquer pessoa da equipe não lhe responde que está enganada, que o prefeito enfrentou dificuldades, mas foi até o fim do mandato? Se houvesse uma real interlocução, se houvesse uma relação pessoal sincera, não se diria à mulher que ela está desinformada? E não seria mais interessante para o filme? Como ela reagiria se lhe dissessem que cometeu um erro? Outra pergunta: por que ter montado o plano? Para que saibamos que os sem-teto estão mal informados? Quando o diálogo se esboça, o entrevistado gosta. Disso também *À margem da imagem* dá um exemplo. Miguel, após um corte, tem uma pausa meditativa e diz: "É, é uma boa pergunta, por que eu não largo da bebida?" — com certeza em resposta a uma pergunta que lhe foi feita e não é ouvida no filme.

Por que Mocarzel, que tem teto e come, não respondeu a Miguel, que não tem teto e não come, e por isso é sacralizado: os seus problemas de comida e de campainha, posso até entender e me compadecer, mas esse não é o assunto do meu filme? Enquanto não se estabelecer um diálogo desse tipo, de pessoa a pessoa que se respeitem, entre cineastas e entrevistados pobres, o cinema de entrevistas não vai se restabelecer. Acontece que Miguel tocou num aspecto fundamental da exclusão social: quando ele diz "não conheço", ele alude ao tema da invisibilidade. O diálogo real, o diálogo como troca efetiva entre Miguel e Mocarzel poderia ter resultado num filme sobre a invisibilidade na exclusão social e o uso e abuso da imagem mediática dos excluídos.

À margem da imagem me dá a impressão de ser um filme de crise, e por isso particularmente estimulante — a crise do filme documentário de entrevistas.

Outrossim, a entrevista pode ser um estilo, como no cinema de Eduardo Coutinho.

Notas

O MODELO SOCIOLÓGICO OU A VOZ DO DONO [PP. 15-39]

1. Chamo de "locutor" ou "voz *off*" a voz que lê o "comentário" ou "narração do filme, e somente essa. Conservo a expressão "voz *off*" por ser usual em português, apesar de imprecisa, pois são *off* todos os sons cuja fonte não é visível na imagem (afirmação também imprecisa). A voz de um ator que deixa o campo (espaço visível na imagem) mas continua falando torna-se *off*. A expressão norte-americana "voz *over*" para designar a voz da "narração" é mais precisa, mas não a emprego por não ser de uso corrente.

2. Ver bibliografia.

3. Para melhor ilustrar o sistema do ator natural, retomo a bela análise que Sérgio Santeiro fez de uma sequência de *Viva Cariri*, em que o sistema emperra. Filma-se uma sala de ex-votos, guardados por duas velhíssimas mulheres. À mais velha, a guardiã principal, o entrevistador, oculto, faz uma pergunta a respeito dos ex-votos, e ela responde, agressivamente: "Moço, eu já não lhe falei?". Zangada, nega-se a responder. A outra intervém para acalmá-la e pede que fale de novo para o moço poder tomar a fotografia. Ela, então, acede à solicitação da outra e, um tanto mal-humorada, fala. Aconteceu que a primeira fase — que, para o cineasta, não passou de uma preparação à filmagem — foi tomada pela velha senhora como uma relação de pessoa a pessoa, em que ela lhe transmitiu uma informação. Uma vez transmitida a informação, não haveria por que repetir. A

intervenção da segunda mulher põe o sistema a funcionar e leva a primeira a assumir o papel de ator natural.

EM BUSCA DE UMA NOVA DRAMATURGIA DOCUMENTÁRIA [PP. 69-84]

1. Deixo de lado a interpretação conforme a qual, inteligentemente, esse senhor teria assumido as posições de *O Estado de S. Paulo* para não perder o emprego, já que sabia que o que diria se tornaria público.

A VOZ DO DOCUMENTARISTA [PP. 85-118]

1. Respectivamente produtor executivo e realizador de *Viramundo*.

2. Observar a dupla significação desse título: o poeta vai para a área rural e também parte para seu campo de pesquisa, que é o campo. Essa duplicidade já está inserida no título do livro, onde o "lavra" repetido remete à lavoura, ao sulco aberto na terra, bem como ao trabalho sobre o texto escrito. O filme encampa plenamente esses dois níveis de significação.

3. "Kinoglaz" é o "Cine-olho" do documentarista soviético Dziga Vertov, cujos filmes e teorias tiveram papel fundamental na história do cinema. As antigas epopeias e o herói atual referem-se provavelmente às teorias de Lukács sobre a epopeia e o romance. A "classe A" é possivelmente uma referência à classificação da produção norte-americana em diversas categorias, correspondendo a série A aos filmes de prestígio.

A VOZ DO OUTRO [PP. 119-42]

1. Não é intenção minha analisar aqui as tendências marxizantes do documentário brasileiro. Diga-se apenas que o sociologismo que se verifica em diversos filmes estudados neste ensaio está como que impregnado de forma mais ou menos "espontânea", mais ou menos consciente, de metodologia marxista.

2. A descontinuidade espacial entre figura e fundo não é exclusividade desse plano de *Jardim Nova Bahia* ou de Raulino. Já abordei essa questão em artigo sobre *A idade da terra*, e inúmeros são os filmes em que encontramos imagens desse tipo. Por exemplo, *Santo e Jesus, metalúrgicos* (1983), em que Cláudio Kahns entrevista um operário num lugar elevado, sem continuidade espacial com o fundo ligeiramente desfocado constituído por um bairro operário. No entanto, os comentários feitos a respeito do plano de *Jardim* não podem ser transpostos

para os planos semelhantes de *Santo e Jesus*, por vários motivos: 1) Inicialmente, a composição da imagem: é menos rigorosa em *Santo e Jesus* (menos rigorosa em si, o que não implica que não esteja em harmonia com o estilo do filme). A figura é enviesada, e não frontal como em *Jardim*; o fundo tende à horizontalidade e é muito mais acidentado, em oposição à homogeneidade das casinhas de *Jardim*. Desse modo, a oposição figura-fundo não se impõe com tanta nitidez. E, principalmente, a câmera, em oposição à imobilidade verificada em *Jardim*, faz constantes correções, pequenos movimentos de aproximação e afastamento com zoom cuja função expressiva não é clara, a não ser quebrar uma suposta monotonia resultante da imobilidade. A composição acaba tendo menos força, menos poder afirmativo em *Santo e Jesus*. 2) A outra razão é que *Jardim*, no seu conjunto, aceita essa interpretação do plano e ao mesmo tempo nos encaminha para ela. Ao passo que tal interpretação, me parece, não teria sentido em *Santo e Jesus*. Portanto, além da estrutura da enquadração em si, há uma determinação do contexto que orienta a interpretação.

Isso não impede que os planos comentados de *Jardim*, de *Santo e Jesus* ou de *A idade da terra* e de inúmeros outros filmes pertençam a uma mesma família de imagens características do cinema moderno e do nosso universo visual.

O OUTRO É UM SEGREDO? [PP. 160-78]

1. Frase usada no lançamento publicitário de *Gilda* no Brasil.

O INTELECTUAL DIANTE DO OUTRO EM GREVE [PP. 179-206]

1. Letreiro de abertura: "Queixada é um animal pequeno que quando se sente ameaçado junta-se em bando, bate o queixo e enfrenta o caçador. Este nome foi dado aos operários da fábrica de cimento Perus, que realizaram várias greves nas décadas de 50 e 60. A mais importante ocorreu em 1962. Neste ano, no Brasil, houve 154 greves".

2. Aproveitei o comentário que Inimá Simões escreveu sobre esse filme para a pesquisa inédita "O cinema documentário e os movimentos sociais em São Paulo, 1978-80" (Idart, São Paulo).

3. Em *ABC da greve*, de Leon Hirzman, a volta de Lula dá-se em outro momento: aparece numa assembleia no Paço Municipal (posterior àquela dos guarda-chuvas), depois numa igreja, e finalmente lidera a assembleia final no estádio.

4. *ABC da greve* dá uma outra interpretação da assembleia do paço. Não tenta passar por cima da situação nem dá uma versão dramática: o palanque é bastante filmado, os participantes estão voltados para ele, ouvindo os oradores, de forma que a impressão é de uma assembleia "normal". E o locutor informa secamente que Lula não está presente, sem explicar nem interpretar essa ausência.

5. Devo acrescentar que a maneira como *Dia nublado* monta os fragmentos desse discurso me parece bastante próxima da estratégia adotada pelo orador para convencer os operários a aceitarem a volta ao trabalho. Um único tema relevante desse discurso foi silenciado: o tema religioso. Lula, de fato, afirma repetidamente sua fé em Deus, declara ter ido diversas vezes à missa nos últimos dias e refere-se cinco vezes ao bispo de São Bernardo, que colocou a matriz da cidade à disposição dos metalúrgicos e que será um dos representantes dos operários nos entendimentos dos 45 dias. A não ser por uma breve e não muito clara referência ao bispo feita pelo locutor, *Greve* tampouco leva em consideração a dimensão religiosa desse discurso. Em contrapartida, o filme de Leon Hirzman insiste longamente sobre as dimensões religiosas do movimento, em especial numa longa sequência de missa.

6. Este texto aproveita a análise de *Greve* que escrevi para a pesquisa já citada: "O cinema documentário e os movimentos sociais em São Paulo, 1978-80".

APÊNDICES [PP. 225-96]

Vitória sobre a lata de lixo da história

1. Alusões a peças de teatro de Gianfrancesco Guarnieri e Roberto Schwarz.

2. Walter Benjamin, *Teses sobre a filosofia da história*, trad. Sérgio Rouanet.

Os anos JK: como fala a história?

1. "Por que ele não ligou pro Vladimir?" — deve perguntar-se o leitor. Não liguei para Vladimir, meu amigo, porque os textos que compõem este livro pretendem trabalhar a partir dos filmes e dispensar as informações externas. Existem outros métodos de trabalho. É também a oportunidade para fazer observar que estes textos operam na fronteira entre a crítica, entendida como análise de obras específicas, e a reflexão teórica sobre cinema.

Filmar operários

1. Anexo aqui uma análise de *O homem que virou suco*, de João Batista de Andrade, devido às relações que o filme mantém com o cinema documentário e à temática intelectual/proletariado abordada neste livro.

2. O arco de círculo composto por pessoas com um personagem no centro é uma forma recorrente na obra de João Batista de Andrade.

3. Deixo o revelador erro datilográfico: queria escrever "usar".

A entrevista

1. Citado em Jean-Claude Bernardet, "As rebarbas do mundo", *Revista Civilização Brasileira*, nº 4, Rio de Janeiro, 1965.

Filmografia

Todos os filmes são de curta metragem, salvo indicação em contrário.

Usa-se aqui a seguinte legenda: fot = fotografia; mont = montagem; pb = preto e branco; rot = roteiro; lm = longa-metragem.

À margem da imagem

São Paulo, 2002, cor, lm; realização: Evaldo Mocarzel; rot: Evaldo Mocarzel, Maria Cecília Loschiavo dos Santos; fot: Carlos Ebert, João Pedro Hirzman; mont: Marcelo Moraes; som direto: Jorge A.Vaz.

ABC da greve

São Paulo, 1991, 16mm, cor, lm; realização: Leon Hirzman; fot/mont: Adrian Cooper; som direto: Francisco Mou, Uli Bruhn; narrador: Ferreira Gullar.

Acidente de trabalho

São Paulo/São Bernardo do Campo/Diadema, 1977; realização: Renato Tapajós: fot: Washington Racy; mont: Olga Futemma.

O amuleto de Ogum

Rio de Janeiro, 1974, 35mm, cor, lm; realização/rot: Nelson Pereira dos Santos; fot: Hélio Silva, Nelson Pereira dos Santos, José Cavalcanti; mont: Severino Dadá.

Os anos JK, uma trajetória política

Belo Horizonte, 1980, 35mm, cor/pb, lm; realização: Sílvio Tendler; rot: Sílvio Tendler, Antônio Paulo Ferraz; fot: Lúcio Kodato; mont: Francisco Sérgio Moreira.

Aruanda

João Pessoa, 1960, 16mm, pb; realização rot: Linduarte Noronha; assistente de direção: Vladimir Carvalho; fot mont: Rucker Vieira.

Barravento

Salvador, 1961, 35mm, pb, lm; realização: Glauber Rocha; rot: Glauber Rocha, José Telles de Magalhães, Luís Paulino dos Santos; fot: Tony Rabatoni; mont: Nelson Pereira dos Santos.

Braços cruzados, máquinas paradas

São Paulo, 1979, 16mm, pb, lm; realização/rot/mont: Sérgio Toledo Segall, Roberto Gervitz; fot: Aloysio Raulino.

Brasília segundo Feldman

Brasília, 1979, 16mm, cor; realização: Vladimir Carvalho; imagens: Eugene Feldman; imagens adicionais: Alberto Cavalcanti, Walter Carvalho; mont: Manfredo Caldas.

Cabra marcado para morrer

Rio de Janeiro, 1964-84, 35mm, cor/pb, lm; realização/rot: Eduardo Coutinho; fot: Fernando Duarte (1964), Edgar Moura (1984); mont: Eduardo Escorel; som direto: Jorge Saldanha.

Um caso comum

São Paulo, 1978; realização/rot: Renato Tapajós; fot: Washington Racy; mont: Maria Inês Villares, Olga Futemma.

Chapeleiros

São Paulo, 1983, 35mm, cor; realização/fot: Adrian Cooper; mont: Walter Rogério; som e trilha sonora: Claudio Kahns, Jorge Hue, Walter Rogério, Adrian Cooper.

Congo

Rio de Janeiro, 1972, 16mm, pb; realização/rot: Arthur Omar; fot: Iso Milmar; mont: Ricardo Miranda; narrador: Fernando Bianchi.

Cultura e loucura

Rio de Janeiro, 1973, 35mm, pb; realização/rot: Antônio Manuel; mont: Ricardo Miranda.

O desafio

Rio de Janeiro, 1965, 35mm, pb, lm; realização/rot: Paulo Cezar Saraceni; fot: Guido Cosulich; mont: Ismar Porto.

Destruição cerebral, esmagamento craniano, precipitação, fraturas generalizadas

Rio de Janeiro, 1976, 16mm, cor; realização: Carlos Fernando Borges, Joatan Vilela Berbel, José Carlos Avellar, Nick Zarvos, Paulo Chaves Fernandes.

Deus e o diabo na terra do sol

Rio de Janeiro, 1964, 35mm, pb, lm; realização: Glauber Rocha; rot: Glauber Rocha, Walter Lima Junior; fot: Waldemar Lima; mont: Rafael Justo Valverde.

Dia nublado/Greve de março

São Paulo/São Bernardo, 1979, 16mm, cor; realizado por Renato Tapajós, Olga Futemma, Zetas Malzoni, Maria Inês Villares, Francisco Cecca, Alípio Viana Freire, Cláudio Kahns; produção: ABCD Sociedade Cultural, OCA Cinematográfica.

Eles não usam black-tie

Rio de Janeiro, 1981, 35mm, cor, lm; realização: Leon Hirzman; rot: Leon Hirzman, Gianfrancesco Guarnieri; fot: Lauro Escorel Filho; mont: Eduardo Escorel; som direto: Juarez Dagoberto.

A estrada da vida

São Paulo, 1980, 35mm, cor, lm; realização: Nelson Pereira dos Santos; rot: Francisco de Assis; fot: Francisco Botelho; mont: Carlos Alberto Camuyrano.

Os fuzis

Rio de Janeiro, 1963, 35mm, pb, lm; realização: Ruy Guerra; rot: Ruy Guerra, Miguel Torres; fot: Ricardo Aronovich; mont: Raimundo Higino.

Garrincha, alegria do povo

Rio de Janeiro, 1963, 35mm, pb, lm; realização: Joaquim Pedro de Andrade; rot: Joaquim Pedro de Andrade, Luiz Carlos Barreto, Armando Nogueira, Mário

Carneiro, David Neves; fot: Mário Carneiro; mont: Nello Melli, Joaquim Pedro de Andrade; narrador: Heron Domingues.

Getúlio Vargas

Rio de Janeiro, 1974, 35mm, cor/pb; realização: Ana Carolina; rot: Ana Carolina, Manoel Maurício Albuquerque; mont: Luiz Carlos Saldanha, Mariza Leão.

Getúlio: glória e drama de um povo

São Paulo, 1956, 35mm, pb, lm; realização/rot: Alfredo Palacios; fot: Ferenc Fekete; mont: Alfredo Palacios, Luiz Elias.

Gilda

São Paulo, 1976, 16mm, cor; realização/rot: Augusto Sevá; fot: Pedro Farkas; mont: Reinaldo Volpato; som: Romeu Quinto.

Greve

São Paulo, 1979, 16mm, cor; realização/rot: João Batista de Andrade; fot: Aloysio Raulino, Adilson Ruiz; mont: Reinaldo Volpato; som: Romeu Quinto.

Os herdeiros

Rio de Janeiro, 1970, 35mm, cor, lm; realização/rot: Carlos Diegues; fot: Dib Lufti; mont: Eduardo Escorel.

O homem que virou suco

São Paulo, 1980, 35mm, cor, lm; realização/rot: João Batista de Andrade; fot: Aloysio Raulino; mont: Alain Fresnot.

Iaô

Rio de Janeiro, 1974, 16mm, pb/cor; realização: Geraldo Sarno; filmagem: Geraldo Sarno, João Carlos Horta, José Carlos Avellar, Walter Goulart, Arnol Conceição, Vera Lúcia Nascimento.

Indústria

São Paulo, 1968, 35mm, cor; realização: Ana Carolina Teixeira Soares; rot: Ana Carolina Teixeira Soares, Paulo Rufino; fot: Peter Overback; som: Cláudio Correia e Castro; produção: Comissão Estadual de Cinema.

Jango

Rio de Janeiro, 1984, 35mm, cor/pb, lm; realização: Sílvio Tendler; rot: Sílvio Tendler, Maurício Dias; fot: Lúcio Kodato; mont: Francisco Sérgio Moreira.

Jânio a 24 Quadros

São Paulo, 1981, 16/35mm, cor/pb, lm; realização/rot: Luís Alberto Pereira; fot: Eduardo Poiano, Adilson Ruiz; mont: Augusto Sevá.

Jardim Nova Bahia

São Paulo, 1971, 16mm, pb/cor; realização, rot/fot: Aloysio Raulino; câmera: Aloysio Raulino, Deutrudes Carlos da Rocha; mont: Roman B. Stulbach; som: Paulo Valadares; depoimento de Deutrudes Carlos da Rocha; participação de Carlos Canção, Milton e Geraldo.

Lavrador

São Paulo, 1968, 16mm, pb; realização: Paulo Rufino; rot: Paulo Rufino, Ana Carolina Teixeira Soares; fot: Carlos Albert Ebert; textos poéticos: Mário Chamie; música: Ana Carolina Teixeira Soares; vozes: Jofre Soares, Francisco Martins.

Liberdade de imprensa

São Paulo, 1967, 16mm, pb; realização/rot: João Batista de Andrade; fot: Armando Barreto, José Medeiros; mont: Francisco Ramalho Júnior; som: Sidnei Paiva Lopes, José Antônio; produção: Grêmio da Faculdade de Filosofia, Letras e Ciências Humanas da Universidade de São Paulo.

A luta do povo

São Paulo, 1980; realização: Renato Tapajós; fot: Zetas Malzoni; mont: Maria Inês Villares.

Maioria absoluta

Rio de Janeiro, 1964-66, 16mm, pb; realização/rot: Leon Hirzman; fot: Luiz Carlos Saldanha; som direto: Arnaldo Jabor; narrador: Ferreira Gullar.

Memórias do cárcere

Rio de Janeiro, 1984, 35mm, cor, lm; realização/rot: Nelson Pereira dos Santos; fot: José Medeiros, Antônio Luiz Soares; mont: Carlos Alberot Camuyrano.

Migrantes

São Paulo, 1972, 16mm, pb; realização/rot/mont: João Batista de Andrade; fot: Antônio Mateus.

Mito e metamorfoses das mães nagô/Iya-mi Agba (*Arte sacra negra II*)

Salvador, 1979, 16mm, cor; realização: Juana Elbein dos Santos; rot: Juana Elbein dos Santos, Orlando Senna; mont: Carlos Blajsblat.

O mundo em que Getúlio viveu

Rio de Janeiro, 1963, 35mm, pb, lm; realização: Jorge Ileli; rot: Jorge Ileli, Orlando Caramuru; mont: Maria Guadalupe.

A opinião pública

Rio de Janeiro, 1966, 35mm, pb, lm; realização/rot: Arnaldo Jabor; assistente de direção: Vladimir de Carvalho; fot: Dib Lufti; mont: João Ramiro Melo, Arnaldo Jabor, Gilberto Macedo; som: José Antônio Ventura; conselheiros: Amaury de Souza, Carlos Estevam.

Passe livre

Rio de Janeiro, 1974, 16mm, cor, lm; realização/rot: Oswaldo Caldeira.

Pedra da riqueza

Rio de Janeiro/Brasília, 1976, 16mm, pb; realização/rot/mont: Vladimir Carvalho; fot: Manuel Clemente, Walter Carvalho; música: Fernando Cerqueira.

Pedreira de São Diogo

Rio de Janeiro, 1962, 35mm, pb; episódio do lm *Cinco vezes favela*; realização: Leon Hirzman; rot: Leon Hirzman, Flávio Migliaccio; fot: Ozen Sermet; mont: Nelson Pereira dos Santos.

Porto de Santos

São Paulo, 1980, 35 mm, pb; realização/rot/fot: Aloysio Raulino; mont: José Motta.

A queda

Rio de Janeiro, 1978, 35mm, cor, lm; realização: Ruy Guerra, Nelson Xavier; rot/mont: Ruy Guerra; fot: Edgar Moura.

Os queixadas

São Paulo, 1978, 16mm, cor; realização/rot: Rogério Corrêa; fot: Pedro Farkas; mont: Eduardo Leone; som: Ubirajara Castro; conselheiros para a história do movimento operário de Perus: João Breno Pinto, Mário Carvalho de Jesus.

Rebelião em Vila Rica

São Paulo, 1958, 35mm, cor, lm; realização/rot: Geraldo e Renato Santos Pereira; fot: Ugo Lombardi; mont: Lúcio Braun.

São Paulo sociedade anônima

São Paulo, 1965, 35mm, pb, lm; realização/rot: Luís Sérgio Person; fot: Ricardo Aronovich; mont: Glauco Mirko Laurelli.

Subterrâneos do futebol

São Paulo, 1965, 16mm, pb; realização/rot: Maurice Capovilla; narração: Celso Brandão; produção: Thomaz Farkas; fot: Armando Barreto e Thomaz Farkas.

Tarumã

São Paulo, 1975, 16mm, cor; realização Aloysio Raulino, Guilherme Lisboa, Mario Kuperman, Romeu Quinto.

Terra em transe

Rio de Janeiro, 1967, 35mm, pb, lm; realização/rot: Glauber Rocha; fot: Luiz Carlos Barreto; mont: Eduardo Escorel.

Trabalhadoras metalúrgicas

São Paulo/São Bernardo do Campo, 1978, 16mm, cor; realização: Renato Tapajós, Olga Futemma; rot: Olga Futemma; fot: Washington Racy; mont: Olga Futemma, Ana Elisa Bueno.

O velho e o novo (*Otto Maria Carpeaux*)

Rio de Janeiro, 1966, 16mm, pb; realização/rot: Maurício Gomes Leite; fot: José Carlos Avellar; mont: Geraldo Velloso, Maurício Gomes Leite; leitura dos textos de Otto Maria Carpeaux: Tite de Lemos; produzido por um grupo de admiradores de Otto Maria Carpeaux; com Lygia Sigaud.

Vida de cachorro

São Paulo, 2001, cor; realização: Thiago Villas Boas; rot: Thiago Villas Boas, Maria Farkas; fot: André Luiz de Luiz; mont: Pablo Ferreira; som direto: Thiago Venco, Bernardo Spinelli.

Vidas secas

Rio de Janeiro, 1963, 35mm, pb, lm; realização/rot: Nelson Pereira dos Santos; fot: Luiz Carlos Barreto, José Rosa; mont: Rafael Justo Valverde.

Viramundo

São Paulo, 1965, 16mm, pb; realização/rot: Geraldo Sarno; produção: Thomaz Farkas; fot: Armando Barreto, Thomaz Farkas; som direto: Sérgio Muniz,

Edgardo Pallero, Vladimir Herzog, Maurice Capovilla; música: Caetano Veloso, José Capinam, interpretação de Gilberto Gil.

Viva Cariri

São Paulo, 1969, 16mm, cor; realização/rot: Geraldo Sarno; produção: Thomaz Farkas.

Bibliografia

BARTHES, Roland, et al. *Littérature et réalité.* Paris, Seuil, 1982. Coll. Points.

BONITZER, Pascal. *Le regard et la voix.* Paris, Union Générale d'Éditions, 1976, Col. 10-18.

CAMPOS, Haroldo de. "Arte pobre, tempo de pobreza, poesia menos". In Schwarz, Roberto (org.), *Os pobres na literatura brasileira.* São Paulo, Brasiliense, 1983.

CASCUDO, Luiz da Câmara. *Antologia do folclore brasileiro.* São Paulo, Martins, s. d.

CHAMIE, Mário. *Objeto selvagem.* São Paulo, Quiron/MEC, 1977.

CHAUI, Marilena. "Saber? Poder. Em busca do espaço da reflexão". *Em pauta.* Rio de Janeiro, CUP, ano l, nº l, s. d., pp. 4-11.

CHION, Michel. *La voix au cinema.* Paris, Cahiers du Cinéma/Étoile, 1982.

DERRIDA, Jacques. *A escritura e a diferença.* São Paulo, Perspectiva, 1971.

DOANE, Mary Ann. "A voz no cinema: a articulação do corpo e espaço". In Xavier, Ismail (org.). *A experiência no cinema.* Rio de Janeiro, Graal/Embrafilme, 1983.

GALVÃO, Maria Rita e Bernardet, Jean-Claude. *Cinema.* São Paulo, Brasiliense, 1983. Col. O nacional e o popular na cultura brasileira.

GALVÃO, Walnice Nogueira. *Saco de gatos.* São Paulo, Duas Cidades, 1976.

HARDMAN, Francisco Foot. *Nem pátria, nem patrão! Vida operária e cultura anarquista no Brasil.* São Paulo, Brasiliense, 1983.

LUZ, Marco Aurélio. *Cultura negra e ideologia do recalque.* Rio de Janeiro, Achiamé, 1983.

MILLS, C. Wright. *A nova classe média.* 3. ed. Rio de Janeiro, Zahar, 1979.
ORNAR, Arthur. "O antidocumentário, provisoriamente". *Revista de Cultura Vozes.* Rio de Janeiro, Vozes, ano 72, nº 6, ago. 1978.
SANTEIRO, Sérgio. *A voz do dono.* Rio de Janeiro, mimeo., *circa* 1974.
SILVA, Luiz Inácio Lula da. *Entrevistas e discursos.* 2. ed. Guarulhos, Repórter de Guarulhos, 1981.
SOUZA, Carlos Roberto Rodrigues de, et al. *O filme curto.* São Paulo, Idart, 1978.
SOUZA, Carlos Roberto Rodrigues de. *O cinema em Campinas nos anos 20, ou Uma Hollywood brasileira.* São Paulo, Universidade de São Paulo, mimeo., 1979.
TOLEDO, Caio Navarro de. *ISEB: fábrica de ideologias.* São Paulo, Ática, 1976.

Índice remissivo

1ª EDIÇÃO [2003]

ESTA OBRA FOI COMPOSTA EM MINION POR TECO DE SOUZA E IMPRESSA PELA UMLIVRO EM PROCESSO DE IMPRESSÃO SOB DEMANDA SOBRE PAPEL PÓLEN SOFT DA SUZANO S.A. PARA A EDITORA SCHWARCZ A PARTIR DE AGOSTO DE 2019

FSC
www.fsc.org
MISTO
Papel produzido a partir de fontes responsáveis
FSC® C128038

A marca FSC® é a garantia de que a madeira utilizada na fabricação do papel deste livro provém de florestas que foram gerenciadas de maneira ambientalmente correta, socialmente justa e economicamente viável, além de outras fontes de origem controlada.